KB124043

불가사의한 아메리카

불가사의한 아메리카

아메리카를 알아야 우리가 보인다

하시즈메 다이사부로·오사와 마사치 지음

김해식 옮김

북&월드

옮긴이 서문

이 책은 우선 재미있다. 그리고 얻는 게 많다.

현대 한국 사회는 아메리카를 빼고서는 설명할 수 없을 것이다. 해방, 정부 수립, 전쟁, 근대화, 정치 체제, 국방과 안전 보장, 경제와 무역, 교육과 학문, 종교, 문화, 스포츠 등등에 이르기까지 아메리카가 한국에 미친 영향력과 파급력은 거의 절대적이라고 할 수 있을 정도다.

우리에게 아메리카는 무엇인가? 우리는 아메리카에 대해 얼마나 알고 있는가? 이 책은 우리가 아메리카를 이해하는 데 직간접적인 도움을 풍부하게 제공한다. 물론 일본 학자들이 일본의 관점에서 아메리카를 논하고 있지만, 일본과 별반 사정이 다르지 않은 우리에게는 적절한 참고점과 깊은 통찰력을 전해준다. 게다가 우리와 떼려야 뗄 수 없는 일본에 대한 이해도 높일 수 있다. 덤으로 한국에서 상당한 비중을 차지하고 있는 '개신교'의 여러 종파에 대한 이해도 얻을 수 있다.

이 책은 아메리카의 본질을 찾아내기 위해 두 가지 사항에 착안한다. 기독교와 프래그머티즘(실용주의)이다. 어쩌면 우리는 아메리카의 이 두 가지 근원적 요소에 별로 주목하지 않았는지도 모른다. 아메리카는 종교 때문에 생긴 나라다. 종교적 탄압을 피해 신대륙으로 이주한 청교도가 없었다면 오늘날의 아메리카는 없을지도 모른다. 그런 점에서 아메리카에서의 기독교(프로테스탄트)의 전개에 대해 알지 못하고서는 아메리카의 본질을 파악할 수 없을 것이다. 그리고 그런 기독교의 교의와 정신이 생활 속으로 스며드는 기반이 되는 프래그머티즘은 아메리카인들의 생활 철학이자 삶의 태도를 대표한다고 할 수 있다. 이 책은 아메리카의 본질에 접근할 수 있는 그런 첩경이자 핵심에 주목하고 있다.

예전에 "하면 된다"는 말이 있었다. 정치적 함의를 품고 있는 말이었지만, 성실과 근면과 노력을 중시하는 한국인의 기질과 근성을 나름대로 표현해주는 말이었다고 본다. 그런데 아메리카인은 노력을 중시하는 "하면 된다"가 아니라, 신앙을 전제로 하는 "믿고 하면 된다"는 태도를 취한다. 그래서 아메리카의 기독교와 프래그머티즘이 중요한 것이다.

이 책은 트럼프 대통령 시대에 씌였다. 트럼프가 어떻게 당선될 수 있었는지에 대해서도 명쾌하고 설득력 있는 분석을 제공한다. 다시 트럼프가 부상하고 있는 지금, 아메리카의 미래를 전망하는 데도 도움이 될 것이다.

하시즈메와 오사와는 도쿄대학 출신의 일본을 대표하는

사회학자들이다. 여러 분야에 걸쳐서 활발한 저술 활동을 펼치고 있고, 무엇보다도 두 사람의 궁합이 잘 맞는다. 문제제기를 하고 답하고 토론을 주고받는 과정에서 문제의 핵심에 적확하게 접근해간다. 철학과 사회학의 이론을 매우 적절하고 풍부하게 소개하면서 이해를 돕는 미덕도 갖추고 있다. 두 사람에 대한 역자의 신뢰가 이 책에 대한 신뢰로 이어졌다.

우리 사회에서는 아메리카라는 말보다는 미국이라는 말이 일반화되어 있다. 그렇지만 이 책에서는 아메리카라고 하기로 했다. 미국이란 명칭이 너무 뜬금없다. 아메리카의 '메'만 음역한 꼴이고, 프랑스를 법국, 독일을 덕국이라고 하는 것과 뭐가 다른가 싶다. 영국이나 독일처럼 원음에 가깝게 표기하기가 번거롭고 곤란한 경우는 일단 인정하더라도, 국어 사전에도 '아메리카'는 "북아메리카 대륙의 가운데를 차지하는 연방 공화국"이라고 되어 있다. 그래서 이것도 하나의 운동이라고 여기고서, 아메리카라고 표기했음을 일러둔다.

일본은 패전 이후 80년 가까이 아메리카에 종속되어 있고, 정치, 경제, 안전 보장, 문화 등등 사회 제반 분야에서 아메리카의 절대적인 영향력 아래 놓여 있다. 그러면서도 일본인은 아메리카를 동경하고 좋아하고 숭상한다. 그런

6

데 정작 아메리카에 대해서는 거의 알지 못한다는 것이 이 책의 문제의식이고 출발점이다. 우리도 일본인 못지않게 아메리카에 대해 잘 모른다.

사실 한국 안에 아메리카가 다 있는지도 모른다. 정치와 경제와 군사 분야는 물론이고 교육, 종교, 사고방식, 태도, 문화, 음식, 언어 등등에 이르기까지. 그런데 우리는 정작 그것이 (아메리카의) 어디서 온 것인지는 잘 알지 못한다.

한 마디로, 아메리카를 알면 우리가 보인다. 그리고 덤 으로 일본도 보인다. 그리고 앞으로 전개될 세계에 대한 전망도 얻을 수 있다.

2023년 11월
김해식

머리말

아메리카라는 것에는 극단적인 양의성兩意性이 존재한다.

우선 아메리카는 압도적인 세계 표준이다. 전 세계의 모든 사람이 아메리카적인 가치관을 받아들이고 있다고 하면 지나친 말이겠지만, 적어도 아메리카적인 가치관이 기본 표준이라는 전제는 받아들이고 있다. 비록 자신은 찬동할 수 없다 하더라도 아메리카가 대표하는 가치관이 표준이 되고 있다는 것을 모든 사람이 알고 있다. 바꾸어 말하자면, 누구나 아메리카의 관점으로 파악한 세계가 틀림없이 세계의 객관적인 실태라는 것을 전제로 행동하고 있다. 이런 의미에서는 아메리카야말로 세계다.

그렇다고 아메리카 사회가 지구상의 다양한 나라와 사회의 평균치에 가까운가 하면 그렇지는 않다. 그 반대다. 아메리카는 그 밖에 닮은 사회를 찾아볼 수 없는 완전한 예외다. 아메리카는 서양의 일원이겠지만 서양이라는 틀 안에서 파악하더라도 아메리카는 매우 특이하고 그 밖의 서양 사회와의 차이가 두드러진다.

표준인데도 예외다. 그 이중성에 의해 아메리카는 '현대'를 대표하고 있다.

*

덧붙여, 아메리카와 일본의 관계, 아니 아메리카에 대한 일본의 관계가 매우 독특하고 달라서 그 유례를 찾아볼 수 없다. 아메리카와의 관계를 축으로 국제 정세를 파악하고 있다는 점에서는 어느 나라라도 동일하다. 경제, 정치, 안전 보장 등의 측면에서 아메리카에 의존하고 있는 나라는 일본만 있는 것이 아니다. 그러나 전후의 일본이 아메리카에게 취해온 태도에는 이러한 일반적인 유형으로는 해소될 수 없는 것이 존재한다.

20세기 중반에 일본은 아메리카를 적으로 삼아 총력전을 벌였다. 그리고 완패했다. 패배를 인정하기 직전에는 두 발의 원자폭탄을 맞았다. 그런데도 일본인은 아메리카를 좋아한다. 그뿐만이 아니다. 일본인과 일본 정부는 아메리카가 일본을 좋아한다는 것을―특별히 그렇게 생각할 이유가 없는데도―전후에 줄곧 전제로 삼아왔다.

그렇게 좋아한다면 일본인은 아메리카를 잘 이해하고 있는가? 이 역시 '아니오'라고 말하지 않을 수 없다. 어쩌면 일본인만큼 아메리카를 이해하지 못하는 국민도 달리 없을 것이다. 여기에는 당연한 사정이 있다, 두 사회는 성립 과정이 너무나도 다르고 공통된 점이 거의 없다. 또한 기독교에 친숙하다면 아메리카를 이해하는 단서를 갖게 되겠지만 일본 사회는 기독교나 일신교와도 거리가 멀다.

아메리카에 대한 애착의 크기와 아메리카에 대한 몰이해의 정도 사이의 격차. 그게 전후 일본을 특징짓고 있다.

*

그러므로 아메리카를 아는 것은 현대 사회 전반을 이해하는 것이기도 하고 또한 현대 일본을 아는 것이기도 하다. 하시즈메 다이사부로 선생과 나는 지금까지 계속 이러저러한 주제로 대담을 해왔다. 이번에도 그랬지만 나는 하시즈메 선생과의 대담에서는 안심하고 자유롭게 말할 수 있다. 어떤 주제를 다루든, 어떤 분방한 생각이든 하시즈메 선생이 풍부한 학식을 가지고서 다 받아들이기 때문이다. 특히 그 중에서도 '아메리카'라는 주제에서는 이러한 안심이 더 컸다. 하시즈메 선생은 아메리카의 기독교, 특히 그 프로테스탄트적인 분위기에 대해 한 사람의 생활인으로서도, 학자로서도 깊이 정통해 있기 때문이다.

만일 세계를 그리고 일본을 근본적으로 변화시키지 않으면 안 된다고 한다면, 그리고 세계를 변화시키기 위해서 자신을 변화시키지 않으면 안 된다고 한다면 아메리카(를 통해 일본)를 아는 것이야말로 틀림없이 그러한 변화로 가는 길의 입구다.

오사와 마사치

차례

제1부

아메리카는
도대체
어떤
나라인가?

제1장 기독교로부터 살펴보다

아메리카라는 화두

하시즈메 아메리카라는 나라는 매우 크기도 하고 그 자체가 하나의 큰 화두입니다. 아메리카를 빼고서 세계사를 고찰하는 것은 불가능하고, 현대 세계를 고찰하는 것도 불가능합니다.

자, 그렇다면 아메리카란 무엇일까요?

우리는 이 책에서 아메리카의 본질을 조망하고자 합니다. 그렇다면 제일 먼저 천착해야 할 것은 기독교라고 생각합니다.

기독교가 없었다면 아메리카는 존재하지 않았을 겁니다. 기독교를 축으로 해서 그 둘레에 아메리카라는 국가가 형성되었습니다. 이러한 상황을 잘 아는 것이 아메리카를 이해하는 관건이라고 생각합니다.

오사와 맞습니다.

종교 개혁이란 무엇인가?

하시즈메 무엇보다도 기독교를 한 마디로 말하려 해도 한 가닥으로 요약할 수 없습니다. 고대의 기독교, 중세의 기독교, 근세의 기독교, 그리고 지금 트럼프 정권을 지지하고 있는 기독교 보수파까지 쭉 연결되어 있기는 하지만 서로 상당히 다릅니다.

그렇다면 기독교의 어디에 주목해야 할까요?

그것은 종교 개혁이라고 생각합니다.

루터가 1517년에 시작한 종교 개혁이 유럽 전체로 확대됐습니다. 그 뒤 여러 가지 혼란 상황이 전개됐고, 약 100년 후 유럽에서 살 곳이 없어진 프로테스탄트 교도들이 신대륙을 찾아왔습니다. 이상적인 사회, 이상적인 나라를 건설하겠다고 결심한 그들 청교도. 이것이 아메리카의 출발점입니다. 이것이 신화와 같이 아메리카인의 정신 한가운데서 메아리치고 있습니다.

그렇다면 종교 개혁이란 무엇이었을까요? 가톨릭은 무엇이고 프로테스탄트는 무엇일까요? 프로테스탄트는 무엇에 대해 반대했던 것일까요? 유럽에서 왜 종교 대립과 종교 전쟁이 일어났던 것일까요? 청교도는 아메리카에서 무엇을 찾았던 것일까요? 이런 점들을 차례대로 파악해 나가야 할 것입니다.

오사와 말씀하신 대로 아메리카를 고찰할 때 종교 개혁부터 고찰하지 않으면 안 된다는 것은 확실합니다.

다만 우선 말해두어야 할 것은, 종교 개혁이 기초이기는 하지만 생각하기에 따라서는 아메리카에서 전개된 기독교가 종교 개혁의 정신과 어긋나는 부분이 있다는 것입니다.

종교 개혁에서 시작된 것으로부터 어딘가에서 한층 더 반전이 일어나는 것 같은 일이 생깁니다. 그것을 이 책을 통해서 알아가면 좋을 것으로 생각합니다.

그러나 우선 종교 개혁이 무엇이었는가를, 특히 가톨릭과의 관계에서 확실히 파악해두지 않으면 그 반전의 의미를 이해할 수 없습니다.

하시즈메 그렇군요. 그런 의미에서 새삼, 종교 개혁이란 무엇일까요?

교회라는 것이 존재하기 때문에 종교 개혁이 일어나는 것입니다. 기독교라면 교회가 존재하는 것이 당연하지 않을까 하고 우리는 생각하고 있습니다만, 그렇다면 일신교에는 반드시 교회가 존재하는 것일까요? 유대교에는 교회가 없습니다. 이슬람교에도 교회가 없습니다. 교회가 존재하는 것은 기독교뿐입니다.

오사와 그것은 왜 그럴까요?

하시즈메 일신교는 신을 믿는 것이겠지요. 신을 믿으면 성립되는 종교입니다. 그런데도 왜 신 이외에 교회가 존재하는 걸까요? 그것은 기독교에는 예수 그리스도가 있었기 때문입니다. 예수 그리스도가 제자들을 가르치고 제자들에게 포교를 명하면서 제자 중에서 베드로를 지도자로 임명했기 때문입니다.

정말로 그럴까 하는 생각이 들지 않는 것도 아니지만, 성서에는 그렇게 씌어 있습니다.

그리하여 베드로를 정점으로 하는 집단이 형성됩니다.

집단 안에서, 예수는 신인가 인간인가, 예수는 부활한 것인가 아닌가, 할례는 꼭 해야 하는가 아닌가 등등과 같은 여러 가지 논의가 생겨납니다. 이런 것들을 그 집단이 해결해가는 것입니다. 그리하여 집단은 정해진 사고방식을 갖게 되지만, 동시에 이것이 기독교의 핵심이 되어갑니다. 의견이 합치되지 않는 사람들은 이단으로 몰려 축출됩니다. 이런 것들이 누적된 것이 교회입니다. 정교회正敎會도 그렇고, 가톨릭 교회도 그렇습니다.

오사와 기독교에는 유일신과 불가분의 형태로 그리스도가 존재합니다. 그것이 지상의 인간 공동체이면서, 세속의 정치 공동체와는 다른 성스러운 공동체로서의 교회를 생겨나게 했다, 그런 말이군요.

하시즈메 그리고 하나 더, 성서가 있습니다. 성서는 신을 믿는 근거가 되는, 신의 말씀입니다. 성서와 교회의 결정은 합치되어야 합니다. 그러나 실제로는, 교회가 점점 발전해가면서 성서와 합치되지 않는 경우가 생기게 됩니다. 그리고 어렴풋한 느낌이 드는데도 그런 어긋남은 없다고 우기는 것이 교회입니다. 실제로 가톨릭 교회는 그렇게 했습니다.

만일 일반 신도가 성서를 읽는다면 그런 어긋남이 있다는 것을 알게 되겠지요. 그때 성서에 맞추어 교회의 정체를 바로잡을지, 아니면 교회의 정체에 맞추어 성서를 고쳐 읽고서 성서에 따라 독해하는 사람들을 축출할지 둘 중의 하나였습니다.

여기에서 교회의 정체를 존중한 사람들을 '가톨릭'이라고 하고, 성서에 근거해 교회에 항의의 목소리를 낸 사람들을 '프로테스탄트'라고 합니다.

이러한 사건은 유대교에서는 일어나지 않았고, 이슬람교에서도 일어나지 않았습니다. 따라서 정교회에서도 일어나지 않았습니다. 왜냐하면 정교회는 정부와 2인3각과 같은 관계이고, 항의의 목소리를 내려고 해도 그 일당들을 쫓아낼 수 있었기 때문입니다.

그렇지만 서유럽에서는 교회에 불만을 가진 봉건 영주와 국왕이 대세를 형성했습니다. 교회는 적이 많았습니다. 그래서 항의의 목소리를 낸 사람들을 숨겨줄 수 있는 여지가 있었습니다. 루터는 그런 까닭에 사회 운동을 일으킬 수 있었던 것입니다.

국왕과 교회

하시즈메 일신교는 신의 말씀이 필요하기 때문에 오리지널 텍스트가 중요하다는 것이 공통 특징입니다. 그렇지만 교회가 성서라는 오리지널 텍스트와 동일한 정도로 중요성을 갖게 되어 버린 것이 기독교입니다. 프로테스탄트에서도 일단 교회를 버리고서 성서파聖書派에 섰지만, 머지않아 가톨릭 교회와는 별개의, 말하자면 순수 교회라고 부르고 싶어하는 공동체가 출현하게 되는 메커니즘이 있습니다. 그 정도로 기독교의 본질과 교회적인 것 사이에는 밀접한 연계가 있습니다.

그래서 서양에 유래를 둔 사회 안에서 집단을 형성해가는 원리의 근간에 교회가 작용하고 있는 것으로 생각합니다. 예를 들면, 아메리카합중국은 하나의 나라이지만, 실제로는 중앙 정부를 조직하는 일에 상당히 고생하고 있습니다. 분권화를 향한 힘과 중앙집권화의 힘, 두 가지가 다 움직이고 있는 것입니다. 상세히 설명하지는 않겠습니다만, 저는 이 이중성에는 기독교에서 유래하는 것이 관여하고 있다고 보고 있습니다. 실상 이 이중성은 현재의 EU에서도 크게 작용하고 있습니다. 결집하려 하는데, 동시에 원심력도 작용하고 있어 언제라도 분해될 것처럼 되고 있기도 합니다.

게다가 하나 더, 방금 정교회와 대비해서 말했던 것처럼, 정치적 권력과 종교적 권위가 서유럽에서는 일체화되어 있지 않습니다. 그런 두드러진 이원성이 특징입니다. 교회는 자주 자신들의 명령으로 움직여주는 세속의 권력과 결합하여 매우 강력하게 되는 법이지만, 양자는 별개입니다. 교회 자체에는 당장 군대도 없습니다. 이 이원성은 자주 언급되는 것이긴 하지만, 지금 단계에서 확실히 파악해둘 필요가 있습니다. 바로 이 이원성이 있었기 때문에 종교 개혁도 가능했기 때문입니다.

하시즈메 네, 그렇습니다.

저도 좀 보충하겠습니다.

왜 정교회(정통파orthodox)는 종교 개혁을 경험하지 않고, 가톨릭 교회가 종교 개혁을 경험했을까요?

로마 제국과 가톨릭 교회는 어느 단계에서 한통속이 되었습니다. 기독교를 국교로 정한 것입니다. 그후 로마 제국이 분열됩니다. 동로마 제국은 정교회와 한통속이 된 채로 15세기까지 존속했습니다. 그렇다는 것은 교회가 무력을 갖고 있는 것과 동일합니다. 서로마 제국은 눈 깜짝할 사이에 멸망하고 말았습니다. 그렇게 되면 가톨릭 교회는 무방비 상태가 될 것입니다. 국왕과 한통속이 될까 어찌할까는 운에 맡기는 것으로 되어버렸습니다. 이것이 첫 번째입니다.

두 번째는 국왕과 가톨릭 교회의 관계입니다. 조직 원리가 전혀 다릅니다.

가톨릭 교회는 성직자가 있고 그는 독신입니다. 조직의 재생산은 상속과 무관합니다. 혈연과 관계 없이 새로운 성원을 충원합니다. 신이 혼자이기 때문에 교회도 하나입니다. 교회라는 조직은 전 유럽에 하나뿐인 것으로 됩니다. 그것과 반대로 국왕은 여럿 있습니다. 그래서 가족을 꾸리고 세습으로 왕위를 계승합니다. 다른 원리입니다. 유럽 문명의 근저에 이 이원성이 존재합니다.

종말과 독신주의

하시즈메 그렇다면 왜 독신주의인 걸까요?

기독교는 예수 그리스도가 재림해 '신의 왕국'이 실현되는 것을 기다리고 바라는 종교입니다. 현세에 관심이 없는 것이 올바릅니다. 결혼하지 않고 가정을 유지하지 않는 것이 올바릅니다. 독신으로 기도 생활을 영위하면서 예수 그리스도의 재림을 기다리고 바라는 것이 올바릅니다. 성직자와 교회가 옳은 것으로 됩니다.

그렇더라도 인간은 살고 있습니다. 가정을 갖고 일을 하며 생활합니다. 그것을 보증하는 것이 봉건 영주이고, 사람들의 생활에 책임을 집니다. 이런 이원적인 체제입니다.

오사와 지금 이 두 가지 사항은 매우 중요한 것이기 때문에 각각 확인을 위해 논평을 덧붙여두겠습니다. 먼저 첫 번째 사항. 역사 속에서 정치 권력으로부터 버림받은 종교는 자주 있습니다만, 대개 그런 종교는 소멸되는데, 그것은 아무런 실효성이 없기 때문입니다. 그렇지만 서유럽의 경우에 종교가 정치 권력으로부터 독립했는데도 정치 권력 이상의 사회적 실체성을 계속 갖고 있습니다. 여기에는 반드시 고찰해야 할 수수께끼가 남아 있습니다. 두 번째 사항에 관해서는 막스 베버Max Weber적인 과제가 존재합니다. 기독교에서는 본래 종교적 관심은 곧 현세에 대한 무관심입니다. 그러나 그 종교적 관심이 프로테스탄트에게서는 머지않아 현세로 환류還流해가는 것처럼 보이는

일이 일어나게 됩니다. 그 변증법적인 동학動學을 파악해
둘 필요가 있습니다.

하시즈메 그렇군요.

루터파와 재세례파

하시즈메 프로테스탄트란 루터와 그 뒤를 잇는 사람들을
이르는 말입니다.

루터가 언급한 중요한 논점은 무엇일까요? 성서가 기본
입니다. 가톨릭 교회가 말하고 있는 것은 거짓입니다. 전
부가 거짓은 아니지만 가장 중요한 논점이 거짓입니다. 따
라서 성서에 의거해 신앙을 바로 잡자, 그렇게 생각하는
사람들이 가톨릭 교회를 뛰쳐 나왔습니다.

그렇지만 루터 역시 교회('루터파')를 만듭니다. 그리고
지체하지 않고 결혼했습니다. 신부가 아니라 목사이고, 신
도의 리더가 되었습니다. 만인사제주의萬人司祭主義라고
해서 성직자 따위는 존재해서는 안 되는 것입니다. 신도는
스스로 예배를 드리는 것이 올바르다는 사고방식입니다.

신도가 평등하면, 목사와 제화공, 제빵사가 평등합니다.
목사 직을 수행하도록 신의 부름을 받았다고 하더라도, 마
찬가지로 제화공과 제빵사도 신의 부름을 받은 것입니다.
모든 직업이 똑같이 소중합니다. 곧 천직天職입니다. 이런
사고방식도 매우 중요합니다.

그 뒤에 '재세례파再洗禮派'가 출현합니다. 재세례파는

가톨릭의 세례는 무효라고 생각했습니다. 그도 그럴 것이 거짓의 교회이기 때문입니다. 그리고 세례는 돈독한 신앙을 자각한 사람들이 어른이 되었을 때 받는 것이 마땅하다고 생각했습니다. 그러면 세례를 받은 신도의 공동체가 생깁니다. 루터파는 유아 세례를 인정합니다. 재세례파는 그것은 철저하지 못하다고 보는 것입니다.

재세례파는 급진적인 반체제 조직으로서, 중세의 사회질서에서 성서에 근거를 두지 않은 것을 전부 부정하려 합니다. 예를 들면, 봉건 영주에게 세금을 납부하지 않는다든지 하는 것입니다. 그래서 봉건 영주와 무력 충돌을 합니다. 그것이 독일 농민 전쟁입니다. 그리고 철저하게 탄압받았습니다.

청교도

하시즈메 '개혁파'도 중요합니다. 루터에게는 만족하지 않는, 츠빙글리Ulrich Zwingli와 칼뱅Jean Calvin의 유파를 잇는 사람들입니다.

개혁파의 주장은 무엇일까요?

구원받는 사람과 구원받지 못하는 사람이 있다고 할 때, 신은 그것을 언제 결정하는 것일까요? 인간은 시간 속에서 살고 있습니다. 그렇지만 신은 이 세계 속에서 살고 있지 않기 때문에 사실은 시간 속에 살고 있지 않습니다. 천지 창조의 때도, 종말의 때도 신에게는 동일한 시간입니다. 천지 창조의 때 "존, 너는 구원받는다", "메리, 너는 구원받지 못해"라고 결정되어 있는 셈입니다. 이것을 예정설이라고 합니다. 예정설처럼 생각해야만 신이 이 세계를 지배하고 있는 것을 참으로 받아들이는 일이 가능합니다.

예정설의 입장에 서면 어떻게 될까요? 신앙을 갖고 올바르게 산다면 종말의 때 구원받는다는 생각은 틀린 생각입니다. 구원받을까 아닐까는 신이 결정하는 것이고, 인간이 할 수 있는 것은 아무것도 없습니다. 그렇게 생각하는 것입니다. 이치로 따지면 조리가 있습니다. 그래서 루터파를 밀어내고서 제네바, 네덜란드, 영국에서 큰 힘을 얻게 됩니다.

오사와 네. 예정설은 신의 절대적인 초월성을 전제로 한다면 논리적으로는 완전히 들어맞게 되는군요.

하시즈메 그런데 영국에서는 영국 국교회라는 것이 생겼습니다. 헨리 8세가 그 시초인데, 그가 교회의 수장이 되어 가톨릭으로부터 분리해서 엘리자베스 1세까지 이어져갑니다만, 급조한 교회라서 교의敎義는 텅 비어 있었습니다. 그렇다고 해도 가톨릭의 가르침 그대로를 따를 수도 없었습니다. 그래서 영국 국교회의 알맹이는 거의 개혁파로 되어버립니다. 칼뱅의 사고방식을 고스란히 차용해 대체로 비슷하게 됩니다.

영국의 칼뱅파 사람들을 청교도puritan라고 합니다. 그렇지만 영국의 정치 정세는 복잡했고, 가톨릭이 반격하는 일이라도 생기면 영국 국교회와 청교도가 대립하는 일도 있었습니다. 나중에 아메리카로 이주한 필그림 파더스 Pilgrim Fathers도 청교도였습니다. 압박을 피해 영국을 탈출해서 처음에는 네덜란드에서 신앙 생활을 영위하려 했습니다. 그렇지만 네덜란드에서는 모두 네덜란드어를 쓰고 있어 말도 안 통하고, 토지도 없었기 때문에 농민으로도 일할 수 없었습니다. 그러면 차라리 아메리카로 이주하자고 의견으로 정리된 것입니다.

제2장 필그림 파더스의 신화

신대륙으로 건너가다

오사와 아메리카를 고찰하기 위해서는 개혁파가 가장 중요하게 됩니다. 그런데 가장 이해하기 어려운 것은, 확실히 말하자면 왜 그렇게 신을 믿는가라는 점이라고 생각합니다. 그들은 일부러 아메리카에까지 건너가서 그 신앙을 유지한 사람들입니다. 객관적으로 보면 결국 인간은 믿고 싶은 것을 믿고 있습니다. 그러나 개혁파가 예정설을 신봉한 객관적인 연관 관계를 찾아내는 것은 어렵습니다. 실제로는 영국의 정치 정세와 종교적 정황은 잇달아 변해갔기 때문에 기회주의자도 많이 있고, 예를 들면 "브레이Bray의 교구 목사"라고 하는 18세기 영국에서 유행한 풍자시가 있습니다.

브레이는 잉글랜드 남부의 마을 이름인데, 크롬웰이 죽은 후 왕정 복고기에 그 마을에서 목사가 된 인물이, 처음에는 국교회에 충성을 맹세했지만 로마 가톨릭을 믿는 제임스 2세가 왕으로 취임하자 자신이 원래부터 가톨릭이었던 것처럼 말하고, 얼마 안 있어 프로테스탄트 계통의 하노버 왕조가 성립하자 다시 태도를 바꾸는 등등의 행태를 보이는 것을 야유하고 있는 풍자시입니다. 당시에 성직자 중에도 기회주의자가 많이 있었다는 것입니다. 외부 정세에 맞춰 태도를 변화시킬 수 있다면 충분히 살아갈 수 있었던 셈입니다. 이러한 기회주의적 태도에 대해서는 간단히 이해할 수 있습니다.

그에 비해 개혁파는 완고하게 신앙을 관철하지만, 어떻게 해서 그렇게까지 집착이 강했는지 아무래도 의문이 생깁니다. 왜냐하면 하시즈메 선생이 설명한 예정설에 관해서는 그것을 믿고 싶게 되는 내면적인 동기를 찾아내는 것이 매우 어렵기 때문입니다. 대개 사람들은 이렇게 하면 구원받는다는 말을 믿고 싶어합니다. 그러나 예정설은 무언가를 했다고 당신이 구원받을 확률은 높아지지 않는다고 말합니다. 왜 그런 것을 믿고 싶어할까요? 게다가 아메리카까지 건너가서 신앙을 지키고 싶다는 것이지요. 당시에 아메리카로 건너간다는 것은 좀 과장해서 말하면, 지금으로 치면 달에 가는 것과 같은 것입니다. 그들은 왜 그렇게까지 해서 자신들의 신앙에 집착했던 걸까요?

하시즈메 그래요. 돈이 많이 듭니다. 대단한 각오가 필요했습니다.

당시에는 확실히 해외 무역을 위해 배를 타고 나가는 사람들이 매우 많았고, 스페인과 포르투갈은 수탈형의 식민지 경영을 하고 있었습니다. 그 시기에 동인도회사도 설립되고 있습니다.

오사와 그렇군요. 약간 교과서적인 설명을 해보자면, 동인도회사라는 것은 '동인도'와의 무역과 그 땅에서의 식민활동을 지원하기 위해 설립된 독점적인 특허 회사로서 나라마다 있었습니다. 영국의 동인도회사(1600년 설립), 네덜란드의 동인도회사(1602년 설립)라는 식으로 말입니다. 당시 '인도'라는 것은 비유럽 세계, 비지중해 세계의 통칭과 같은 것이기 때문입니다. '동인도'회사라는 것은 아시아 담당이라는 느낌입니다. 그에 반해 신대륙은 '서인도'로 불리고 있었습니다. 덧붙여서 네덜란드의 동인도회사는 '세계 최초의 주식회사'라는 점으로 경제사에서 자주 화제가 되고 있지요.

하시즈메 이런 식으로 비즈니스를 위해 해외로 나가는 구조는 완성되어 있었습니다. 필그림 파더스의 경우에는 비즈니스가 아니라 이주가 목적이었기 때문에 고생해서 자금을 모아서 200톤이 안 되는 메이플라워호로 수송될 수 있게 됐습니다. 처음에는 두 척으로 건너가려 했지만 한 척은 험한 항해를 견딜 수 없을 것이라는 것을 알게 되어, 짐을 옮겨 싣는 등 어려움을 겪었습니다. 그리고 원래는 좀 더 남쪽으로, 특허장에 나와 있던 버지니아 식민지로 갈 예정이었지만, 경로가 북쪽으로 빗나가서 지금의 메사추세츠주의 플리머스에 해당하는 곳에 도착하고 말았습니다.

메이플라워 계약

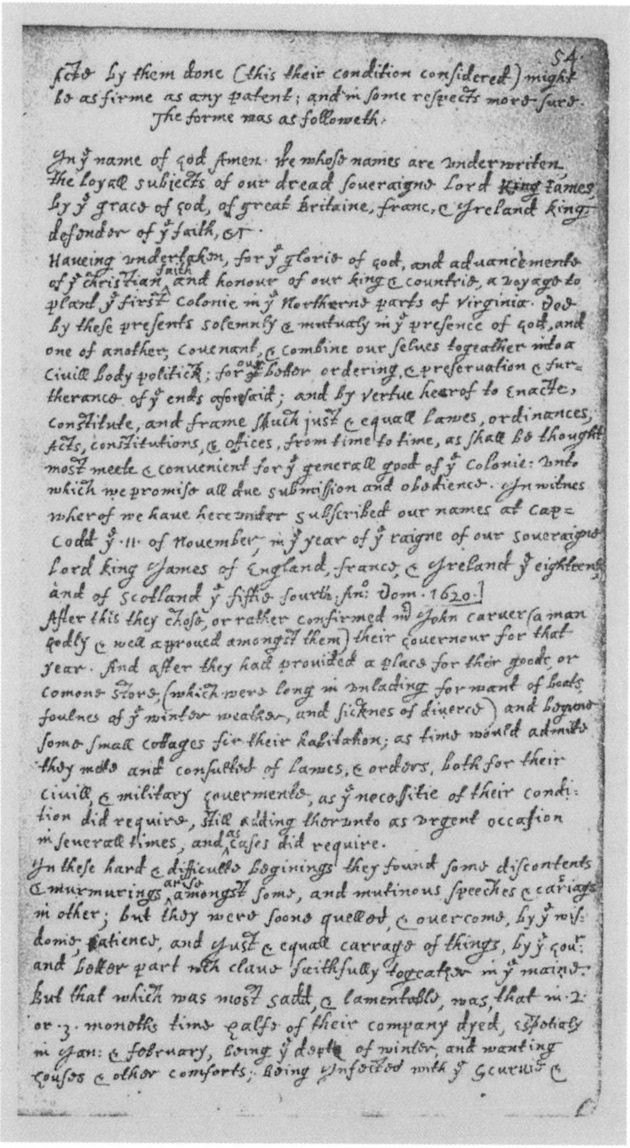

메이플라워 계약

하시즈메 그때 상륙 전에 맺었던 '메이플라워 계약'(1620년)이 매우 중요합니다. 사실 메이플라워호에는 경건한 청교도 이외에 식민지에서 잡일을 할 예정인 노동자 같은 사람들도 타고 있었습니다. 예정된 장소에 상륙하면 그곳은 당연히 국왕의 식민지이고 법률도 사회 질서도 있었지만, 그곳을 벗어난 무법 지대에 상륙했습니다. 법 질서를 만들지 않으면 안 됐습니다. 그곳에서 청교도와 그 이외의 사람들을 포함해서 메이플라워 계약을 체결했습니다. 계약에 의해 사회를 조직한다는 사회 계약설을 지상에서 실현하는 방식이었습니다. 이렇게 아메리카의 모형이 우연히 생겨난 것입니다.

오사와 그렇군요. 청교도에 섞여서 청교도가 아닌 사람도 꽤 있었던 것 같군요. 웬일인지 버지니아 식민지에서 일할 예정이었던 사람들이 함께 합승했다고 하는 사정도 새롭습니다. 어쨌든 특허장이 없는 곳으로 가버렸기 때문에 이 사람들도 포함해서 하나의 질서를 유지하기 위한 계약이 맺어진 것이군요. 이런 흐름은 기독교라든가 종교 개혁과는 전혀 무관하게 일어났다고 생각해야 합니까, 아니면 이 부분에도 이미 기독교적인, 종교 개혁적인 정신이 작용하고 있다고 생각해야 합니까?

하시즈메 그것은 모두가 구약 성서를 잘 읽고 있었다는 것이 대전제입니다.

구약 성서를 잘 읽으면 신과 인간의 관계는 계약이라는

것을 알게 됩니다.

구약 성서에는 많은 계약이 나타납니다. 최초의 계약은 노아의 계약입니다. 그것은 신과 노아의 계약입니다. 그 다음에 중요한 것이 모세의 율법입니다. 이것도 모세가 통솔하던 이스라엘 백성과 신의 계약입니다.

인간과 인간의 계약에서 중요한 건 다윗의 계약입니다.

이스라엘 왕국의 초대 국왕에 사울이 옹립되었지만, 계약이 명확히 맺어지지 않았습니다. 전쟁을 하고 있는데도 모두가 별로 협력하지 않았고 사울은 전사해버렸습니다. 다음의 다윗 왕은 유대족 출신이었지만 유대족 이외의 족장들과 통치 계약을 맺습니다. 계약에 따라 옹립된 정통적인 왕입니다. 어째서 그런 계약이 필요했는가 하면 부족 사회였기 때문입니다. 어쨌든 그렇게 해서 이스라엘의 황금 시대를 만들어냈습니다.

중요한 시점에 계약을 맺는다는 사고방식은 구약 성서의 기본입니다. 유럽 사람들은 그것을 잊어버리고 있었습니다. 계약 없이 어느샌가 생겨난 신분 질서를 따르고 있었습니다.

신분이든, 무엇이든 성서에는 씌어 있지 않습니다. 신이 중요하고, 성서에 씌어 있는 것이 중요합니다. 그래서 완전히 제로 상태에서 사회를 만들 때는 성서를 모방하는 것이 올바른 일이 됩니다. 그래서 청교도들은 어떻게 해서든 계약을 맺지 않으면 안 된다고 생각한 것입니다. 홉스

(1588~1679)와 루소(1712~1778)를 읽었기 때문에 그렇게 생각한 것은 아닙니다.

오사와 때마침, 좀 뒤의 일이지만 홉스와 로크(1632~1704), 루소 등 사회 계약의 사고방식이 사상 속에도 출현하는 시대입니다. 어쨌든 청교도의 실천은 그것들보다 앞서 있습니다.

유럽에서는 이미 정신을 차리고 보니 사회가 있고 나라가 있고, 어찌된 영문인지 왕이 있는 상태였기 때문에 "언제 우리가 그 자를 왕이라고 인정했지?"와 같은 형국으로 되고 있었지만, 아메리카의 경우는 제로 상태로부터 만들었기 때문에 그것이 먼 훗날 아메리카인들의 자부심의 씨앗이 된 것입니다.

플리머스 식민지는 예외인가?

하시즈메 계속해서 말하면, 영국은 돈이 없지 않았습니까?

자금이 풍부하면 국왕이 비용을 지출해서 식민지를 직영하는 것이 좋습니다. 실제로 스페인은 이런 방식입니다. 신대륙도 왕국의 연장입니다. 영국은 돈이 없었는지 모르겠지만 특허장Charter을 수여합니다. 특허장을 받은 누군가가 자기 부담으로 배를 만들어서 식민지를 건설합니다. 대개 이것이 회사가 됩니다. 회사가 사회와, 사회가 국가와 겹치게 됩니다. 일본인의 감각이라면, 국가가 있고 사회가 있고 회사가 있는 것이지만, 여기서는 순서가 거꾸로

된 것입니다. 회사가 있고 나서 사회와 국가가 생긴다는 순서입니다.

그런데 회사는 돈을 낸 사람과 그 돈으로 회사를 경영하는 사람 사이의 계약입니다.

주식회사가 그렇겠지요. 버지니아 식민지도 처음에는 회사가 건설했습니다.

이것을 염두에 두었기 때문에 특허장이 없는 장소에 상륙한다면 난감했을 겁니다. 청교도였기 때문에 그렇게 생각했겠지만, 동시에 영국인이었기 때문에 그렇게 생각한 것은 아닐까요?

오사와 결국 특허장이 없는 곳에서 사회를 만들고 있는 것이 아닙니까. 그렇다면 처음부터 특허장에 신경 쓰지 않으면 좋겠다고 여기고서 지금부터 생각해보자고 하는 것이지요. 역으로 말하면, 상당히 신경 쓰이는 국왕의 특허장이 있다 정도로 생각하는 것이죠. 그러니까 특허장이 없는 것이 큰일이라면 그것을 대체할 권위가 필요하게 되는 것입니다. 그래서 그들이 직감에 이끌려서 실행한 것이 사회 계약이라는 것이죠. 물론 홉스와 로크의 책이 출판되기 전의 일이기 때문에 그들의 책의 영향은 없습니다만.

그렇지만 사상 수준의 사회 계약과 아메리카의 초기 식민자들의 사회 계약은 대체로 동시대의 것이기 때문에 무의식의 시대 정신으로서 그런 것이 나타나는 토양이 유럽에 있던 것이 아닌가라고도 생각합니다. 유럽의 문화와 정신이 사회 계약이라는 형태를 원하고 있었다는 느낌이 듭니다. 그 실천의 한 버전이 아메리카에서 발생한 것입니다. 존 로크는 『통치론』의 제2의 논문에서 "맨처음에 세계 전체는 아메리카였다"라고 쓰고 있습니다. 사회 계약의 초기 설정을 아메리카에서 보고 있는 것입니다. 여러 가지 우연이 겹쳐 일어난 일이겠지만, 여하튼 아메리카라는 나라가 태어나는 출발점까지 왔습니다.

제3장 교회와 정부의 관계는
어떻게 되어 있는가?

비분리파와 분리파

하시즈메 그런데 계약이 있고 사회가 생기면 정부가 생길까요? 그렇게 간단하지 않습니다. 거기에 하나 더, 교회라는 변수가 들어옵니다.

영국 국왕의 특허장에 의거한 식민지, 특히 국왕 직할의 식민지에서는 영국 국교회가 특별 대우를 받습니다. 다른 교회는 존재하지 않거나, 존재한다고 해도 국교회와는 대등하지 않습니다.

그런데 칼뱅파 청교도와 영국 국교회의 관계는 미묘했습니다. 국교회 안에도 많은 칼뱅파 사람들이 있었습니다. 칼뱅파의 신앙을 갖고 국교회의 성원이기도 한 사람들을 '비분리파'라고 합니다. 한편 신앙을 관철시키기 위해 국교회를 이탈한 사람들을 '분리파'라고 합니다. 이렇게 양쪽이 있었습니다.

영국 국교회의 성원은 예수 그리스도에게 충실하고 신에 충실함과 동시에 국왕에게도 충실합니다. 그렇다면 신과 국왕은 어떤 관계일까요? 골치 아픈 문제입니다만, 가능한 한 알기 쉽게 말해보겠습니다. 왜 영국 국왕에게 충실하지 않으면 안 될까요? 영국 국왕은 정통성이 있는 군주입니다. 그리고 올바른 신앙의 수호자입니다. 최후의 심판 날까지 사람들의 지상 생활에 책임을 지고 있습니다. 따라서 사람들은 최후의 심판 날까지 영국 국왕에게 충실할 의무가 있습니다. 그것은 예수 그리스도의 뜻입니다. 이러한 느낌입니다.

오사와 따지고 보면 서유럽의 특징은 종교적 권위와 세속 권력을 분리한 지점에 있는 셈이군요. 정교회와 이슬람 제국에서는 양자가 일체화되어 있었기 때문입니다. 그러나 이 단계, 요컨대 아메리카의 초기 식민지 시대의 일이기는 하지만, 기독교와 국왕이 미묘하게 접근하고, 국왕이 기독교에 필적하는 구속력을 갖고 나타나면서 종교적 권위와도 유사한 성질도 띠고 있습니다. 결국, 서유럽에서는 왕과 같은 세속의 권력이 종교적 권위와 일체화되어 있지 않기 때문에 종교적으로 순수한 청교도에게는 어느 쪽이라도 좋은 것이 되냐면, 그렇게는 안 됩니다.

이 시점에서 혼동된 관계를 고찰하는 데 최대의 시사점을 던져주는 것은 칸트로비츠Ernst Kantrowicz의 『왕의 두 가지 신체』라고 생각합니다. 이 책은, 유럽의 왕권에서는 왕이 자연적 신체와 정치적 신체라는 두 가지 신체를 갖고 있다는 정치신학이 형성되고 그에 따라 지배가 정당화된다고 하는 것을 신중하게 실증한 책입니다. 아메리카 식민지에 관해서는 거의 언급하는 바가 없지만, 예를 들면 청교도 혁명에 관해서는 흥미진진한 지적을 하고 있습니다. 이 혁명은 왕을 처형하고 공화제를 실현한 시민 혁명으로 알려져 있습니다만, 그럼에도 칸트로비츠에 의하면, 청교도들은 "왕을 위해"라는 취지의 슬로건을 내걸고 있었습니다. 왕을 죽여놓고서 왕을 위해라고 하는 것은 어떤 것일까 얘기해보면, 정치적 신체의 이름으로 자연적 신체를 해치우고 있는 셈입니다. 따라서 이 혁명에서 왕은 청교도에게 강한 충성의 대상인 동시에 적이기도 한 것입니다. 저는 크게 보면 청교도들이 아메리카에서 초기 공동체를 형성하고서 머지않아 영국으로부터 독립하는 과정에서도 비슷한 논리, 요컨대 영국 국왕에 대한 양의적兩義的 태도가 작용하고 있는 것은 아닐까 생각하고 있습니다.

칸트로비츠의 이 책은 너무도 엄밀하고 상세하게 논하고 있고, 깊이 들어가면 이 대담의 취지에서 벗어나기 때문에, 지금부터는 고찰하는 데 힌트가 될 것 같은 핵심 논리만 언급해둔다면, 결국 이러한 것이라고 생각합니다. 정치적 신체와 자연적 신체라는 이중성은 신이면서 인간인 그리스도의 응용입니다. 그렇다는 것은 결국 서유럽 왕권의 정치신학은 기독교의 영향으로 완성된 셈이지만, 재미있는 것은 그 영향에서 작용하고 있는 원리입니다. 칸트로비츠는 서유럽에서는 세속의 권력이 기독교의 권위로부터 상당한 정도로 독립되었다는 이유로, 역으로 철저하게 영향을 받았다는 것을 실증하고 있다고 생각하고 있습니다. 어떤 것인지 얘기해보면, 예컨대 정교회와 같이 세속의 황제가 그대로 종교적 권위를 겸해버린다면, 황제는 아무리 노력해도 신과 그리스도의 밑에 위치하게 되는 셈입니다. 그런데 서유럽에서는 세속의 지배자가 교회로부터의 독립의 정도가 높았기 때문에, 역으로 교회를 지탱하고 있던 그리스도적인 논리를 교회의 도움을 빌리지 않고서 스스로에게 재현할 수 있었던 셈입니다. 이 논리는 아메리카를 고찰할 때도 힌트가 된다고 생각합니다.

　너무 앞서갔습니다. 얘기를 원래로 되돌리겠습니다. 어쨌든 영국 국교회라는 것은 하시즈메 선생께서 말씀하신 것처럼 프로테스탄트라고 말할 수 있을지 애매할 정도로 교의에 있어서는 아무 내용이 없습니다. 예컨대 루터파라든가 개혁파라든가 재세례파라든가 그런 사람들은 확실한 교의상의 이론이 있습니다. 그러나 영국 국교회는 국왕의 이혼 문제로부터 시작되었다는 점도 있고, 종교적인 내면적 동기가 없기 때문에 교의도 적당히 빌려와서 사용하고 있습니다. 이들이 정말로 종교적으로 착실한지 얘기하고 싶은 구석이 있지 않습니까? 그런데 그들 가운데서 어떤 의미에서는 프로테스탄트로서 가장 급진적인 무리가 출현해서 아메리카까지 가버릴 정도였습니다. 영국 국교회는 자신의 내용 없는 교의를 버리기만 하면 좀 더 부드러운 교의를 사용해도 좋았겠지만, 칼뱅파와 같이 프로테스탄트 중에서도 특히 토대가 강고한 교의를 사용하고 있는 것이군요. 따라서 영국 국교회의 기본적인 적당함과 그들 가운데서 일어난 묘하게 종교적인 착실함 사이에 기묘한 부정합을 느끼게 됩니다.

하시즈메 이 까다로운 상황은 프로테스탄트 특유의 것이군요.

가톨릭이라면 정치 권력을 초월한 유일한 교회가 있고, 그것은 자명하기 때문에 이러한 문제는 일체 생기지 않습니다. 그런데 프로테스탄트에게는 영국 국교회도 있고 루터파도 있고 칼뱅파도 있어서 여러 교회가 존재하는 상태가 되어버렸기 때문에 지금 같은 문제를 고찰하지 않으면 안 되게 되어버린 것이군요.

정교 비분리가 당연했다

하시즈메 교회와 정부의 관계를 조금만 더 고찰해봅시다.

일본인은 기독교라면 '정교 분리'가 당연하지 않은가라고 생각할지도 모르겠습니다. 그러나 그렇게 된 것은 비교적 최근의 일입니다. 교회와 정부의 관계는 그렇게 간단하지 않습니다.

'공정 교회公定教會established church'라는 방식이 있어서, 정부가 교회세를 걷고 목사의 급여를 지불하거나 합니다. 옛날 얘기가 아닙니다. 독일에서는 지금도 루터파가 공정 교회가 되어 있고, 루터파의 목사는 공무원과 같습니다. 다름 아니라 국가 신토神道와 같습니다.

아메리카에서도 이 방식이 남아 있어서 이곳저곳의 마을이 특정 교회에 세금을 내고 있었습니다. 다만 연방 정부는 헌법이 정한 바에 따라 특정 교회와 관계를 맺지 않습니다. 하버드대학교는 처음에는 칼뱅파, 도중에는 유니테리언unitarian이 됩니다만, 하버드대학교가 있는 캠브리지 시는 유니테리언 교회를 공정 교회로 정해서 세금을 지출했습니다. 교회 건물을 미팅 하우스로 정해서 시의 회합이나 대학의 행사도 거기서 개최했습니다. 그 밖의 교회는 당연히 불만을 가졌고, 100년 정도 전에 공정 교회 개념은 없어졌습니다.

영국에서는 국교회가 이런 입장입니다. 국왕 직할의 식민지는 걷은 세금을 국교회에 쏟아부어버렸습니다. 칼뱅파나 퀘이커Quaker 같은 그 밖의 종파의 신도는 국교회 분의 세금도 납부하게 되어 유쾌하지 않습니다.

오사와 그건 그렇겠네요.

하시즈메 플리머스 식민지는 총독의 주재 하에 총회가 정치를 했습니다. 칼뱅파 중 회중파會衆派Congregational Church의 방식입니다. 다만 총회의 멤버십은 교회의 성원으로 제한하지 않았습니다. 이 점에서는 신성 정치神聖政治라고 말할 수 없습니다.

한편 부근의 보스턴에서는 매사추세츠만灣 식민지가 생기고, 머지않아 플리머스보다 커졌습니다. 이 식민지는 특허장에 따라 회사처럼 운영됐습니다. 지도자는 칼뱅파의 비분리파였는데 영국 국교회로서 활동했습니다.

플리머스 식민지는 머지않아 매사추세츠만 식민지에 흡수되고 말았습니다.

제4장 교회도 여러 종류가 있다

장로파와 회중파

하시즈메 아메리카 교회의 조직 원리에 주목해보면 크게 두 가지가 있습니다.

하나는 장로파Presbyterian의 원리입니다. 교회 조직을 목사와, 평신도 대표인 장로가 공동으로 운영합니다. 전체 (대회大會)가 있고, 지구(중회中會)가 있고, 지역(소회小會)이 있고, 교회가 있습니다. 목사는 상부로부터 파견되어옵니다. 말단에 있는 교회는 인사와 예산, 예배 방식과 활동 방침 모두 상부의 지시에 의존합니다. 피라미드 조직으로서 불교의 본사/말사와 비슷합니다. 일본인의 교회 이미지는 이런 건지도 모르겠습니다. 칼뱅파와 스코틀랜드에서 주류가 되고 아메리카에서도 확대됐습니다.

또 하나는 회중파의 원리입니다. 회중파도 칼뱅파에서 국교회를 이탈한 분리파의 흐름을 이어받습니다. 지금은 소수파에 속합니다만, 예전에는 아메리카 식민지에서 강력한 주류파였습니다. 회중파는 상부 단체나 본부의 권위를 전혀 인정하지 않고서 말단 교회 각각의 회중의 자치를 가장 중시합니다. 예산과 인사(목사의 선임과 임원의 선출), 예배의 방식부터 교의에 이르기까지 자신들이 결정합니다. 그렇게 되면 교회와 교회의 연계는 느슨한 연락 협의회 같은 것이 됩니다.

조직 원리로 말하면, 직접 민주제인 거죠. 회중이 모은 돈의 용도를 정확히 회계 보고하고 목사의 선임도 회중이 위원회를 만들어서 자신들이 실행합니다. 아메리카합중국이 탄생하기 전에 선거의 이러한 전통이 깊이 뿌리내리고 있었던 것이 아메리카 사회의 골격을 형성했습니다.

오사와 과연 그렇군요. 아메리카의 민주주의를 고찰할 때 회중파의 전통이 참고가 되겠군요.

하시즈메 민주주의도, 자본주의도 이 회중파의 교회 조직 원리로부터 나온다고 이해할 수 있습니다. 주주 총회라는 것도 회중파의 교회 조직을 꼭 닮았습니다.

덧붙여 자신들이 어떤 신앙을 갖고 있는가, 즉 교의도 자신들이 결정해버리는 것이죠. 그래서 누차 일어나는 일이 교회의 간판을 갈아 다는 것입니다. 지금까지는 칼뱅파였지만 유니테리언이 되기로 결정하고서 바꿔버리는 교회가 실제로 있습니다.

오사와 캠브리지 시가 그렇게 했군요.

하시즈메 회중파는 아니지만, 퀘이커가 별도의 종파가 되기도 합니다. 가까이에 있어 사이가 좋은 교회가 종파를 초월해서 합체하는 예도 있습니다. 회중 사이에서 의견이 대립해서 별개의 교회로 분열되는 일은 더 자주 있는 사례입니다.

이런 것을 보고 있자면 이합집산을 거듭하는 정당 같아 보이네요. M&A를 거듭하고 있는 주식회사 같구나 하고 생각합니다. 회중이라고 말해도 개개인의 자주성이 우선 존재하고, 편의상 단체를 이룬 것일 뿐이기 때문입니다. 개인과 단체의 엇갈림을 언제나 의식하고 있습니다. 따라서 이러한 건조한 분할 방식이 나오는 것입니다.

감리파

하시즈메 아메리카에서 크게 발전한 종파에는 감리파 Methodist Church도 있습니다.

감리파란 원래 영국 국교회의 한 그룹인데, 거기서부터 분파했습니다. 존 웨슬리John Wesley란 인물이 국교회의 타락한 현실에 개탄해서, 신앙을 바로 세우지 않으면 안 된다고 생각했습니다. 그러기 위해서는 어떻게 하면 좋을까 하다가 메소드(방법method)가 필요하다고 생각하게 됩니다.

메소드란 생활의 규율 같은 것입니다. 일찍 일어나기, 근면, 일과日課 등등. 타임 스케줄에 따라서 하루를 보냅니다. 그리고 술을 마시지 않습니다. 과식하지 않고 스스로 타락하는 생활을 하지 않습니다.

올바른 신앙과 영적 생활을 지원하기 위해 육체도 규율 훈련한다고 하는 사고방식이죠. 그리고 착실한 신앙 생활과 이웃 사랑을 실천하기 위해 매진합니다.

아메리카에서 한때 성행했던 금주 운동도 감리파가 핵심적인 인도자였습니다.

감리파로부터 구세군the Salvation Army도 나왔습니다. 신의 의사를 지상에서 실천하는 것이 인간의 의무입니다. 그것은 이웃 사랑입니다. 이웃 사랑을 효과적으로 실천하기 위해서는 조직을 효율화해야 하고 전업자도 필요합니다. 그래서 전업자 조직을 만드는데, 이것이 군대 조직입니다. 군대식으로 일을 척척 해내고 풀타임으로 일하기 때문에 인원 수에 비해서 굉장히 효율이 좋습니다. 교회로부터 분리해 일단 별도 조직으로 만듭니다. 일본에서는 연말에 '자선 냄비' 사업을 실행하고 있습니다.

감리파는 신흥 세력이지만 교회의 문턱이 낮기 때문에 아메리카에서 급속히 확대됩니다. 나중에 얘기할 '대각성大覺醒' 운동의 핵심이 됩니다.

오사와 아, 그랬군요.

하시즈메 감리파로부터 일본의 홀리니스Holiness 교회가 나옵니다. 또 감리파로부터 펜타코스탈Pentecoastal(오순절 교회)이라는 큰 그룹이 근년 들어 파생되고 있습니다. 성령의 작용을 중시하는 종파입니다.

침례파

하시즈메 하나 더, 아메리카를 특징짓는 종파가 침례파

Baptist Church입니다.

종교 개혁 시기에 독일에서 재세례파가 나타나 탄압을 받았습니다. 일부는 딴곳으로 도망쳤습니다. 영국에서 그 흐름을 이어받았는지 침례파라는 그룹이 생겨나고 그것이 아메리카에서 크게 발전합니다.

침례파는 신앙을 자각하고 올바른 세례를 받는 것을 중시합니다. '올바른 세례'는 다시 태어나는 의식으로 물에 첨벙 뛰어드는 것입니다. 이것을 침례浸禮라고 합니다만, 그 밖의 종파는 적례滴禮(물방울을 머리에 적신다)가 흔하죠. 침례파는 그들의 방식이 예수의 시대부터 지금까지 전해진 올바른 세례라고 생각하기 때문에 타 종파의 세례를 세례로 인정하지 않습니다.

오사와 겨울에는 추울 텐데요. 물을 따뜻하게 해두지 않습니까?

하시즈메 본인이 긴장하고 있기 때문에 감기는 걸리지 않을 것 같습니다.

침례파는 몇 개인가의 그룹을 나뉘고 있습니다만, 인원수가 많습니다. 아메리카에서 최대의 종파입니다.

퀘이커

하시즈메 퀘이커Quaker라는 그룹도 있습니다. 지금 인원수는 그렇게 많지 않지만 매우 아메리카다운 종파입니다. 퀘이커는 '내면의 빛inner light'을 중시합니다. 신과 교류하면 영靈의 작용에 의해 그 사람의 내면이 비칩니다. 개인 한 사람이 신과 그렇게 연결되는 것을 중시하기 때문에 그룹의 조직 방식도 바뀝니다. 우선 세례가 없습니다. 성직자도 없습니다. 예배는 식순이 아니고 네모나게 늘어놓은 의자에 한 시간 정도 가만히 앉아서 누군가가 영감을 받고 말을 꺼내기를 기다립니다. 아무도 말하지 않는 경우도 있습니다만 한 시간이 지나면 해산합니다. 이것이 기독교 교회인가 생각되기도 하지만, 실제로는 여러 가지 사고방식을 가진 사람이 있습니다. 생활은 검소하고 근면하게 꾸리고, 평등과 평화를 중시합니다. 공무원이나 군인은 되지 않기 때문에 양심적인 병역 거부가 인정되고 있습니다.

퀘이커는 영을 받아서 떠는 사람들이라는 의미의 별명입니다. 스스로는 자신들을 프렌드friend라고 말합니다.

퀘이커는 17세기에 잉글랜드에서 시작되어 뉴잉글랜드에 전파됐습니다.

퀘이커는 칼뱅파에게 미움을 받아서 박해를 당했습니다. 견딜 수 없던 퀘이커는 신앙의 자유를 찾아서 윌리엄 펜William Penn의 통솔 아래 펜실베이니아로 이동해 필라델피아라는 도시를 만들었습니다.

펜실베이니아는 종교적 관용을 내걸고 있었기 때문에 퀘이커 이외에도 아미시Amish라든가 메노나이트Mennonite(메노파) 같은 종파의 사람들도 모여들었습니다.

진정으로 믿다

오사와 일본인에게는 지식으로는 이해되지만 그 진정을 헤아리기가 상당히 어려운 부분이네요.

아메리카를 이해할 때 제일 비슷하게 얘기한다면, 물론 아메리카에는 갖가지 사람이 있었지만, 아메리카적인 것을 이해할 때는 과감히 "문자 그대로 기독교를 믿고 있는 사람들"이라고 이해하는 것이 중요하다고 생각합니다. 예컨대 우리가 장례식에 가서 "명복을 빕니다"라든가 "내세에서도 행복하게 사시길 바랍니다" 등 뭔가를 말하지만 대개 정말로 그 사람이 천국에 가서 행복하게 살고 있다고 생각하는 것은 아니고 일종의 비유이거나 단지 살아 있는 사람들에게 위안을 주기 위해 말하고 있는 것 아니겠습니까. 그 가운데 진정으로 그렇게 생각하고 있는 사람이 몇 있다면 "당신은 진정으로 그렇게 생각합니까?" 하며 깜짝 놀라는 경우가 있습니다. 아메리카라는 나라는 그런 식으로 보아도 좋습니다.

우리는 이 시대에 기독교적인 것이 활성화되고 있다는 것을 알고 있지만, 성서에 씌어 있는 것이라든가 부활에 관한 것을 반쯤 건성으로 듣는 경우가 있기 마련입니다. 그러나 아메리카인은 어떤 의미에서 진심으로 믿고 있습니다. 그것은 복음파라든가 특정 종파의 사람들만을 가리키는 것이 아니고, 아메리카인 일반이 생활 신조로서 그렇게 하고 있다는 생각이 듭니다.

잡담이지만, 예전에 경제학자 이와이 카츠히토岩井克人 선생에게 들은 얘기입니다. 이와이 선생이 아메리카에서 유학하고 있던 시절에 한때 전 아메리카에서 가장 촉망받는 젊은 경제학자로 주목받은 시기가 있었다고 합니다. 본인은 다만 정신없이 열중하고 있었을 뿐이라고 하지만, 당연히 노력과 재능에 힘입어 굉장히 성공하고 있었답니다. 그런데 어느땐가 "너는 아웃이야" 같은 말을 들은 모양입니다. "나중에 노벨상 감이라고 여겨지고 있었는데 탈락했다"고. 그 계기는 작성한 논문에 문제가 있다는 것이었습니다. 그렇다면 이상한 것이나 틀린 것을 쓴 것은 아니고, 마르크스를 인용한 것이 잘못됐다는 것입니다. 이와이 선생은 원래 일본에서 교육을 받았기 때문에 마르크스가 매우 중요하다는 것도 알고 있었고 약간 현학적인 취미도 있어서 논문에 마르크스를 인용했는데 아메리카 경제학자가 아웃시킨 것입니다.

그 이유를 생각해보면, 요컨대 마르크스는 명백한 무신론자이기 때문이라는 것으로 생각됩니다. 결국 당치도 않은 책을 인용한 것처럼 되어버린 것입니다. 대부분의 경제학자들은 복음파처럼 믿고 있는 것은 아니고 진화론도 믿고 있는 것이 틀림없지만, 어딘가 확실히 노골적인 무신론 따위는 터무니없다고 생각하고 있습니다. 이런 일이 있으면 "역시 기독교를 진정으로 믿고 있구나"하고 생각하게 되는 거죠. 그러니까 우리는 아메리카를 고찰할 때 "진심으로 믿고 있는 사람들"이라고, 물론 극단적이긴 하지만, 일단 그 정도로 생각하고 보아야 비로소 아메리카가 보인다는 느낌이 듭니다. 지금 하시즈메 선생이 말한 퀘이커를 둘러싼 분쟁 등을 듣고서도 매우 그렇다는 생각이 듭니다.

회중파가 중요

오사와 얘기가 되돌아왔습니만, 통상적으로 생각해보면 회중파는 가장 민주적이고 원리로서는 가장 순수하다는 느낌이 듭니다. 직접 민주주의로 자신들끼리 이야기해서 여러 가지를 결정하고 외적인 권위를 인정하지 않는다는 방식이기 때문입니다.

다만 그 이전에 감독 교회와 공정 교회가 있었다는 것을 우선 파악해둘 필요가 있습니다. 유럽에서 프로테스탄트가 출현하고, 신앙의 자유라고 해도 처음에는 영주의 신앙의 자유였기 때문에 공정 종교公定宗教처럼 됩니다. "여기는 루터파입니다"라고 하면 거기 살고 있는 사람은 모두 루터파가 되고, 세금을 납부하면 루터파에게 유리하게 사용됩니다. 그러면 다른 종파에 헌신하고 있는 사람의 입장에서 보자면 그것은 불순하지 않은가 하는 생각이 들게 되고, 공정 교회적인 것으로부터 이탈한다는 이치입니다.

일본인의 상식으로 상상하는 정교 분리는 이것과는 방향성이 거꾸로입니다. 예를 들면, 국가 신토國家神道가 있고 세금이 신토에게 사용될 때 "그것은 터무니없다, 정교 분리를 해야 한다"라고 할 때, 일본인은 종교성 일반으로 부터의 분리를 생각하고, 정교 분리는 종교 일반에 대한 비판이라고 하면 지나친 말이겠지만 종교의 전반적인 상대화를 포함하고 있다고 생각하고 있습니다. 그러나 유럽이나 아메리카에서, 특히 프로테스탄티즘이 우세한 지역에서 정교 분리라는 것은 정치로부터 종교가 분리되는 것이고 종교가 더욱 순수하게 된다는 논리 구조입니다. 이것을 파악해둘 필요가 있습니다. 일본인에게는 상당히 감이 오지 않는 부분입니다.

공정 교회로부터 분리된다는 말을 들으면 "종교적으로 비교적 자유로운 사람들도 있구나"라고 생각해버리지만, 전혀 반대로 너무도 신앙이 확고하기 때문에 공정 교회가 성립될 수 없게 된다는 것입니다. 일단은 공정 교회가 성립될 정도의 강한 종교성이 있어야 하는데, 그것이 더욱 강해지면 공정 교회를 자기 부정하게 된다는 흐름입니다.

이와 같이 아메리카를 고찰할 때 일본인이 상식적으로 이해하고 볼 수 있는 것과 실제로 일어나고 있는 것이 정반대로 되기 쉽다는 것을 강조해두고 싶은 생각이 듭니다.

하시즈메 그렇습니다.

신앙과 정부가 충돌하다

하시즈메 신앙에 관해 진정일 때 교회와 정부의 관계가 때때로 긴장 관계에 빠집니다.

예를 들면 양심적 병역 거부가 있습니다. 퀘이커는 철저하게 비폭력을 추구하기 때문에 몸을 던지고 목숨을 걸어서 폭력에 관계하지 않는다는 태도를 관철시키고 있습니다. 아메리카 사람들은 정부가 특정 신앙을 인정하지 않는 것을 졸렬하다고 생각하기 때문에 결국 양심적 병역 거부의 권리가 인정됐습니다. 병역 대신에 복지 시설에서 몇 년 간 일하는 등 나름대로 엄격한 업무를 부과합니다.

여호와의 증인도 비폭력이어서 병역을 거부합니다. 양심적 병역 거부 제도가 없는 나라(예컨대 한국)에서는 처벌을 당하고 있습니다.

오사와 그렇군요.

하시즈메 병역뿐만 아니라 공무원이 되는 것을 거부하는 종파도 있습니다.

그렇지만 대부분의 종파는 세금을 납부합니다. 세금을 납부하면 국방비로도 사용되기 때문에 일관성이 없는 것으로 생각될 수 있습니다. 그렇지만 세금을 납부하지 않으면 완전히 반사회적인 집단으로 간주되어 정부와 절연해서 독립된 공동체를 만들지 않으면 안 되게 됩니다. 그러면 오히려 경찰이나 군대와 같은 역할을 스스로 맡지 않으면 안 되는 처지가 됩니다.

제칠일 안식일 예수 재림 교회Seventh-day Adventist Church라는 종파도 양심적 병역 거부가 인정되고 있습니다.

최근 개봉된 『핵소 고지Hacksaw Ridge』(2016년, 아메리카, 멜 깁슨 감독)라는 영화는 비폭력의 신앙 때문에 총을 들지 않아도 되는 위생병으로 전장에 나간 제칠일 안식일 예수 재림 교회의 청년이 빈사 상태에 있는 부상병 수십 명을 구출하는 영웅적 행위를 그리고 있어 참고가 됩니다.

여담이지만, 제칠일 안식일 예수 재림 교회의 신도들은 채식주의자입니다. 그러면 영양이 편중되겠죠. 그래서 제칠일 안식일 예수 재림 교회의 신도였던 켈로그 박사가 시리얼을 개발해서 콘플레이크로 발매했습니다.

오사와 그 얘기는 들은 적이 있습니다.

진리로부터 법률로

오사와 얘기가 좀 되돌아오는 것 같지만, 원래 공정 교회 같은 것이 있고 머지않아 임의 집단 같은 것이 되어갑니다. 예컨대 퀘이커와 칼뱅파 사이의 격심한 불화 속에서 퀘이커가 독립해서 필라델피아로 가서 이번에는 종교적 관용의 조직을 만드는 그런 흐름 가운데서 명심해서 이해해두지 않으면 안 되는 점이 있다고 생각합니다. 그것은 이런 것입니다. 이것은 신앙의 문제이기 때문에 단지 여러 가지 취미를 가진 사람이 있다는 식이 아니라는 것이죠. 즉 "나는 고기가 좋기 때문에 급식에 고기가 안 나오는 것은 맘에 안 든다"라고 하는 것과 같은 얘기가 아닙니다. 당신의 취미가 무엇이냐가 아니라 무엇이 진리이냐가 쟁점이라는 것입니다. 이것이 중요하다고 생각합니다.

본래 진리란 것은 보편적이어서 하나이지요. 만일 가톨릭이 진리라면 전부를 가톨릭으로 덮어서 뭔가 나쁜 것으로 되기 마련입니다. 그런데 그 진리가 무엇인가에 관한 견해가 나뉘져버리면 이제 더 이상 근거를 물을 수 없게 되기 때문에 전혀 타협의 여지가 없는 심각한 다툼이 발생할 수 있습니다. 그렇기 때문에 종교적 관용이 필요하게 됩니다. 요컨대 본래 진리는 하나밖에 없기 때문에 각각의 진리를 인정하지 않을 수 없다는 역설이 생겨나게 됩니다.

대부분의 사람이 루터파라면 루터파 교회를 위해 세금을 걷어도 문제가 되지 않겠습니다만, "그 지역에 살고 있는 사람이 동일한 것을 진리라고 생각하는 것은 아니기 때문에……"라는 상황이 발생하면 정교 분리 등의 문제가 생겨나게 됩니다.

앞서의 퀘이커와 칼뱅파 사이의 격심한 다툼만 하더라도, 칼뱅파의 입장에서 보면 진리를 인정하지 않는 놈들이 침입해온다면 그들을 죽이는 것이 당연하다고 할 겁니다. 죽임을 당하는 쪽도 죽임을 당하는 것을 알고 있다고 해도 자신들의 진리를 위해 죽음을 두려워하지 않고 나가는 것이 당연하다고 하겠죠. 그런 다툼이 되는 셈입니다. 다툼이 이 정도로 가혹하기 때문에 퀘이커는 탈출할 수밖에 없게 되고, 결국 필라델피아를 만듭니다. 자신도, 상대도 유일한 보편적 진리를 믿고 있는 탓에 탈출하지 않을 수 없었기 때문에 필라델피아에서 그 진리를 방기한다면 당연히 말짱 도루묵이 될 것입니다. 그래서 자신들이 박해당하고 곤욕을 치렀기 때문에 누군가를 박해하고 싶지 않게 됩니다. 이렇게 되면 다양한 진리를 믿는 사람의 공존이라는 구조를 허용하지 않으면 안 되게 됩니다.

일본인은 이것을 "각자의 취미가 있기 때문에 취미를 강요하는 것은 좋지 않다"와 같은 수준으로 생각해버리겠죠. "나는 카레를 좋아한다. 당신은 라면을 좋아한다. 그렇다면 각자 먹고 싶은 것을 먹는 것으로 하면 좋잖아"라고. 그러나 이것이 진리의 문제라면 처음부터 밀어붙이지 않으면 안 되는 법입니다. "나는 이 진리를 믿고 있고, 당신은 그 진리로 하고 싶은 대로 해나가라"라고 한다면, 사실은 그 진리를 믿지 않는다는 증거가 되어버립니다. 그럼에도 불구하고 종교적 관용을 인정하지 않으면 안 됩니다. 따라서 여기에서는 이율배반에 가까운 극심한 긴장이 존재하는 법입니다. 다른 진리를 인정하지 않으면서, 동시에 인정하지 않으면 안 되는 것처럼.

하시즈메 매우 중요한 점입니다.

본인에게는 신앙인 게 제3자가 보면 양심인 것입니다.

양심이란 주위 사람들이 존중해야 하는 것인데 세속화되고 있습니다. 안에서 보면 신성한 것이 밖에서 보면 세속의 것이 되고 있습니다. 양심과 양심이 대등한 것으로 존재하는 것이 세속 사회입니다. 거기서 지배력을 갖는 것은 진리가 아니라 법률입니다. 법률이 사람과 사람을 사이에서 분쟁이 일어나는 것이나 서로 죽이는 것을 방지하고 있습니다.

따라서 세속 사회에서는 법률에 따르지 않으면 안 되는 것입니다.

다만 법률 안에는 유일한 진리(신앙)라는, 대단히 엄격한 공간이 있다는 것을 잘 이해하지 않으면 안 됩니다.

신앙은 선택할 수 없다

하시즈메   신앙은 왜 취미의 문제가 아닐까요? 그것은 신앙은 선택할 수 없기 때문입니다.

일본인은 '신앙의 자유'라는 말을 들으면 "그렇군. 신앙은 개인의 문제라서 자유롭게 선택해도 좋다"라고 해석합니다. 그런데 기독교의 사고방식은 그렇지 않아서 신앙을 신의 은총이라고 생각합니다. 부여되는 것이라는 겁니다. 스스로 선택하는 것은 신앙이라고 하지 않습니다.

그렇다면 퀘이커의 신앙을 갖고 있다는 것, 칼뱅파의 신앙을 갖고 있다는 것, 침례파의 신앙을 갖고 있다는 것은 자신으로서는 어떻게 할 수 있는 것이 아닙니다. 자신으로서는 어떻게 할 수 없는 신앙을 신으로부터 부여받고 있다고 이해하는 것이 옳습니다. 자신으로서는 어떻게 할 수 없는 일이고, 그럼에도 불구하고 명백히 진리입니다. 이런 감각이 없으면 안 됩니다.

이것은 일본인이 불교의 종지宗旨 중에서 "나는 정토진

宗淨土眞宗입니다"라고 하는 것과 전혀 다릅니다. 종지도 어떻게 할 수 없는 것이지만 옛날부터 그랬던 것일 뿐 진리에 대한 헌신은 아닌 것입니다. 그런 유추로 이해해버리면 기독교를 이해할 수 없습니다. 이슬람교도 이해할 수 없습니다.

오사와 믿고 있는 사람은 "여러 가지를 고려해서 이것이 가장 적합하기 때문에 믿고 있습니다"라는 것이 아닙니다. 자신이 그것을 믿고 있는 이유가 없다는 바로 그것 때문에 믿고 있기 때문에, 믿고 있는 쪽으로서는 잘 설명할 수 없습니다. 그리고 이러한 상황은, 믿는다는 것이 어떤 것인가에 대한 감이 없는 사람은 더 이해할 수 없습니다.

하시즈메 아메리카인을 보고 "왜 아메리카적 가치관을 세계에 강요하는가?"라고 하는 것은 일본인이 빠지기 쉬운 발상의 패턴입니다.

오사와 그렇게 보이는 근간이 여기에 있군요.

하시즈메 그렇습니다. 아메리카인의 입장에 서면 사실은 강요하고 있는 것이 아닙니다.

제5장 대각성 운동이란 무엇이었는가?

주마다 교회가 다르다

하시즈메 식민지가 여기저기 생기고 그것이 머지않아 독립 13주州가 됩니다.

그래서 각각의 주마다 특색이 있습니다. 그 특색은 각각의 식민지가 성립된 경위에 의한 것이지만, 특히 교회에 의한 색깔 차이가 중요합니다.

예를 들면 매사추세츠주는 회중파와 칼뱅파의 색채가 매우 강합니다.

오사와 그랬군요.

하시즈메 여기서 쫓겨난 사람들이 많이 있는데, 예를 들면 바로 남쪽에 있는 로드아일랜드입니다. 여기는 프로비던스라는 마을이 중심입니다만 종교적 관용을 내걸고 있습니다. 매사추세츠에 대항하는 안티테제입니다. 그 다음에 코네티컷, 뉴욕, 펜실베이니아, 버지니아, 노스캐롤라이나, 사우스캐롤라이나 등 각각의 주에 각자의 종교적 색채가 있습니다. 그것들이 연합하는 것이 아메리카합중국이라는 것을 머리 한구석에 넣어두면 좋겠습니다.

신앙이 없는 사람들의 무리

하시즈메 그런데 아메리카 식민지가 점점 정치적으로 성숙해가는 과정에서 놓칠 수 없는 것이 대각성大覺醒Great Awakening 운동입니다.

각성이란 신으로부터 영감을 받아 신앙에 눈뜨는 것입니다. 아메리카의 성립에서 매우 중요한 일이지만, 일본인은 매우 이해하기 어렵습니다.

이 운동을 이해하기 위한 전제로서 우선 중요한 것이 있습니다. 열성적인 기독교 신자는 아메리카 식민지에서는 원래 아주 적었습니다!

아메리카는 식민의 나라였지만 필그림 파더스는 별도로 하고, 나중에 온 식민은 생활을 위해 유럽으로부터 세속적인 동기로 이주해온 사람이 대부분이 돼버렸습니다.

정규 교회원은 매우 적었습니다. 통계에 따르더라도 5%나 10% 수준이었던 것으로 보입니다. 대부분의 사람은 매일의 생활에서 아침저녁으로 술을 마시거나 무언가를 하면서, 신천지에서 아무런 권위도 전통도 없는 상태로 살고 있습니다.

대물림의 문제

하시즈메 신앙을 갖고 있지 않은 시민과 신앙을 갖고 있는 시민의 관계를 고찰해보고자 합니다.

매사추세츠주에서 일어난 일을 얘기해보면, 청교도들의

대물림이라는 문제가 생겼습니다. 매사추세츠주에서는 신앙을 갖고 세례를 받아 교회의 성원이 되면 정규 시민으로 인정받았고, 그렇지 않으면 2류 시민이나 기류자寄留者 취급을 받았습니다. 그런데 아이가 태어납니다. 아이는 오고 싶어서 신세계에 온 것이 아닙니다. 신세대가 열렬한 신앙 같은 것을 갖지 않는 경우가 많아지게 마련입니다. 그런데 이런 청교도의 사회에서 태어나버렸습니다. 부모가 열성적인 청교도이면 교회에 참가합니다. 세례를 받을 수 있습니다. 칼뱅파는 유아 세례가 있었습니다. 세례를 받지 않은 채로 유아 시절에 죽어버리면 확실하게 구원받지 못한다고 생각했습니다. 그러면 큰일이기 때문에 아이가 태어나면 황급히 세례를 받게 한 것입니다.

오사와 유아 사망률이 높았기 때문이겠네요.

하시즈메 네. 그런데 어른이 되어도 신앙의 실감이 전혀 없습니다. 회심回心 체험이 없으면 성찬식에도 참석하지 않고 정식 교회원도 아니라는 어중간한 상태가 됩니다.

그런 아이 세대가 결혼하고, 그 다음에 또 아이(손주 세대)가 태어납니다. 손주 세대는 세례를 받을 수 없습니다. 부모의 신앙이 불확실해서 성찬식에 참석하지 않는 어중간한 멤버이기 때문입니다. 그 손주가 세례를 받지 않은 상태에서 죽으면 신의 나라에 갈 수 있는 가능성이 전혀 없게 되고 맙니다. 이것은 큰일입니다.

그래서 중도 계약中途契約Half-Way Covenant이란 것이

고안됩니다.

하프웨이는 중도입니다. 코버넌트는 계약이라는 의미입니다. 회심 체험이 없는데도 교회의 준準 멤버로 인정해줘 봅시다. 그러면 그들의 자녀(제1세대의 손주)가 세례를 받을 수 있게 됩니다. 이러한 샛길 같은 겁니다.

오사와 그렇군요. 그렇다 하더라도 외부에서 보자면 그렇게까지 무리를 할까 하는 느낌이 듭니다. 신앙의 실감이 없으면 믿지 않는다는 것으로 괜찮지 않은가 하고 생각할 법하지만, 역시 믿고 있다는 것이네요. 계속 하시죠.

회심에 대한 갈망

하시즈메 그렇다고 해결되지는 않습니다. "나는 회심 체험이 없다, 나는 신에게 버림받았다, 회심 체험만 있다면 사회의 완전한 멤버가 되고, 한 사람의 시민으로서 모든 사람에게 인정받을 수 있을 텐데." 이런 좌절감이 많은 신입자 사이에서 확대되어갑니다.

말하자면 시든 풀이 쌓이는 상태였습니다. 어딘가에서 불이 붙으면 일거에 활활 타게 됩니다. 부럽기 때문에 회심이 전염되어간 겁니다.

누군가가 영적 체험을 하고 신앙에 눈을 떴습니다. 신과 교류할 수 있고 회심했습니다. 그러면 우선 모두가 흥미를 가집니다. "어떻게 해서 그렇게 됐습니까? 어떤 기분이 듭니까?"와 같은. 그러다가 흥분한 나머지 다른 누군가가 회심을 체험합니다. 또 다른 누군가가 회심을 체험합니다. 그렇게 되면 회심의 파도가 일어나는 법입니다. 야구장에서는 웨이브라고 하는 관중의 파도가 전염되어가지 않습니까. 그런 느낌으로 회심이 파도가 돼서 사회를 감싸 안게 됩니다. 이것이 대각성입니다.

대각성의 특징은 교회 밖에서 일어난다는 것입니다. 지역 사회 전체를 에워싸기 때문에 특정 교회와 관계가 없습니다. 목사의 통제 아래 있는 것이 아닙니다. 오히려 신앙과 인연이 없던 사람들의 집단적 열광입니다. 기독교라고 하더라도 칼뱅파이든 퀘이커이든 아무래도 좋습니다. 기독교 '일반'에 감염돼가는 것입니다. 그리고 각성한 사람이 가까운 교회에 가자고 해서 교회가 만원이 된다고 하더라도, 교의를 잘 모르기 때문에 "예수 그리스도에 눈을 떴다"는 것입니다. 기독교인 '일반'인 것입니다. 그 결과 원래 뿔뿔이 흩어졌던 교회에 비슷한 성원이 늘어나고 비슷비슷한 교회가 되어갑니다. '아메리칸', '크리스천', '프로테스탄트 일반'이라는 사람이 완성되어갑니다. 이것이 아메리카의 기반이 됩니다.

대각성의 파도
오사와 재밌군요.

대각성이라 불린 것이 처음에 일어난 것은 18세기 전반이군요. 정확히 필그림 파더스로부터 100년 정도 지나서,

말씀하신 것처럼 3세대째 정도가 돼서. 2세대 정도까지는 무언가 그럭저럭 되고 있었는데 이 무렵부터 문제가 생기게 됩니다. 그래서 초기화reset랄까 처음에 식민지로 온 사람들의 종교적 정열을 반복하려는 움직임이 생겨납니다. 다음의 대각성이 또 역시 100년 정도 지난 무렵 19세기 전반에 있고, 19세기 말 정도에 제3차 대각성이 있는 등, 점차 임팩트는 줄어들지 모르겠지만 되풀이해서 일어나는군요.

생각해보면 역사는 그런 면이 있고, 어떤 결정적인 사건이 있으면 그 사건이 일어나고 있는 시대에 물론 변화가 일어나고 있습니다. 그렇지만 그 사건을 직접 맞닥뜨리지 않았던, 지체를 경험해버린 사람들이 그 지체의 감각으로부터 느낀 꺼림칙함 같은 것이 잠재력이 되어 다음 사건이 일어나는 경우가 있다고 생각합니다. 구체적으로 떠오르는 생각은 서유럽에서는 18세기 말에 프랑스 혁명이 있었고, 그것은 굉장히 큰 사건이었지만, 그후에는 비교적 보수적이랄까 조용한 시대가 옵니다.

그러나 19세기 중반 정도에 사회주의 사상이 출현한다든가 2월 혁명이 발생한다든가, 다시 커다란 사건이 일어납니다. 마르크스를 시초로 하는 커다란 지적 약진도 일어납니다. 이것은 프랑스 혁명에 비해 지체되었다는 느낌을 갖고 있는 사람들이 커다란 열쇠를 갖고 있었다는 느낌이 드는 일이죠. 자기들은 뭔가 결정적인 사건을, 전달받은 지식을 통해, 요컨대 아버지와 할아버지 세대의 얘기를 통해 알고 있지만, 실제로는 그것을 경험하지 않은 그런 세대가 매우 커다란 힘을 갖는 일이 생깁니다. 아메리카의 경우에도 초기 식민자들의 열정에 비해 자신들은 그에 걸맞지 않다는 것입니다. 그러나 전혀 관계가 없는 것은 아닙니다. 자신들이 부족하다는 것을 알고 있는 것입니다. 그런 느낌이죠. 따라서 앞서 말한 마른 풀의 비유는 절묘합니다. 정말로 성냥 한 개비가 있는 마른 풀과 같은 상태가 됩니다. 각성하고 싶지만 각성할 수 없는 상태이기 때문에 등을 조금만 밀어주어도 단숨에 회심할 수 있습니다.

전도사의 역할

오사와 모리모토 안리森本あんり 선생의 책(『아메리카 기독교사』, 新教出版社, 2006)에 씌어 있지만, 제1차 각성 운동의 시기에 불을 지핀 역할을 한 사람이 화이트필드George Whitefield(1714~1770)라는 국교회의 목사입니다. 그 사람은 설교에 뛰어났음에도 불구하고 내용이 있는 것을 거의 말하지 않습니다. 반쯤만 믿는 것이 좋을 에피소드이지만, 언젠가 그가 "메소포타미아, 메소포타미아, 메소포타미아……"라고 약간 어조를 바꿔가면서 반복했을 때 모두가 점점 감동에 빠져서 엄청난 웨이브가 되었다고 합니다. 뭔가 회심하고 싶다는 잠재력이 여기까지 높아진 것입니다. 그렇지만 그것은 일종의 반응이죠. 최초의 식민자들의 가

장 소박하고 강렬한 종교적 모티브의 반복입니다.

그래서 하시즈메 선생이 말씀하신 대로 전문 성직자들이 각성하는 것은 아니라는 점이 중요하다고 생각합니다. 위대한 성직자가 이론적으로 설파하고 있는 것이 아니고, 설교자 자신도 그다지 종교적 교의가 있는 것이 아닙니다. 그 점이 몹시 아메리카적입니다. 따지고 보면 필그림 파더스도 성직자가 있고 평신도가 있는 가톨릭적인 질서로부터 벗어나서, 모든 사람이 평등한 신앙을 지향하는 데서 나온 사람들입니다. 그것이 점점 번거로운 일이 되어가고, 세례는 어떤 것이 진짜인가, 예정설은 어떤 것인가와 같은 얘기가 되어버리지만, 원래는 교의 이전의, 누구라도 갖고 있는 체험에 신앙의 기초가 있는 법이겠죠. 그것이 대각성 운동에서 다시 한번, 신앙이 갖고 있는 본래의 평등주의적 잠재력이 발휘되었다는 느낌이 듭니다. 교과서적으로 말하면, 아메리카사 가운데서도 가장 중요한 사건, 요컨대 독립이라든가 남북 전쟁 같은 커다란 사건들은 대체로 대각성 운동 뒤에 일어난 셈입니다.

따라서 대각성이란, 말하자면 아메리카가 출현할 때의 충동의 반복이라고 생각하면, 그것을 되찾아 다음에 참으로 커다란 사건이 일어난다는 상황도 이해 가능합니다.

신앙에 기반한 사회

하시즈메 각성의 전과 후는 무엇이 다를까요? 일본인은 좀처럼 이해하기 어렵겠지만, 제 방식으로 설명하면 이런 느낌입니다.

이 세계는 신에게 지배받고 있다고 직관하는 것입니다. 그것이 일신교 신앙의 핵심이고 기독교 신앙의 핵심이 아니겠습니까. 세례라든가 교의라든가 하는 세세한 점은 교회마다 종파마다 다르다고 하더라도, 이 근저에 있는 직관을 갖고 있지 않은가, 그런 상전이相轉移와 같은 것이라고 생각합니다. 상전이는 물리학의 비유입니다만, 예를 들면 0도의 물이 있고, 0도의 얼음이 있다고 합시다. 양쪽 다 0도이지만 액체와 고체입니다. 0도가 되었기 때문에 물은 고체가 되겠죠. 그렇지만 어떻게 해서 고체가 되어가는지 모릅니다. 저쪽에서부터 점점 고체가 되어오면, 자신도 고체가 되어버린다는, 아까 말한 웨이브 현상 같은 일이 일어납니다. 그러한 상전이 현상 같은 것이라고 생각합니다.

오사와 그렇군요.

하시즈메 신앙을 갖기 전에는 세계가 어떻게 보이는가 하면, 우연입니다. 인과관계는 대개 이해할 수 있습니다. 그렇지만 인과관계를 전부 다 찾을 수 있나면 그렇지 않습니다. 초기 조건이 있고 나서야 비로소 인과관계가 성립됩니다. 초기 조건이 특정될 수 없으면 인과관계의 설명으로 세계를 다 덮을 수 없는 법이죠. 그 초기 조건을 인과관계로서는 설명할 수 없습니다. 그래서 세계의 본질은 우연으로 보입니다. 우연 가운데서 생겨난 자신도 부조리한 존재입니다. 생겨난 목적도 알 수 없습니다.

인식의 도식 자체는 신앙이 없이는 바뀌지 않습니다. 인과관계의 부분은 인과관계로 이루어져 있습니다. 그러니까 그 우연의 부분입니다. 신앙을 갖는다면 우연이 필연으로 되는 것이고요. 왜냐하면 그것은 신의 의사이기 때문입니다. "아, 이것은 신의 의사가 이렇게 된 것이구나. 여기에 산이 있는 것도, 여기에 꽃이 피는 것도, 누군가가 나에게 친절하게 대해준 것도, 다른 누군가가 나에게 심술궂게 군 것도 신의 의사이구나." 이렇게 되면 인식하고 있는 내용은 1mm도 변화가 없는데도 뭔가가 근본적으로 달라지고 전부가 신의 의사로 됩니다. 우연이 전부 필연으로 됩니다.

따라서 간단하게 각성할 수 있습니다. 각성의 본질은 그런 사소한 인식의 상전이 현상이라고 생각합니다.

신의 의사인가?

오사와 맞습니다.

신앙이 없는 입장에서 굳이 심술궂게 말해본다면, 인식의 내용 면에서는 정말로 아무것도 변한 게 없는 것이네요. 각성 전과 후에 말이죠. "왜 우리는 여기에 있는 것일까?", "아니, 여러 가지가 있어서 결국 잘 모르겠어"라는 것이 각성 전이고, 각성 후에는 "신의 의사이네요"라는 식으로 되어, "오! 그랬단 말인가"라고 생각하는 것이군요.

그러나 생각해보면 신이 왜 그랬을까, 신이 왜 그것을 원했을까는 알 수 없기 때문에 결국 최초의 의문에 대한 답은 안 되는 것입니다. 마르크스 풍으로 말하면, 질문 방식을 바꾼 것뿐입니다. 사실은 '신의 의사' 속에 꼭 그대로 질문이 봉입되어 있는 것인데, 질문을 신의 의사로 돌리자마자 질문이 그대로 답으로 보이게 됩니다. 이처럼 마술 같은 일을 느끼는 것이 각성한다는 것이겠죠. "왜 산이 있는가?", "신이 만들었으니까"라고 하면 진정 답이 될까요?

사실은 답이 아니지만 그런 말을 듣자마자 수수께끼가 풀린 것처럼 느끼게 되고, 왜 신이 만들었는가를 알고 싶어지는 것도 있지만, 그렇게 말하면 재빨리 세계가 달라 보인다는 것이 상전이라는 것이군요. 인식의 내용은 하나도 늘어나지 않습니다. 그러나 인식의 기본적인 색조가 전부 바뀐 것 같은 느낌이군요.

하시즈메 참으로 맞는 말이지만, 덧붙이자면 "거기에 산이 있다. 내가 있다"라는 실재의 수준과 "신이 있다"라는 실재의 수준은 다른 수준이죠. "신이 있었지만 나도, 산도 없는" 세계가 먼저 있고, 그 뒤에 "신과 산과 내가 있는" 세계가 되었습니다. 신이 그렇게 만들었습니다. 머지않아 찾아 오는 것은 "산이 없어지고 신과 내가 있는" 세계입니다. 따라서 산이나 강과 같은 눈앞의 실재성을 벗어난, 메타meta 실재성으로서 신이 있다는 것은 내가 메타 실재성으로서 이 세계를 빠져나와도 좋다는 특별한 감각입니다.

이것은 플러스 알파입니다. 각성한 후에 비로소 그 감각이 남습니다.

개인의 자각

하시즈메 종교적으로 말하면 그렇지만, 사회학적으로 말하면 이것은 '사개인私個人'이라는 것입니다.

산이나 강과 같은 주위의 세속적인 질서로부터 독립해 있는 사개인이 존재하고 있고 존재해야 합니다. 기독교는 이러한 개인주의를 낳습니다. 이러한 자각이 있는 것이 근대인이지만, 그런 사람들을 많이 산출하는 기능이 있었습니다.

오사와 그렇군요. 재미있는 얘기군요.

좀 더 파고들어서 질문해도 괜찮겠습니까? 예컨대 "왜 산이 이런 모양으로 있는 걸까?"라고 생각하고 물리학자나 누군가가 "빅뱅으로 시작되어 여러 가지 물리적인 인과관계가 있어서……"라고 하면서 설명되었다고 하지 않습니까. "빅뱅으로부터 백 수십억 년의 시간이 경과하는 가운데 태양계가 생기고 지구가 생기고, 거기에 지층의 습곡褶曲이 생기고, 여기에 후지산이 생겨났다"는 설명을 듣고서 "아, 그런 방식으로 여기에 후지산이 있다"고 납득하는 것과, "신이 만드셨구나"라고 납득하는 것은 어떤 차이가 생긴다고 설명하면 될까요? 나의 메타 실재성이라는 것과 관계가 있다고 생각합니다만.

하시즈메 '신의 계획'이란 것이죠.

존재에는 의도가 선행하고 있습니다. 내가 존재하는 것은, 내가 존재해야 하고 존재해도 좋다는 의도가 있었기 때문입니다. 이것은 어떤 것에 의해서도 지워버리거나 닦아내거나 부정하거나 할 수 없는 것이죠. 존이 존이고, 리차드가 리차드인 것에는 이유가 있어서 다른 사람은 어떻게 할 수 없는 겁니다. 신이 각자를 만들었기 때문입니다.

이것이 자유와 권리의 근본이 됩니다.

존이 존이 된 데는 이유가 있는데, 그것은 신이 그렇게 정했기 때문입니다. 그러면 존의 생존권은 존에게 있을 것입니다. 세계를 인식하는 능력과 이성도 존에게 있을 것입니다. 행복 추구권도 있습니다. 그렇지만 동일한 권리와 능력이 리차드와 매리에게도 있습니다. 그래서 존과 리차드와 매리의 관계는 어떻게 될까요? 이것은 존과 리차드와 매리가 의논해 세속 질서를 구성하지 않으면 조정할 수 없습니다. 이런 식으로 생각한 사람들이 자각해서 사회를 구성하지 않으면 안 되게 됩니다.

따라서 아메리카합중국이 성립하기 전에 어떻게든 대각성 운동이 필요했던 것입니다.

세계 이해의 메커니즘

오사와 얘기를 잠깐 바꿔서 심리학적으로 그 메커니즘을 고찰해봅시다. 우리가 뭔가를 이해할 때 인과적으로 이해하는 것과 이유를 이해하는 것 두 종류가 있지 않습니까? 이유라는 것은 의도나 선택과 관련된 인식입니다. 필시 우리가 누군가의 얘기를 납득할 때 가장 기본적인 것은 이유를 납득하는 것이죠. 이것이 여기에 있는 것에 관해서 물리학적으로 인과관계를 찾아서 설명하는 것도 가능하겠지만, 그것이 가능하다고 해도 이해했다는 기분이 들지는 않습니다. 그러나 "오늘은 하시즈메 선생이 대담할 때 좀 낫지 않을까 생각해서 과자를 사오셨군요"라고 말하면, 이제는 그걸로 매우 납득이 되는 것입니다. 따라서 의도랄까 그런 게 철회되었을 때 우리의 납득이 곧바로 멈추게 되는 것처럼, 그런 심리적 메커니즘에 관계되어 있는 것이겠죠.

그 궁극적인 버전이, 지금의 내가 여기에 존재하고 있는 이유를 납득하고 싶다는 것이겠죠. 내가 바로 지금의 나로서 여기에 존재한다는 것은 완전한 우연으로 느끼게 됩니다. 그런데도 이유를 알고 싶어집니다. 신의 의사라든가 신이 원하는 것과 관련된 것에 나의 존재 이유가 있다고 생각되는 것이겠죠.

그래서 우연과 필연의 얘기에서 중요하다고 생각되는 것은, 칸트 이래—데카르트까지 거슬러 올라가는 것이 좋을지도 모르겠지만—철학의 기본적인 테마와 결부되어 있습니다. 예컨대 칸트가 "순수 이성에 의해서는 물物 자체를 인식할 수 없다"는 식으로 말할 때, 그가 말하고 싶은 것은 순수 이성(이론 이성 또는 오성)에 의해서는, 좀 전의 하시즈메 선생의 말을 빌리면, 우연까지밖에 알 수 없다는 것이네요. 따라서 그는 우선 순수 이성의 수비 범위는 거기까지라고 인정하고는 더욱 중요한 이성인 실천 이성의 영역을 고찰합니다. 칸트는 신앙을 직접 가져올 수는 없으니까 분명히 쓰고 있지는 않지만, 요는 우연에 대해, 그것은 필연이라고 납득하기 위한 인간 행동에 관계된 또 하나의 높은 이성이 실천 이성이라고 하는 것이네요. 보통 우리가 보면 아무리 해도 우연밖에 보이지 않습니다. 그렇지만 우연만으로는 아무리 해도 납득이 되지 않는, 철회할 수 없을 것 같은 이 감각이 근대 인식론과 존재론의 중요 모티프가 되고 있다는 느낌이 듭니다.

덧붙여서 현대 사상의 최근 트렌드로 말하면, 2007년 무렵부터 사변적 실재론speculative realism이 유행하고 있습니다만, 바로 지금 이 문제가 재부상하고 있죠. 특히 이 흐름의 리더 격인 캉탱 메이야수Quentin Meillassoux의 논의는 바로 이 문제에 몰두하고 있습니다.

우선, 우리가 어떤 식으로 인식해도 사라지지 않는 우연성이 존재합니다. 생각해보면 실천 이성은 이성의 월권 행위입니다. 그것은 실천 이성에 의한 설명과 신의 의사에 호소하는 설명이 등가等價로 다뤄지는 것으로부터도 알 수 있습니다. 사변적 실재론은 간단히 말하면, 일종의 철저한 무신론이기 때문에 인간의 유한성, 요컨대 인간의 인식에 의해 우연성은 결코 해소될 수 없다는 점을 우선 움직이기 어려운 전제로 삼습니다. 게다가 우연성이야말로 궁극적인 실재가 아닌가, 해소할 수 없는 우연이 존재한다는 것이야말로 유일한 필연이 아닌가 하는 식으로 논의를 뒤집어가는 것이 메이야수의 사변적 실재론입니다. 사실 이것은 우연성을 신으로 삼고 있는 것과 마찬가지지만, 이 이상으로 깊이 들어가면 얘기가 빗나가버리기 때문에 여기서 그치겠습니다. 그러나 말하고 싶었던 것은 근현대 철학의 통주저음通奏低音 같은 것임과 동시에 최첨단의 과제가 아메리카인의 신앙 각성 운동의 동기가 되었던 가장 기본적인 모티프와 겹쳐 보인다는 것입니다. 철학의 최첨단에서 논의되고 있는 얘기와 서민의 소박한 신앙 운동이 사실은 겹쳐 있다는 것이 재미있다고 생각합니다.

하시즈메 그렇군요.

대각성 운동과 성령

하시즈메 대각성은 프로테스탄트 특유의 현상입니다.

우선 이슬람에서 이런 것은 있을 수 없습니다. 이슬람은 일상 생활 자체가 법에 따른 활동이기 때문에 각성 따위는 필요 없죠.

기독교에서는, 정교正教에서도 가톨릭에서도 이런 것은 그다지 들을 수 없습니다. 지상은 전부 교구나 관구로 분할되어 있고 거기에는 책임을 맡은 성직자가 있습니다. 그들과 관계없이 각성 따위를 하는 것은 불가능한 셈입니다.

프로테스탄트에게는 그런 시스템이 없습니다. 그리고 식민의 나라 아메리카에서는 사람들이 자유롭게 돌아다니고 있습니다. 매사추세츠라든가 대도시에서는 왠지 교회의 지구 할당 같은 것도 없지는 않지만, 특히 서부처럼 개척이 한창 이루어지는 장소에서는 많은 이민자가 노도와 같이 흘러들어와서 사회가 유동적입니다. 그래서 순회 설교사 같은 사람이 그들을 좇아갑니다. 그리고 광장이나 공터 같은, 교회가 아닌 야외의 장소에서 설교를 합니다.

이런 방식으로 파장이 맞았던 것이 감리파와 침례파입니다. 둘 다 아메리카에서는 후발 교회입니다. 그렇지만 크게 성장했습니다. 칼뱅파도 아니고, 장로파도 아니고, 회중파도 아닙니다. 교회에서는 그다지 환영받지 못한 무수한 순회 설교사가 나타나서 마을이나 촌락을 걸어서 돌아다니면서 대량의 개종자를 만들어갑니다.

그것이 가능한 것은 교회 조직으로부터 독립된 성령이라는 존재가 있기 때문입니다. 이슬람에는 성령이 없습니다. 가톨릭이나 정교에서는 성령이 함부로 활동하는 것은 문제로 여깁니다. 그렇지만 순회 설교사는 성서의 말씀을 전하고 있고 감동과 설득력을 갖고 있습니다. 파워(성령)로 가득차 있습니다. 그 성령을 사람들이 받아들이는 것이 가능합니다. 성령이 교회를 만드는 것이지 교회가 성령을 만드는 것은 아니죠.

대각성 운동이란 말하자면 '성령의 혼자 걷기'입니다.

반지성주의

오사와 그렇군요. 이슬람교는 일신교이지만 이런 일은 일어나지 않고, 기독교에서도 일어나고 있는 것은 프로테스탄트뿐이군요. 게다가 아메리카에 간 프로테스탄트만 이렇게 되는 것은 생각해보면 불가사의한 일이네요.

지금 하시즈메 선생이 성령이라는 것으로 설명한 것을 다른 말로 표현해보면 이런 느낌이 드는군요. 요는 "왜 세계가 존재하고, 내가 존재하는가?"라는 것에 대해서 우연이라는 것으로는 납득할 수 없다는 것입니다. 나는 신에게 허락받고 존재하고 있는가, 무슨 이유가 있어서 존재하고 있는가와 같은 질문은 어느 종교에나 있는 것이지만, 대부분의 종교는 그런 근원적인 지식을 갖고 있는 것은 특정 성직자이거나 현자이거나 합니다. 일반인은 알 수 없는 법이지만, 대신에 성직자가 그것을 알아주고 있다는 것으로 조금 안심합니다. 그러한 지성의 불평등주의가 있습니다. 신으로부터 특별히 성령이 내려온 사람이라든가 특별히 은총을 받은 사람들에게만 지성이 있어서, 그 사람은 성서를 읽기도 하고 신의 말씀을 이해할 수 있기도 합니다. 그러나 보통 사람은 알 수 없습니다. 알 수 없어도 대신 알아주고 있는 사람이 있다는 것으로 납득합니다. 이런 짜임새로 된 것이 아닌가 생각합니다.

그러나 아메리카의 프로테스탄티즘은 기본적으로 굉장히 평등주의적이죠. 모리모토 안리 선생이 주목하고 있는

'반지성주의'이죠. 반지성주의는 지성에 반대하고 있는 것이 아니라 지성이 특정 사람에게 독점되고 있는 상태에 대해 반대하는 것입니다. '내'가 납득하고 싶은 것이죠. 역으로 말하면, 성직자라고 해서 특별한 권한이 있는 것이 아니기 때문에 누구에게라도 성령이 내려올 수 있다는 것입니다. "나는 왜 여기에 있는가?"라는 것을 누구나 납득하지 못하면 안 된다는 상황 속에서 각성 운동이 일어납니다. 성령은 평등하게 고루 미치는 잠재력을 갖고 있기 때문에 그것이 계속 확대되어가는 것이 아닌가라고 생각하는 것이죠. 따라서 '안다'는 것에 관한 감각이 종교 개혁 이후 어느샌가 변화되어가고 있는 것이죠. 그 전형적인 발로가 대각성 운동이라고 생각합니다.

하시즈메 그렇습니다. 사람들은 인간의 지성보다 성령의 활동을 더 신뢰하고 있습니다.

자연과학과 기독교

하시즈메 그런데 조금 전에 문제를 제기하기 위해 일부러 빅뱅이 어쩌고저쩌고 얘기했지만, 커다란 정신 운동으로 봤을 때, 과학 혁명과 종교 개혁은 시대적으로도 거의 동시대이고, 역시 동일한 변화의 제각각의 측면이라고 생각하죠. 과학 혁명 자체는 직접 기독교의 교의를 고쳐 쓰고 있는 것은 아니기 때문에 특별히 기독교도가 아니라도 과학은 할 수 있지만, 필시 종교 개혁과 동일한 정신 운동 속에서 일어나고 있습니다.

이렇게 생각합니다. 과학 혁명이 일어난 데는 여러 가지 이유가 있지만 중요한 한 가지는 지성이라는 것에 누가 접근할 수 있는가의 문제입니다. 중세까지는 계시를 받은 사람이 지성을 갖고 있는 셈이었고, 보통 사람은 지성을 갖고 있지 않았습니다. 따라서 진리는 일부 인간밖에 알 수 없습니다. 그러나 과학의 중요한 전제는, 근대 과학에 있어서 진리의 조건은 역으로 원칙적으로는 누구라도 접근할 수 있다는 것이죠.

따라서 과학 혁명은 프로테스탄트에게 일어난 회심 체험과 유사한 측면이 있습니다. 다만 회심에 의한 납득은 자신들의 존재가 실은 우연이 아니라 필연이라는 인식이 최종적인 지점을 이루지만, 과학은 그 반대입니다. 어디까지 가도 우연이라는 것이 남습니다. 물론 원인을 거슬러 올라가는 것은 가능하지만, 거슬러 올라가도 빅뱅이 될 뿐이기 때문에 그 이상의 것을 찾는다면 과학이 아닌 것이 됩니다. 과학은 언제까지라도 회심 체험 식의 필연성에는 절대 도달하지 못합니다. 한편에는 필연성, 말하자면 결말을 내려는 인식의 대역전이 있고, 다른 한편에는 과학이라는 영원히 필연성에 의한 납득에 도달할 수 없는 지식의 운동이 있습니다. 이 두 가지 모두가 종교 개혁, 프로테스탄트라는 것에 뿌리를 두고 있다는 것이 재미있습니다. 두 가지의 관계를 어떤 식으로 보면 좋을까요? 지금은 문제

제기 차원에서 물어놓으려 합니다.

하시즈메 좋은 지적입니다. 과학 혁명과 대각성은 병행하는 현상이지만 지금 여기에 깊이 들어간다면 얘기가 길어집니다.

오사와 예. 잊기 전에 말해두자고 생각한 것입니다. 계속하시죠.

제6장 왜 독립이 필요했는가?

아메리카 독립 혁명

하시즈메 자, '독립 전쟁' 얘기를 해봅시다.

아메리카 독립의 경위를 대략적으로 좇아가보면, 영국이 아메리카에 과세를 합니다. 아메리카는 반발합니다. 그러나 아메리카의 주장을 영국에 반영할 방법이 없습니다. 영국의 입장에서 보면 아메리카는 그냥 식민지이니까 "말을 들어라"는 것입니다. 아메리카의 입장에서 보면 "영국은 참견하지 마라. 우리는 자치를 하고 있다"입니다.

신대륙은 머지않아 구대륙으로부터 자립해가기 때문에 식민지는 어쨌든 독립할 필연성이 있었다고 생각하지만, 아메리카는 그 중에서도 특별하죠. 다른 지역은 가톨릭이라는 점도 있지만, 아메리카에 비해서 독립의 시기가 늦습니다. 게다가 아메리카는 자신들의 자치 원리를 근대적인 정치 제도로 스스로 설계하고 독립 전쟁을 통해 실현해가는, 세계 최초의 민주주의 국가라는 강렬한 특색이 있습니다. 그에 비해 가톨릭 계통의 다른 나라들은 단지 본국으로부터 분리된 것일 뿐, 특색있는 사회 조직을 갖는 것도 아니고 유력자의 지배라든가 독재라든가 대지주제라든가 구태의연한 사회 구조를 남기고 있습니다.

　종교도 가톨릭 그대로입니다. 신대륙이더라도 새로운 점이 별로 없습니다. 이러한 대비가 있는 것입니다.

오사와　맞습니다.

하시즈메　이 실험적이고 인공적이고 새로운 성질이 어디서 온 건지 얘기하면, 역시 프로테스탄트 신앙을 원천으로 하고 있습니다. 그에 걸맞은 정치 제도가 어떤 것일까를, 아메리카인들은 독립에 앞서 오랜 시간에 걸쳐서 충분히 고찰했던 것입니다. 그것에 주목하지 않으면 안 된다고 생각합니다.

아메리카합중국 모델

오사와　그렇군요. 잠시 의문점 하나를 제기해도 괜찮겠습니까? 상식적으로 생각해보면, 영국에서 온 사람들이 과세 문제로 불만이 있었다면 자신들의 왕국을 만들면 되는 것이고 영국 풍의 정치 시스템을 만드는 것이 보통이라고 생각하지만, 아메리카가 신대륙에서 만든 정치 시스템은 영국 풍이 아닙니다. 영국과 유사하지 않다는 점이 재미있습니다. 말씀하신 대로 전혀 새롭다는 느낌이 드는군요. 굳이 말하자면 건국의 아버지들이 나라의 정체를 설계할 때 기본 모델로 삼고 있는 것은 한나 아렌트가 말하고 있는 것인데, 고대 로마입니다. 예컨대 상원Senate(원로원)이라는 것도 로마에서 온 말입니다. 프로테스탄트가 정신적인 기초로 되고 있는 것은 틀림없지만, 정치 시스템의 표면에는 기독교적인 부분이 거의 나오지 않습니다. 게다가 정치 시스템에 관해 말하면, 그들이 원래 바탕에 두었던 그것과는 매우 다른 것이 만들어집니다.

신대륙의 가톨릭 국가는 독립은 했지만 결국 유럽에서 자신들이 해왔던 활동을 약간 변형한 정도의 것을 만들었습니다. 게다가 그나마 변형이 잘 안 되어서 가혹한 형태로 되는 것이 보통입니다. 그렇지만 북아메리카에서는 전혀 다른 시스템으로 갔군요. 이 차이는 어디에서 온 것인지가 아까부터 신경이 쓰였습니다.

왜 로마인가?

하시즈메 이런 느낌 아닐까요?

당시의 세계 표준은 베스트팔렌Westfalen 체제라고 불리던 것으로, 군주의 신앙과 주민의 신앙이 합치하는 것이 원칙이었습니다.

오사와 그렇군요. 영주의 신앙이 곧 주민의 신앙이라는 것이군요.

하시즈메 이것은 종교 전쟁을 정지시킨 매우 현명한 구조이지만, 영국의 경험에서는 이것도 매우 결함이 있는 내키지 않는 시스템이었다고 생각합니다.

영국 국교회는 베스트팔렌 체제에 편승하고 있습니다. 영국 국왕이 있고 그의 교회는 영국 국교회입니다. 칼뱅파는 그 안에 있는 경우도 있고 그 밖에 있는 경우도 있지만 어쨌든 국왕과의 관계에서 어려운 입장에 서 있습니다. 그리고 국왕이 교회에 간섭을 하거나 국왕이 개종을 하거나 할 가능성도 없지는 않습니다. 영국 국왕은 국교회로부터 개종하지는 않을 것 같지만, 그래도 알 수 없는 일입니다.

아메리카 독립의 직접적인 계기는 영국 국왕의 횡포입니다. 신대륙을 둘러싸고서 프랑스와 전쟁을 하는 등 재정이 핍박해졌습니다. 그것을 식민지에 부담시키려는 생각이었죠. 결국 세속적인 문제입니다.

베스트팔렌 체제에 따르면, 본국에서 독립하게 되면 아메리카에도 국왕이 없으면 안 됩니다. 이런 상식을 갖고 있는 사람은 워싱턴에게 "국왕이 되어주세요"라고 부탁했습니다. 워싱턴은 거절했습니다. 한편 대다수의 아메리카인은 국왕은 더 이상 필요없다고 생각했습니다. 그 이유는 국왕은 어떤 교회에 소속될 것이고, 그러면 자신의 교회가 아닌 교회에 심술궂게 굴거나 개입하지 않겠는가, 그렇다면 국왕은 없는 게 좋다, 그래서 독립을 지향합니다. 그러면서 베스트팔렌 체제를 벗어나버립니다. 그런 체제가 존재 가능할까요? 역사를 거슬러 올라가면 그리스와 로마의 민주제가 있지 않습니까? 로마는 제국이 되기 전에 공화국이었습니다. 공화국에는 국왕이 없습니다. (덧붙여 기독교도 없었지만.) 그리고 긴급시에는 통령이 선출되어 행정권을 장악했습니다. 그렇지만 그 통령이 독재자가 되지 않게 원로원(의회)이 견제하고 사람들의 자유와 권리를 지켰습니다. 이런 역사를 참고해 아메리카의 정치 조직을 다음과 같이 만든 것입니다.

행정부의 수장은 대통령으로 하고 그가 통상적인 행정권과 군사 지휘권을 갖습니다. 이것은 고대 로마를 답습하고 있습니다. 그렇지만 의회가 있어서 입법권을 갖고 예산을 승인하며 행정부를 감독합니다. 이 의회와 행정부의 관계는 영국을 참고하고 있다고 생각합니다.

아메리카인에게 의회 정치는 친숙한 것이었습니다. 본국에 의회가 있고 식민지에도 의회가 있었습니다. 그러면 대통령을 어떻게 선임할 것인가? 대통령은 선거로 뽑자. 로마에서 대통령을 원로원이 선출했는지 모르지만, 보통 선거로 선출하는 것으로 합니다. 일반 유권자에 의한 보통 선거는 로마의 전통이 아니라 회중파의 전통입니다.

회중파의 선거에서 선출된 보직자는 신에게 책임을 집니다. 그리고 임기가 있어서 다시 뽑기 때문에 고정된 권력을 갖지 않습니다. 권력을 가진 것은 신뿐이고, 인간은 권력을 가질 수 없다는 것입니다.

이런 것들을 섞어서 혼종(하이브리드)이 되었습니다만, 이것이 아메리카의 민주주의라고 생각합니다. 이것은 도요타가 만든 하이브리드 자동차 같은 것이어서 그때까지는 존재하지 않았던 것이지만, 바람직한 성능을 갖고 있는 새로운 메커니즘인 것이죠.

오사와 그렇군요. 말씀하신 그대로겠군요. 로마의 통령 대신에 대통령이 있고, 실은 원로원 대신에 상원을 두지만 그것을 회중파 식으로 민주화하고, 민회民會 대신에 하원 의원이 있습니다. 확실히 로버트 벨라Robert Bellah가 썼다고 생각하지만, 영국으로부터의 독립에 관해 말하면, 실은 과세에 대해 결정하고 있는 것은 의회이기 때문에 증오의 대상은 의회였어야 하지만 독립 운동의 담당자들은 국왕을 적으로 보았습니다. 국왕이 존재하고 그가 선천적인 권위를 갖는 방식에 대한 굉장히 강한 혐오감이 아메리카 쪽에 있었죠.

여기에 아메리카가 갖고 있던 기본적인 심리 구조가 잘 드러나고 있습니다.

네덜란드 독립 전쟁

하시즈메 독립에 전례가 있다면 네덜란드가 스페인으로부터 독립한 것입니다.

스페인은 왕국으로서 왕권이 있고, 네덜란드는 그 식민지처럼 취급되고 있었습니다. 네덜란드는 프로테스탄트였습니다. 그래서 괴롭힘을 당했습니다. 그래서 몹시 고초를 당한 끝에 군사력으로 독립을 이루어냈습니다. 그리고 의회가 있는 공화제를 택했습니다. 이것은 아메리카에서는 매우 친숙합니다.

네덜란드도 왕권에 반대했습니다. 그렇지만 가톨릭과

프로테스탄트 사이의 관계이기 때문에 네덜란드의 독립은 이해하기 쉽습니다. 아메리카의 경우는, 영국 국교회가 대부분 칼뱅파였다고 보면 영국으로부터 독립할 필요가 있었을까요? 사이좋게 지내면 독립하지 않아도 좋았을지도 모릅니다. 그러나 괴롭힘을 당했습니다. 그래서 "우리 아메리카인은……"이라는 아메리카적 정체성이 생겨난 것입니다. 애국자가 나타났습니다. 애국자냐 아니면 왕당파냐? 두 개의 정치적 입장이 생기고 아메리카 식민지 사회는 두 동강이 났습니다. 어제까지는 친구였던 사람들이 나는 애국자이고 너는 왕당파라면서 피아로 나뉘어서 싸웠습니다. 왕당파는 결국 본국으로 돌아가든 캐나다로 달아나든 망명하지 않을 수 없게 되었습니다. 네덜란드가 거국적으로 독립한 것과는 좀 다르다고 생각합니다.

프리메이슨

하시즈메 독립에 앞서 주의를 기울여야 할 것은, 대각성 운동 이외에 하나 더, 이신론理神論 운동이 있습니다. 구체적으로는 프리메이슨Freemason입니다.

이신론은 종교 개혁이 도달한 합리주의 사상입니다. 프로테스탄트는 많은 종파와 교회로 분리되어 있습니다. 교의의 시끄러운 점은 서로 얘기하지 않습니다. 동료 사이에서는 종교 얘기를 하지 않습니다. 프로테스탄트 신자로서 자연과학을 인정하는 합리주의입니다. 이것으로 충분하지 않는가 하고 생각하는 것이 이신론입니다.

　그것을 구현한 단체가 프리메이슨이라는 결사結社입니다. 18세기 초에 영국에서 조직의 기틀을 정비하고서 아메리카에도 전해졌습니다. 교회를 가로질러 누구라도 성원이 될 수 있기 때문에 여러 식민지를 횡단하는 네트워크를 구축하는 데도 편리했습니다. 이공계의 지식을 몸에 익히고 정보를 교환하고 동료의 결속을 도모하는 것도 가능했습니다. 조지 워싱턴, 벤자민 프랭클린, 폴 리비어Paul Revere를 필두로 독립 혁명에서 활약한 메이슨이 많습니다. 만약을 위해 덧붙이자면 왕당파에도 메이슨이 많았습니다.

오사와　하시즈메 선생의 『프리메이슨』(小學館新書, 2017)에 상세히 씌어 있더군요.

하시즈메　아메리카에서는 대형 교회도 있었지만, 어떤 교회를 주역으로 삼을까 할 때, 모든 주가 따라오지는 않습니다. 국교회로 해라, 칼뱅파로 해라 등등. 모든 주가 모여 결집하기 위해서는 이신론과 프리메이슨이 접착제가 되는 것이 다소 나았습니다. 여기에 아메리카의 정열과 애국자의 정열이 더해지면 혁명군이 성립됩니다. 혁명군은 원래는 영국 지휘 아래의 각주의 민병이었지만 반기를 든 것입니다.

　군복을 새로 맞추어 갈아입었습니다. 군복을 입지 않은 사람도 민병으로 달려갔습니다.

이신론의 요점

오사와 그렇군요. 생각할 요점을 말해두자면, 이신론理神論이란 것도 상당히 평범한 일본인에게는 이해하기 어렵습니다. 제 생각에는, 이신론이란 과학적 세계관이 상당히 핵심이 된다는 조건 아래 그래도 여전히 신앙만은 어떻게 해서라도 유지하고 싶다고 할 때 나온다고 봅니다.

과학을 취하고 신앙을 버리는 것이라면 간단한 일이죠. "신앙은 별도로 하는 것이 좋고, 과학만으로"라고 하면 마음이 편하겠지만, 아무리 과학의 부분을 취했다고 하더라도 역시 신앙의 부분은 절대로 버릴 수 없다고 할 때, 고육지책으로 이신론이 나옵니다. 다만 이신론뿐이라고 한 사람은 좀처럼 움직이지 않습니다. 사람을 움직이게 하려면 이신론에 무언가를, 즉 열정을 가져오는 무언가를 더할 필요가 있습니다. 그러나 그 무언가에 해당하는 플러스 알파의 지점까지 끌어들여서 모두에게 공통된 것으로 하자고 하면 좌절하는 것입니다. "나의 플러스 알파는 그것이 아니야"라는 말이 나오기 때문입니다. 따라서 플러스 알파가 있을 것이라고 생각하더라도, 그것이 무엇인가를 확실히 하지 않는 선에서 멈춰두기 마련입니다. 어쨌든간에 아무리 자연과학이 있어도 최후의 최후까지 아무리 해도 이 기독교를 절대로 놓을 수는 없다 할 때 사용되는 수단이 이신론입니다.

그래서 역사적 사실로서, 또는 사회학적으로도 흥미가

끌리는 것은, 하시즈메 선생께서 말씀하신 것처럼 아메리카는 그렇게까지 해서 독립할 필요가 없지 않은가 하는 측면이 꽤 있다는 것입니다. 아메리카 식민지는 심하게 착취당해서 굉장히 빈곤하게 되는 상황은 아니죠. 독립을 지향하는 사람들의 이치는 통해 있고, 직접적인 쟁점은 과세 문제입니다. 그러나 그것이 일본인이었다면 분명히 말해서 이런 일로는 독립하지 않을 거라고 생각합니다. "독립의 비용이 더 비싸잖아"라는 식으로 되어서, "세금을 조금 더 내도 괜찮아"라는 식으로 되는 것은 아닐까요. 그러나 아메리카로서는 도무지 납득이 안 되었습니다.

한나 아렌트는 『혁명론』에서 프랑스 혁명과 아메리카의 독립을 비교하고 있습니다. 프랑스 혁명이 일어나는 강력한 동기로서 빈곤이 있습니다. 경제적으로 심각하게 가혹한 상태에 처한 계층이 있어 그들이 혁명에 동원됩니다. 그러나 아메리카는 다릅니다. 정치적인 이유만으로 혁명을 일으키고 있습니다. 한나 아렌트로서는 그것이 마음에 들었달까, 그녀가 아메리카 독립 혁명을 평가하는 초점이 되고 있습니다. 그러나 역으로 말하면, 정치적인 이유만으로 독립하는 것은 어떤 것이었을까, 그것을 납득하는 것이 아메리카를 이해하는 데 중요하다는 생각이 듭니다.

가령 세금이 높았다고 하더라도 자신들이 결정하고 있다면 특별히 문제가 없다고 생각하죠. 자기들 자신이 또는 자기들의 대표가, 바람직하기로는 회중파처럼 자신들이 결정하고, 예컨대 군대가 필요해서 소득의 절반은 세금이라고 말해도 자기들이 결정한 것이라면 문제가 없습니다. 그러나 가령 세금액이 적다고 하더라도 자기들이 결정한 것이 아니라 어딘가 먼 곳에서 자기들이 전혀 참가하지 않은 곳에서 결정되는 것은 참을 수 없는 일이라고 생각하죠. 이 '참을 수 없음'을 이해하는 것이 중요합니다.

　일본인 중 다수는 아메리카에게 다소 세금을 떼여도 불평을 안 하지 않을까 하는 느낌이 듭니다. 현재 아메리카 군대가 주둔하기 위한 비용을, 아메리카인을 대신해서, 원래는 아메리카인이 부담해야 할 몫까지 세금을 내고 있기 때문에 그렇습니다. 아메리카인은 그런 일본인의 심성 구조와는 결정적으로 다른 것이죠. 이것은 아메리카의 프로테스탄트의 특징이랄까, 앞서 말한 평등주의와도 관계가 있다고 생각합니다. 가톨릭과 같이 특별한 권한을 가진 사람들이 있어서 중요한 것은 그 사람들이 결정하는 시스템이 아니라 모두가 동일한 신도라는 상황 속에서, 모든 것을 자신들이 아니라 누군가가 결정해버리는 것은 허용할 수 없다는 감각이죠.

왜 '우리 아메리카'인가?

하시즈메　주州가 있고 주에 정부가 있잖아요. 그 정부는 자신들의 자치 정부라는 감각이 강했다고 생각합니다. 주는 특허장에 의거해 회사 조직이기도 했고, 일련의 법률이 있고, 교회가 있고, 그 주의 주민이라는 자각이 있었습니다. 의논해가면서 헌장을 만들기도 하고, 보수를 받지 않고 자치를 하고 있습니다. 그리고 그런 주가 손을 잡고서는 싸우지도 않고 협력하고 있습니다.

그런데 영국이 그 주를 식민지로 보고 "너희들은 아메리카다"라고 하면서 한 묶음으로 과세하고 있습니다. 영국의 시선을 매개로 해서 "우리는 아메리카다"라는 의식이 생기는 측면이 있습니다. "우리는 영국이다"라고 생각해도 좋을텐데 왜 그것이 점점 희미해져갔는지를 얘기하면, 아일랜드나 프랑스, 독일 등 유럽 각국에서 온 이민이 조금씩이라도 아메리카에 정착하고 있습니다. 아일랜드 사람들은 영국의 괴롭힘을 받아왔습니다. '우리 영국'이라는 의식은 전혀 없고 오히려 반감이 있었습니다. 애써서 아메리카에 왔기 때문에 '우리 아메리카'라는 의식만 있습니다. '우리 영국'이라는 감각을 상회해갔다고 생각합니다.

오사와 그렇군요. 재미있네요. 아메리카라는 것이 단지 지리적인 장소가 아니라 하나의 정치적 공동체의 이름이 된 것이 이때라고요.

생각해보면 초기 식민자들은 자신들을 아메리카인이라고 생각하지 않고 아메리카에 살고 있는 영국인이라고 생각했습니다. 그들은 식민지에 우연히 온 거지만, "중동에 출장을 갔다 하더라도 일본인은 일본인이다" 같은 것과 동일한 감각이죠. 그러나 언젠가부터 자신은 영국인이기 전에 아메리카인이라는 식으로 되어갑니다. 그것은 말씀하신 대로 영국의 시선을 매개하고, 확실히 아일랜드인은 자신을 영국인이라고는 생각할 수 없는 것이죠. 영국이 싫어서 여기로 온 것이기 때문에.

주는 국가다

오사와 지금까지도 그렇지만 아메리카는 그 뒤로 주州마다의 독립성이 매우 강합니다.

일본인의 감각에서 보면, 아메리카라는 나라가 있고 그 안에 여러 주가 있는 것처럼 보입니다. "일본이라는 나라가 있고 그 안에 여러 현이 있는 것과 같잖아"라고 생각하고 싶어 합니다. 그렇지만, 사실은 순서가 거꾸로여서, 오히려 각각의 주가 자신들의 독립 주권을 조금씩 서로 양보해서 연방을 이루는 것입니다. 아메리카인은 어느 쪽이냐하면, 작은 커뮤니티에서 직접 민주주의에 상당히 가까운 모양으로 커뮤니티를 운영하는 것에 뛰어난 사람들이죠. 그에 비해 매우 중앙집권적으로 특권적인 사람이 전부를 결정하는 매우 커다란 시스템에는 서투르고 그것에 대한 혐오감을 갖고 있습니다. 영국에서 제멋대로 결정해 과세하는 것이 맘에 들지 않는다는 감각도 여기에 기초를 두고 있습니다. 역으로 말하면, 각각의 주에, 또는 주 안에서조차 다양하게 자치적인 커뮤니티가 있고 그것들을 하나로 통합하는 것은 매우 어렵습니다. 이 독립의 단계에서도 아직 작기는 하지만 우선 성공시키고, 나중의 전개를 보면 EU보다도 더 커다란 영역이 단일한 국가가 되어가는 것은 경이로운 일이죠.

예를 들면 중국은 커다란 국가가 되어도 줄곧 그것을 유지해왔기 때문에 그리 놀랍지 않습니다. 그 지역에서 태어나 계승되어온 무의식적인 사회 기술이 제국적인 시스템을 지향해온 것입니다. 중국은 제국적이지 않을 때는 늘 매우 불안정합니다.

그에 비해 아메리카는 매우 작은 커뮤니티에서 자치적으로 운영하는 방식이 바탕에 있는데도 일단 하나의 커다란 합중국이 됩니다. 이러한 이중적인 장치의 비밀은 어디에 있을까요? 이 장치의 단서는 독립의 시기에 13개의 주가 통합해 하나의 아메리카가 되고, 하나의 헌법을 만들고, 대통령이 한 사람 뽑혔다는 것에 있습니다. 이 점도 염두에 두고 고찰해갔으면 합니다.

안전 보장으로서의 연방

하시즈메 아메리카에게 악몽은 아메리카가 분열되는 것입니다. 이 점은 중국과 비슷합니다.

아메리카는 매우 평평하죠. 중국도 매우 평평합니다. 그리고 충분히 넓습니다.

복수의 나라가 존재해도 좋을 정도로 넓지요. 중국은 복수의 나라가 존재했을 때도 있고, 통일된 적도 있습니다.

통일된 때는 대체로 강력한 중국이 형성됩니다. 분열된 때는 대체로 변변치 않게 됩니다. 분열은 전쟁의 가능성을 낳기 때문에 비용이 너무 많이 듭니다.

한편 유럽은 그렇게 넓지 않은데도 거의 통일된 적이 없습니다. 늘 전쟁을 하고 있습니다.

그래서 아메리카인은 직감적으로 이 땅 위에 복수의 독립국이 서게 되면 큰일이라고 생각했습니다. 유럽의 경험으로 미루어 그렇게 말할 수 있는 것입니다. 13개나 되는 주가 있으면 보조가 흐트러져도 이상한 일이 아닌데도 단결해 독립을 쟁취했습니다. 이것은 멋진 일입니다. 당시의 지도자들이 교묘한 군사적, 정치적, 외교적 리더십을 발휘해서 적절히 행동한 덕분입니다. 만일 지도자가 우매했다면 실패했을 겁니다.

아메리카에게는 캐나다와 멕시코가 위협이 되지 않는다는 점도 중요합니다. 차차 주가 늘어나고 결국 대륙 전체가 아메리카가 되지만 많은 행운도 중요하게 작용했습니다. 그러나 무엇보다도 이 땅 전체가 아메리카가 되어야 한다는 강한 신념이 있었기 때문에 실현 가능했던 것입니다.

오사와 남북 전쟁 시기에 갈라질 수 있는 가능성이 한 번 있었던 셈이지만, 그것도 극복했습니다. 각각의 문명마다 사회를 만드는 방식에서 뛰어난 기술과 부족한 기술이 있는데, 중국의 경우는 여하튼 통합하는 것을 비교적 잘했습니다. 몇백 년은 그대로 유지할 수 있습니다. 뭐랄까 적어도 통합되어 있지 않을 때는 비참한 상태에 처합니다. 역으로, 통합하는 것에 서투른 것이 유럽(그리고 인도)입니다. 내 생각에는 유럽은 통합하고 싶다는 욕망도 강하게 갖고 있습니다. 지금에 와서 EU를 만들어서 고전하면서도 유지하고 있습니다. 프랑크 왕국 무렵부터 줄곧 통합하고 싶다고 생각하면서 때로는 억지로 가상의virtual 제국, 즉 신성 로마 제국이 있는 것으로 하면서 통합 의사를 계속 보여왔습니다. 그러나 그 욕망은 실제로는 이뤄질 수 없습니다. 분산을 향한 힘도 동시에 작용하고 있는데, 그것을 완전히는 극복할 수 없습니다.

그런데 분산을 향한 의사, 다원화를 향한 원심력이라는 점에서는 유럽보다 아메리카 쪽이 더 강하다는 느낌이 드는군요. 그러나 동시에 중앙집권화를 향한 추진력도 아메리카가 다분히 유럽보다 더 강했습니다. 유럽에서도 모두가 몇백 년, 아니 천 년 이상 통합하고 싶다는 희망을 가졌지만 언제까지나 유럽 합중국은 형성되지 않았습니다. 그러나 잘 살펴보면 아메리카는 유럽보다도 넓은 지역이 하나의 나라로 되고 있습니다. 이것은 굉장한 것이랄까 지극히 불가사의한 일입니다.

이민의 나라의 우위

하시즈메 간단히 말하면, 그것은 이민의 나라이기 때문이라고 생각합니다.

식물학에는 고유종과 외래종이 있죠.

오사와 아메리카는 외래종만으로 이루어진 나라라는 것이군요.

하시즈메 외래종의 특징은 단일 식물이 광대한 면적을 덮는다는 것입니다.

외래종도 원래 있던 장소가 있겠죠. 가보면 극히 작은 군락이 있었을 뿐이기도 합니다. 여러 가지 종이 좁은 장소를 서로 나누고 있습니다. 유럽이 그렇습니다. 독일이 있고 그 독일도 작게 나눠져 있고, 프랑스가 있고, 벨기에가 있고……같은 식입니다. 좀 가까운 이웃이라 해도 이미 언어와 문화가 다르고, 모두 오리지널하기 때문에 단일화할 수 없습니다. 그렇지만 이민이 되면 극히 단기간에 광대한 면적을 매우 비슷하고 단일한 사람들이 다 덮어버렸습니다. 식물과 같은 논리가 작동하고 있다고 생각합니다.

제7장 왜 자본주의가
세계에서 가장 우세해졌을까?

자본주의의 아메리카

하시즈메 아메리카라고 하면 자본주의입니다.

우선 자본주의란 무엇일까요?

자본주의와 시장 경제는 대체로 동일합니다.

시장 경제란 돈으로 무엇이든 살 수 있는 경제입니다. '무엇이든'이란 말은 보통의 상품 이외에 생산재(토지, 노동, 자본)도 살 수 있다는 의미입니다. 토지는 생산에 필요하지만, 경제 활동으로 만들어낼 수 없는 것을 말합니다. 토지 이외에 물, 공기, 광물자원 등도 토지에 속합니다. 흙속에 묻혀 있는 상태의 자원도 토지입니다. 노동은 인간의 노동력을 말합니다. 계약을 맺고 시급 얼마에 노동자에게 일을 시킵니다. 자본은 경제 활동으로 만들어내는 것이 가능하고 생산에 필요한 것입니다. 공장의 기계 설비 등입니다. 이것들이 시장에서 매매 가능합니다. 토지 시장, 노동력 시장, 자본 시장이 있는 것이 자본주의 경제입니다.

자본 시장은 주식 시장과 채권 시장을 말합니다. 이것이 있으면 자본을 한곳에 모아서 큰 사업을 시행하는 것이 가능합니다. 많은 노동자를 고용하고 큰 부지에 공장을 짓고 최신 기술로 대량의 상품을 생산합니다. 그리고 판매합니다. 그것이 소비됩니다. 이것이 반복되어 경제 규모가 점점 확대됩니다.

아메리카에서 자본주의가 잘 시행된 이유 중 첫 번째는 자연자원이 풍부했다는 것입니다. 두 번째, 근면한 노동자가 많이 있었습니다. 세 번째, 과학 기술이 발전해 있었습니다.

사실 과학 기술은 20세기 초 정도까지는 유럽 쪽이 발전해 있었습니다.

그렇지만 아메리카는 재빨리 자본주의를 크게 발전시켰습니다. 유럽이 아니라는 것이 이점이 되었습니다.

유럽은 전통적인 사회이기 때문에 장인의 길드 등 다양한 관행이 있습니다. 신기술을 재빠르게 도입하기 어렵습니다. 아메리카에서는 그런 것이 없기 때문에 신기술이 있으면 눈 깜짝할 사이에 기업이 생겨서 많은 돈을 벌더라도 아무도 불평을 하지 않습니다. 이런 의미에서 자본주의의 실험장으로 딱 좋았습니다.

근면한 노동자가 많이 있었습니다. 칼뱅파는 근면하게 일합니다. 퀘이커도 근면하게 일합니다. 프로테스탄트는 대체로 근면하게 일합니다. 그리고 합리적인 행동양식을 갖고 있습니다. 이건 베버가 분석하고 있는 그대로입니다.

이윤을 긍정할 수 있다

하시즈메 자본주의는 돈을 법니다. 이윤을 긍정할 수 있을까요?

우선 이자는 그 무렵까지는 아주 좋은 것이었습니다. 이것에 관해 얘기하면 길어지기 때문에 생략하겠습니다.

이윤은 어떨까요? 프로테스탄트는 이윤을 좋은 것으로 만드는 논리를 갖고 있습니다. 신의 은총이라는 것입니다.

그 논리를 다음과 같은 식으로 생각했다고 봅니다. 복음서에 '공물전貢物錢'이라는 얘기가 있습니다. 예수 일행이 걸어가고 있는데 누가 불러 세웠습니다. "이봐, 거기 앞에 들, 성전세를 냈는가?" 매년 동전으로 내게 되어 있었죠. 내지도 않았고 동전도 가지고 있지 않습니다. 곤란해 하고 있을 때 예수가 말했습니다. "베드로, 너는 어부잖아. 저기 연못에서 고기를 낚아라. 낚은 고기의 입 속에 동전이 있을 테니 그것으로 내도록 해라." 베드로가 반신반의하면서 낚시줄을 드리우자 고기가 낚였고 입 속에 동전이 있었습니다. 결국 그것으로 세금을 냈습니다. 이런 얘기입니다. 예수의 수많은 기적 중 하나입니다.

예수는 신의 아들로서 전지 전능하기 때문에 연못에 있는 고기 입 속에 동전이 들어 있다는 것을 알고 있었습니다. 그것을 알고 있었다면, 세계 속의 동전의 유무를 하나도 남김없이 알고 있었겠죠. 지금 누군가의 지갑에 얼마가 들어 있는가, 작년에 얼마나 들어 있었는가, 그리고 내년

엔 얼마나 들어 있을 것인가도. 내년의 일을 우리는 알지 못합니다. 돈을 벌려고 비즈니스를 해서 돈을 벌기도 하고 손해를 보기도 합니다. 신은 존이 돈을 벌 것을 사전에 알고 있습니다. 돈을 벌지 못하게 하는 것도 가능하지만, 그렇게 하지 않았습니다. 그렇다면 존이 돈을 번 것은 신의 은총입니다. 이윤은 정당하고 시장을 통해서 선이 부여해 준 것이 됩니다. 이것이 아담 스미스가 말한 '신의 보이지 않는 손'인 것이죠.

시장은 그런 의미에서 신성한 것이고, 그 결과는 신의 의사입니다. 인간(예컨대 정치)이 개입해서 시장을 왜곡해서는 안 됩니다. 이것이 고전적인 자유주의에서 정경 분리입니다. 이 논리가 성립하면서부터 자본주의가 됩니다.

오사와 그렇군요. 명쾌하네요.

왜 제한이 없는가?

오사와 월러스틴Immanuel Wallerstein이 말하고 있는 것인데, 자본주의의 특징은 자본의 축적이 무한히 진행되는 것, 즉 "이제 여기서 됐어"라는 충족에 절대 도달하지 않는 것이죠. 자본주의가 주류의 경제 시스템이 되기 전에는 경제가 기본적으로 동일한 것의 반복이었습니다. 따라서 작년과 동일하게만 돈을 벌면 좋은 셈입니다. 그렇지만 자본주의 아래서는 경제 주체가 늘 더 많은 이윤을 추구합니다. 일단 그러한 행동 양식이 주류가 되어버리면, "나는 그렇게 벌지 않아도 좋아요"라고 말해도 그 사람들은 단지 시장에서 파산하고 패자가 될 뿐입니다. 실패하는 사람도 많이 있지만, 모든 사람이 늘 더 많은 이윤을 추구하고 자본 축적을 둘러싼 경쟁에서 빠져나갈 수 없는 시스템으로 되어 있습니다. 그러나 인류가 줄곧 그것을 하고 있었다는 것은 아닙니다. 어떤 시기부터 그렇게 되었고, 특히 아메리카에서 그 시스템이 번영했습니다. 그 이유를 고찰해두지 않으면 안 된다는 것이죠.

내가 주목하고 싶은 것은 아메리카에서 '성공success'이란 단어가 갖고 있는 독특한 함의입니다. '성공'이라는 말의 지시 대상은, 엄청 따져서 말해버린다면 요는 자본주의 시장에서 승자가 되는 것입니다. 따라서 트럼프는 자본주의에서 성공한 사람이 됩니다. 그러나 아메리카 사람들이 그것을 '성공'이라고 부를 때 이 말에 뭔가 독특한 함의가 있다는 것을 느끼는 것이죠. 표면적으로는 투자해서 돈을 벌었다는 것이지만, 단순히 세속적인 행복을 손에 넣었다는 것 이상의 것이 '성공'이라는 말에 함축되어 있습니다. 분명히 말하면 '성공'이라는 말에는 종교적인 구제와 비슷한 플러스 알파의 함의가 있습니다. 그렇지만 그것이 신의 의사나 신의 나라와 관계되어 있는 것이라면 그런 함의가 있는 것이 당연하지만, 이 말이 실제로 지시하고 있는 것은 이 지상에서의 승리, 시장에서의 승리라는 것입니다. 요컨대 이 지상에서의 승리를 얻는 것이 이미 종교적 사명을 완수하고 있는 것처럼 보이게 됩니다. 그런 불가사의한 감각이 있습니다. 어떻게 '성공'이란 말에 이러한 플러스 알파의 함의가 들어왔을까요?

앞에서 말했듯이, 복음서에 근거가 있기 때문인지도 모르겠지만 그것만이라면 프로테스탄트가 아니라도, 아메리카인이 아니라도 공통된 것이겠죠. 아메리카인이, 대륙으로 건너간 프로테스탄트가 특히 지상에서의 성공이라는 것에 특별한 정열을 불태워버린 이유, 그것 자체로 종교적인 의미가 있는 것으로 생각되지만, 어떻습니까?

세속의 활동은 영적이기도 하다

하시즈메 프로테스탄트는 신이 모든 것을 구석구석까지 지배하고 있다고 생각합니다.

세계의 종말과 최후의 심판. 그것에 이은 신의 왕국. 이것은 신의 직접 개입이기 때문에 신이 전부를 지배하고 있다는 것은 명백합니다.

그때까지의 세계는 어떤가 하면, 자연 현상은 자연 법칙에 의해 기계적으로 운행하고 있습니다. 인간 사회는 우연에 지배당하고 있는 것처럼 느껴지지만 여기에서도 신의 지배가 관철되고 있고 신의 계획이 실현되고 있다고 생각합니다. 결국 세계는 신의 은총입니다.

가톨릭의 경우, 교회가 은총의 일부를 배분하기 때문에 사람들은 교회에 모이지 않으면 안 됩니다. 교회의 바깥,

예컨대 시장에서는 반드시 신의 은총이 없는 것이죠.

한편 프로테스탄트는 교회가 은총을 배분하지 않는다고 생각하기로 결정했습니다. 프로테스탄트 교회에는 여러 종류가 있지만 누구라도 대등한 프로테스탄트입니다. 동일하게 신의 은총을 받고 있습니다. 그리고 노동은 신의 벌이 아닙니다. 오히려 신을 찬양하는 이웃 사랑의 실천이 되지 않으면 안 됩니다. 일본인이 볼 때 세속의 활동으로 보이는 것도, 프로테스탄트 입장에서는 세속의 활동임과 동시에 영적인 활동입니다.

신과의 관계에서 세속의 활동에 힘쓰지 않으면 안 됩니다. 이것이 프로테스탄트입니다.

오사와 저도 대체로 그렇게 생각합니다. 저도 다른 사람이 물으면 그런 식으로 설명할 수밖에 없지만, 제 자신이 아직 납득이 안 된다는 느낌이 남습니다.

불가사의한 과잉

오사와 막스 베버가 벤자민 프랭클린 등을 염두에 두면서 매일의 노동이 사실은 영적인 활동이 되고 있다고 말할 때 연상하고 있는 세속 내의 금욕과 비교해서, 예컨대 트럼프와 같은 요즘 아메리카인들의 과도하기까지 한 성공에 대한 정열을 봤을 때, 그들은 영적인 활동과는 좀 거리가 있는 향락주의자로 보입니다. 물론 어떤 의미에서 신앙을 갖고 있지만, 분명히 말하면 그들이 매일 신의 일을 생각해서 행동하는 것처럼 보이지 않습니다. 착실한 신자의 입장에서 보면 "저 자의 신앙은 진짜가 아니야"라고 간주되는 유형이죠.

이런 것에 관해서는 여러 사람이 쓰고 있어서, 평범하게 설명하자면 원래의 프로테스탄트에게는 종교적인 정열이 있는지도 모르겠지만, 머지않아 풍요롭게 되어간다면 인간은 욕망에 패배해서 종교적인 정열이 약해져가는 것입니다. 베버의 설명조차 그런 이치로 되어 있습니다.

그러나 제게는 그렇게까지 진정으로 납득되지는 않는군요. 그들 자신의 세속에서의 성공에 대한 정열 자체가 단지 인간의 자연적인 욕망으로는 도저히 해석되지 않는 강박적인 과잉을 갖고 있습니다. 그 과잉은 하시즈메 선생이 말씀하신 것처럼 프로테스탄트의 종교적인 부분으로부터 온 것이라고 생각합니다. 그러나 그들이 어떻게든 근엄하고 독실한 종교인처럼 활동하고 있는지 모르겠지만, 역으로 탐욕스러운 세속의 쾌락에 얼룩져 있는 듯한 느낌으로 보입니다. 그것은 세속적 성공을 한다면 종교에 대한 충성도 점점 줄어드는 것과 좀 다르다고 생각합니다. 그렇다고 해서 이것이 그들의 종교라고 잘라서 말하는 것도 직관에 반하는 점이 있는 셈입니다.

강조해서 말하면, 세속 내의 금욕이 정확히 뒤집어진 것 같다는 인상입니다. 세속 내 금욕이라는 것은, 세속의 활동에도 불구하고 종교적인 윤리성에 근거를 갖고 있는 금욕이 있다는 것입니다. 그 때문에 공리적인 계산에서 요청되는 자연스러운 금욕보다도 과도한 것이 깃들게 되는 것입니다. 그 금욕의 부분을 쾌락으로 치환하면 어떻게 될까요? 그러면 쾌락을 향해 과도하게 달려가는 상像을 얻게되겠죠. 아메리카인의 '성공'에 대한 정열에서 느끼는 것은 굳이 말하자면 이런 느낌입니다.

세속 안의 영성

하시즈메 세속에 얼룩져가면 신앙심이 점점 희미해진다는 표현 방식이 꼭 들어맞는 것은 르네상스라고 생각합니다.

오사와 맞네요.

하시즈메 르네상스의 세속주의는 확실히 신앙에서 분리되어 있습니다. 그리고 그것은 자본주의로 되지 않습니다.

아메리카의 자본주의는 확실히 세속의 한가운데서도 가장 신앙심이 있는 그런 구조로 되어 있습니다. 왜일까요? 신앙을 갖고 있는 독실한 기독교인이란 신의 의사이고 신의 은총입니다. 신에 관심이 없고 신앙을 갖고 있지 않은 그런 상태도 신의 의사이고 신의 은총입니다. 세속에 얼룩져 신앙과 관계없는 일상을 보내고 있는 것도 신의 의사이고 신의 은총입니다. 프로테스탄트의 관점에서 보면 신과 관계가 없다거나 신으로부터 분리되거나 하는 것은 인간에게는 불가능한 일입니다. 어떤 경우에도 신의 계획이고 신의 의사가 관철되고 있습니다. 신의 영광이 거기에 있습니다. 따라서 세속적인 활동의 한가운데 종교성이 있는 것입니다.

그러면 세속의 일밖에 생각하지 않는 성공한 사업가를 살펴봅시다. "나는 매주 교회에 가서 기독교인처럼 살고 있지만, 저 자는 그렇지 않잖아"라고 주위의 모든 사람이 말하는 경우처럼. 그런 타자의 시선이 따끔따끔하게 찌릅니다. 부럽다는 시선과 인간으로서, 신앙자로서 문제가 있다는 비난의 시선, 두 가지가 있습니다. 자, 그는 어떻게 하면 좋을까요? 성공을 그만두고 일부러 가난하게 될까요? 이것은 기독교에서는 금지되어 있습니다. 신에게 구원을 받자고 일부러 부를 버리는 것은 효과가 없고 그렇게 하면 안 되는 일입니다. 무엇이 가능할까를 얘기하면, 기부를 하는 것입니다. 그러면 "저 자는 세속적인 녀석으로 보였는데, 역시 신의 일을 생각하고 있지 않은가"라든가 "신이 그에게 일을 해서 그러한 이웃 사랑을 실천하도록 해주고 있다"라고 사람들이 생각하게 되는 것입니다. 그래서 성공에 대한 강박이 있고, 동시에 기부에 대한 강박이 있습니다.

오사와 실제로 잘 기부하고 있기 때문이죠.

하시즈메 존 만지로John 万次郎가 살았던 페어헤이븐Fairhaven이라는 마을에 간 적이 있습니다. 만지로가 다녔던 유니테리언 교회를 견학했습니다. 그곳은 이미 교회로 사용되지 않고, 따로 훌륭한 신고딕 양식의 교회가 건립되어 있었습니다. 스탠다드 오일의 대부호이자 유니테리언인 헨리 로저스Henry Huttleston Rogers가 기부한 것이라고 합니다. 그 외에 도서관과 고등학교도 기부하고 있습니다. 대부분의 대부호들은 이렇게 기부를 하죠.

오사와 엄청난 부랄까 다 쓰지 못할 정도의 대단한 수입이 있었다고 해도, 기부할 때는 정말로 자신이 신의 나라에서 구원받을 것이라고 생각하고 하는 것입니까, 아니면 지금 말한 것처럼 자신의 도덕적 평판을 위해, 즉 꽤 훌륭한 사람이라고 여겨지고 싶기 때문에 전략적으로 그런 척 하는 겁니까? 어느 쪽에 가까운 것일까요?

무의식의 신앙인

오사와 이 질문을 한 진의는 이렇습니다. "나는 일단 전략적으로 그런 척 하고 있을 뿐이다"라고 말하는 사람이 자주 있지 않습니까? "사실은 믿지 않지만, 그 편이 상황이 좋으니까 말이야"라든가. 그렇지만 인간이란, 어떤 의식을 갖고 있는가 하는 것보다도 어떻게 행동하고 있는가 하는 쪽이 중요하죠. "나는 사실은 그렇게 믿지 않지만 말이야"라고 말하면서 그렇게 행동하고 있는 사람은 어떤 의미에서 그렇게 믿고 있는 것이죠.

예를 들면 북한에서 "김정은 따위는 바보라고 생각하고 있지만"이라고 마음속으로 생각하면서 명령을 듣고 있는 사람이 있다고 하지 않습니까. 내면의 의식보다도 명령을 듣는 쪽이 사회적 현실을 만들고 있기 때문에, 그 사람은 결국 명령을 거부할 수 없었고, 명령을 거스리지 않았다는 쪽이 중요합니다. "김정은 따위는 어리석다고 생각하고 있지만"이라고 아무리 내면에서 중얼거려도 그의 행동은 그것을 배신하고 있습니다. 그렇다면 진실은 그의 행동 쪽에 있는 것이기 때문에, 말하자면 그는 무의식적으로 믿고 있는 것이죠.

그러면 이 경우에도 만일 스탠다드 오일의 로저스 부사장이 "나 자신은 그렇게까지 신을 믿고 있는 셈은 아니지만, 이쪽이 훌륭하다고 생각하기 때문에"라고 생각하고 있었다고 해도, 그렇게까지 한다면 역시 무의식 속에서 신을 믿고 있다고 말할 수밖에 없습니다. 따라서 아메리카인의 신앙은 반쯤 무의식 비슷한 점이 있다고 생각하죠. 따라서 마더 테레사처럼 평상시에도 믿고 있다면 이 사람은 믿고 있다고 말할 수 있지만, 본인들의 의식 내용은 세속적인 무신론자 같지만 그들의 행동을 잘 살펴보면 믿고 있는 사람과 같습니다. 따라서 그들이 입으로 말하고 있는 것 혹은 그들이 의식하고 있는 것만으로는 냉철한 근대적 합리주의자로 생각할 수밖에 없지만, 그들의 무의식에는 더욱 깊게 믿고 있는 듯한 것이 있습니다. 그들은 언뜻 보기에 때때로 모독적인 말을 하기도 하고 극히 보통의 세속적인 탈종교화된 것 같은 말을 하기도 하지만, 행동은 그렇지 않습니다. 그 쪽을, 즉 의식과는 괴리되어 있는 행동 쪽을 파악해두지 않으면 아메리카의 참된 모습을 볼 수 없다는 측면이 있습니다.

하시즈메 정말로 그렇습니다.

새로운 교회

하시즈메 독립 전쟁 무렵부터 새로운 기독교 교회가 계속 생겨났습니다. 매우 아메리카적인 현상이라서 소개해보겠습니다.

우선 유니테리언이 있습니다. 유니테리언은 삼위일체를 인정하지 않는 합리주의 종파입니다. 예수는 신의 아들도 그리스도도 아니고 의義의 교사(결국 인간)라고 봅니다. 칼뱅의 흐름을 이어받은 회중파로부터 나왔습니다. 자연과학을 인정하는 진보파로서, 하버드대학교는 이 종파에 속합니다.

오사와 캠브리지의 유니테리언 교회를 함께 견학했습니다.

하시즈메 다음에 유니버설리스트Universalist. 유니버설리스트는 구원 예정설과 반대로, 인간은 누구나 구원받기로 정해져 있다고 생각합니다. 이것을 보편 구원unversal salvation이라고 합니다. 어떤 신앙을 갖고 있더라도 구원받는 것이기 때문에 이슬람과 유대교 및 불교에도 관용적입니다.

유니버설리스트와 유니테리언은 닮았기 때문에 지금은 통합되어 있습니다.

다음은 어드밴티스트Adventist. 예수 그리스도가 하루라도 빨리 재림advent하기를 기다리고 바라는 종파입니다. 1843년에 예수가 재림한다고 예언한 사람이 있어서 이 교회가 생겨났습니다. 토요일에 예배하는 제칠일 안식일 예수 재림 교회도 이 유파입니다.

다음은 몰몬교. '예수 그리스도 후기 성도 교회The Church of Jesus Christ of Latter-day Saints'라는 이름을 갖고 있는, 기독교계의 신흥 종파입니다. 19세기 초에 조셉 스미스Joseph Smith Jr.라는 청년이 천사의 인도로 '몰몬경'을 발굴하고서 영어로 번역했습니다. 이 종파는 당초에 일부다처를 실천했기 때문에 박해를 받고 유타주로 도망쳤습니다. 공화당의 전 대통령 후보 롬니Mitt Romney씨도 몰몬교도입니다.

다음은 크리스천 사이언스Christian Science. 메리 베이커 에디Mary Baker Eddy라는 여성이 신의 영감을 받게 되어 『과학과 건강Science and Health』이란 책을 썼습니다. 신앙이 병을 치료한다는 것이 크리스천 사이언스입니다. 재력이 있는 교회로서 '크리스천 사이언스 모니터'라는 신문도 소유하고 있습니다.

다음은 여호와의 증인. 종말이 가깝다는 절박감을 갖고 활동하며 열심히 권유를 합니다. 일본에서도 최근 신자가 늘고 있습니다. 신자는 『파수대The Watch-tower』라는 책자를 읽고 공부합니다. 삼위일체를 부정하기 때문에 기독교로부터 이단으로 간주되고 있습니다.

리세트에 대한 바람

오사와 왜 계속해서 새로운 교회가 생겨날까요?

하시즈메 아메리카에는 무수한 교회가 있습니다. 이민자들이 먼저 유럽의 교회를 그대로 갖고 들어옵니다. 아일랜드의 가톨릭, 독일의 루터파, 슬라브 정교, 러시아 정교 같은 식으로. 그러자 출신 그룹마다 교회가 각각 생겨나고 혼합되지 않게 됩니다. 흑인은 흑인 교회로 가는 경향이 있습니다.

침례파, 감리파, 에피스코팔Episcopal 등은 아메리카적인 교회입니다. 이런 교회에는 여러 가지 배경을 가진 사람들이 모이고 있습니다.

새로운 교회에는 그때까지의 교회와 연을 끊고 참가하게 됩니다. 교회란 역겨운 일도 있기 마련이죠. 새로운 교회에 참가하면 인간 관계를 리세트reset할 수 있기 때문이죠. 그런 기능도 있다고 생각합니다.

오사와 아메리카는 세계에서 가장 과학이 발전하고 있고 어떤 의미에서 그런 지식도 보급하고 있으며 보통의 근대 교육도 이루어지고 있는 가운데, 다른 한편으로는 상당히 보통의 감각에서 보면 황당무계한 것처럼 보이는 것을 믿는 사람들이 많이 있다는 것이 굉장한 느낌이 드네요.

제8장 아메리카는 선택받은 사람들의 선택받은 나라인가?

아메리카의 이중성

하시즈메 아메리카가 아메리카다운 근본이 뭘까요? 그것은 아메리카는 특별한 나라인가, 아메리카는 세계의 모범인가, 아메리카적 가치관(자유, 민주주의, 자본주의……)은 세계가 모방해야 하는 것인가라는 점에 있습니다.

만일 모방해야 하는 것이라면 아메리카는 아메리카에 그치지 않습니다. 세계의 모델이 되기 때문에 보편적입니다.

그렇지만 만일 아메리카가 선택받은 것이라면 아메리카는 그 이외의 나라들과는 다르기 때문에 특수한 것이 됩니다. 아메리카의 주장은 아메리카의 내셔널리즘이 됩니다.

보편주의universalism와 내셔널리즘nationalism이 기묘하게 복합되어 있는 점이 아메리카의 특징은 아닐까요?

오사와 그렇습니다.

하시즈메 그것은 기독교의 이중성과 매우 닮았다고 생각합니다.

기독교는 인류를 구원하는 복음이기 때문에 보편적입니

다. "모두 기독교인이 되시오". 그렇지만 기독교는 힌두교도 아니고 유교도 이슬람도 신토神道도 아닙니다. 그리고 타 종교에 이교異教니 이단이니 하는 꼬리표를 붙여서 밀어내고 있습니다. 그런 점에서 역시 기독교도 하나의 특수한 종교에 지나지 않는 것은 아닐까요? 이 이중성(양의성) 위에 성립되어 있죠.

이것 자체를 아메리카가 잘 이해하지 못하고, 또한 상대화하지 못하고 있습니다. 아메리카인은 자신이 아메리카인이라고 하는 것과 거리를 두지 못합니다.

옛날에는 아메리카인이 아메리카인답게 행동하면 유럽에서는 웃음거리였습니다.

역사도 전통도 없기 때문에 엉뚱한 짓을 합니다. 귀족이 아닌데도 귀족을 모방하고, 전통이 없는데도 전통이 있는 척하고, 기독교인에 관한 것을 잘 이해하지 못하는데도 자신이야말로 기독교인이라고 생각하고 있는 것 같습니다. 빈곤한 신대륙의 시골뜨기 취급을 당했는데, 정신을 차리고 보니 유럽을 하나로 합해도 당할 수 없을 정도의 부를 갖고 세계에서 가장 전쟁에 강하고 패권국이 되어 있습니다. 겁에 질려 있던 아메리카인이 어느샌가 자신에 가득 차게 되어 유럽을 지도하고 있습니다.

특수하게 지역적인 아메리카성과 보편적인 아메리카성의 간극은 아메리카가 패권국이 됨에 따라 덮어지고 있죠. 아메리카인이 이 모순으로부터 눈을 돌리고 있습니다.

일본인은 어떨 때는 아메리카의 보편성에 끌려서 아메리카를 동경합니다. 어떨 때는 아메리카의 지역성과 토속성에 주목해 거부 반응을 보입니다. 일본인 사이에 친아메리카와 반아메리카라는 양편이 있지 않습니까. 거기에는 일본인에게도 상당히 원인이 있지만, 아메리카인에게도 상당한 원인이 있습니다.

아메리카는 되지 않는다

오사와　제 생각으로는, 아메리카라는 것은 보편적인 내셔널리즘과 동일한 차원에서 말할 수 없다고 봅니다. 내셔널리즘인가 보편주의인가라는 점에서 말하면, 결국 한편에서는 특수주의particularism에 기반한 전형적인 내셔널리즘을 생각하고, 다른 한편에서는, 예컨대 기독교라든가 세계종교 쪽을 생각하게 되면, 보편적인 아메리카성은 어느쪽에 가까울까요? 명백히 후자라고 생각합니다.

　어떤 나라에나 내셔널리즘이 있고 일본에도 있습니다. 각각의 나라의 뭔가에 긍지를 갖고 있다고 해도, 예컨대 아무리 일본인이라는 것이 매력적이라고 믿고 있다고 해도 세계의 모든 사람이 일본인이 되면 좋겠다거나, 되어야 한다고 생각하는 내셔널리즘은 없거든요. 그러나 아메리카인은 어떤 의미에서 "온 세계 사람들이 아메리카화되면 가장 좋다"고 생각하고 있는 것은 아닐까요. 물론 현실에서는 불가능하지만요. 그러나 아메리카인은 본래 모두가 아메리카가 되면 좋지 않을까 생각하고 있는 데가 있습니다. 그런 내셔널리스트란 존재하지 않죠.

내셔널리즘은 보통 아무리 자기 나라가 훌륭하다고 생각해도 "제 각각이다"라는 것이 특징입니다. 보통의 내셔널리즘을 전제로 생각하면 아메리카가 하고 있는 일은 정말 이상합니다. 때로는 무력까지 사용해서 매우 강제적으로 다른 나라를 아메리카화하고 있는 것처럼 보이기 때문입니다. 그러나 아메리카인에게는 당연한 일을 하고 있을 뿐입니다. 따라서 아메리카란 보통의 내셔널리즘과 동렬로 생각할 수 없고, 어느쪽인가 하면 전통적인 세계 종교에 기반한 공동체를 모델로 해서 생각하는 편이 좋습니다. 세계 종교의 현대판을 아메리카에서 보는 쪽이 보통의 내셔널리즘과의 비교로 파악하는 쪽보다 정확합니다.

그렇지만 모두가 아메리카인이 되면 좋냐 하면, 애초에 아메리카는 너무 특수해서 모두가 아메리카인이 되는 일은 없습니다. 객관적으로 보면 지극히 특수합니다. 유럽 사람들이 보아도 그렇습니다. 더욱이 일본처럼 별도의 전통에 속하는 사회에서는 아메리카화하는 것이 상당히 어렵습니다. 세계는 아메리카화하고 있다고 자주 말하지만, 지극히 일부밖에 아메리카화될 수 없다는 것이죠. 일본은 더욱 그렇습니다.

또한 다른 쪽에서도 한번 비틀어서 생각해보면, 아메리카가 특수하다고 해도, 예컨대 "중국은 특수한 나라입니다. 우리와는 다릅니다. 인도도 다릅니다. 프랑스나 영국도 다릅니다"라고 하는 것과는 좀 다른 자리매김을 했으면 합니다. 우리에게 아메리카는 일종의 표준이기도 하기 때문입니다. 지금 아메리카는 특수해서 아메리카화할 수 없다고 말한지 얼마 안 됐는데 아메리카가 표준이 되고 있다는 것은 모순이라고 생각할지도 모르겠지만, 그렇지는 않습니다.

전에도 다뤘지만 역시 장례식을 연상하면 알기 쉽습니다. 장례식에 가면 "고인이 천국에서 행복하게 지내시길" 등의 말을 주고받게 되지만, 냉철한 유물론자는 천국 따위는 존재하지 않는다고 생각하기 마련입니다. 혹은 "돌아가신 어머님도 당신의 행복을 바라고 계실 겁니다"라고 말하기도 하지만, 사실은 "돌아가신 어머님은 이미 돌아가셨기 때문에 아무것도 바랄 수 없지만"이라고 생각하고 있을 것입니다. 잘 따져보면 천국이란 것도 믿지 않고, 죽은 영혼이 어딘가에 떠돌고 있다고도 생각하지 않습니다. 그러나 장례식에서는 그런 것이 존재하고 있다는 전제를 채용하지 않으면 안 되고 그런 것을 믿고 있는 것처럼 행동하지 않으면 안 됩니다.

아메리카에 관해서도 그렇습니다. 아메리카가 너무 특수해서 대부분의 나라가 아메리카화될 수 없다고 해도, 세계는 아메리카의 신앙에 맞춰 움직이고 있습니다. 그러나 정말로 그것을 믿고 있는 자는 하나밖에 없습니다. 다름 아닌 아메리카입니다. 예컨대 중국에 관해서도 중국인 나름의 세계관이 있지만 그것은 중국에서밖에 통용되지 않고 세계의 누구도 중국인 나름의 세계관이나 신앙에 맞춰 움직일 마음 따위는 없습니다. 그러나 아메리카에 대해서는 다릅니다. 세계가 아메리카인의 신앙에는 맞추어서 움직입니다. 아무리 아메리카로부터 멀리 떨어진 사람이라도 글로벌하게 행동하려 하면 실제로는 아메리카의 신앙에 맞춰서 행동하지 않으면 안 됩니다. 아무리 냉철한 유물론자라도 장례식에 가면 장례식의 매너에 맞추지 않으면 안 되는 것과 동일합니다. 그렇지만 정말로 믿고 있는 것은 아메리카뿐입니다.

아메리카 문화

하시즈메 아메리카 문화American culture라는 것이 있습니다. 이것은 보편적일까요, 개별적일까요? 잘 되어 있고 '겉보기의 보편성'이 되고 있다고 생각합니다.

우선 스포츠. 이민의 나라이기 때문에 여러 종류의 사람이 왔겠죠. 출신국에는 각각의 스포츠가 있을 테죠. 예컨대 영국인은 축구를 잘하기도 합니다. 그렇지만 다함께 축구를 하면 축구를 잘하는 사람과 못하는 사람이 있어서 즐겁게 놀지 못하는 법이죠. 그래서 유럽이나 어딘가의 지역에서 즐겨 하고 있는 스포츠는 할 수 없게 됩니다. 그러자 새로운 스포츠를 발명하지 않으면 안 되게 됩니다. 그래서 야구, 농구, 미식 축구 같이 새로운 스포츠를 발명합니다. 그것을 다함께 한다는 강한 동기가 생깁니다. 이렇게 아메리카다운 스포츠가 나온 것입니다. 이것은 이민의 스포츠이기 때문에 전 세계에서 온 이민[자]이 평등하게 즐길 수 있고, 보편적인 스포츠라는 생각이 들게 됩니다. 그렇지만 보편적이지 않습니다. 예컨대 야구. 야구 모자에는 챙이 있습니다. 이슬람 교도는 예배에 방해가 되기 때문에 챙이 있는 모자는 쓰지 않습니다. 이슬람 교도에게는 야구 모자가 기독교인의 모자로 보이기 때문에 야구를 하지 않습니다. 아메리카인은 그런 것을 깨닫지 못합니다.

오사와 다분히 무지할 따름이네요.

하시즈메 그 다음에 요리. 전 세계의 요리를 가진 이민이 오면 모두 자신들의 나라의 요리를 먹는다고 해도 패스트푸드는 온 동네에서 재빨리 먹는 것이기 때문에 그것들을 벗어난 혼합물이 됩니다. 우선 햄버거. 햄버그는 독일 요리인데도 그것을 번스buns(빵)에 끼워 먹어서 햄버거라고 합니다. 그것이 함부르크에 있는지는 모르겠습니다.

오사와 함부르크에 햄버그는 있지만 원래 햄버거는 없잖아요. 아메리카로부터 역수입된 것이겠지만.

하시즈메 아마도 아메리카에만 있을 겁니다. 그것과 함께 먹는 프렌치 프라이는 정통한 사람이 조사한 바에 따르면 프랑스가 아니라 벨기에 것입니다.

오사와 벨기에에서 맥주와 함께 먹는 것이겠네요.

하시즈메 그렇지만 프렌치 프라이라는 이름으로 아메리카 요리가 되어 버렸습니다. 다음은 핫도그. 소시지는 독일 것인지 모르지만 저런 형태의 빵에 끼워서 토마토 케첩과 머스타드를 얹는 것은 아메리카의 것이라고 생각합니다. 일설에 따르면 피자도 아메리카 요리라고 합니다. 아메리카에서 변형된 것이죠. 김초밥의 캘리포니아 롤은 '겉보기의 로컬'입니다.

뮤지컬, 재즈, 영화 등 아메리카 문화의 특징은 아메리카에 온 이민이라면 누구나 즐길 수 있다는 것입니다. 그것이 겉보기의 보편성이든 겉보기의 로컬이든 어느 쪽이라도 좋지만 아메리카에 온 이민 중 누구라도 접근할 수 있기 때문에 전 세계의 사람들이 접근할 수 있냐 하면 그것은 보증되지 않습니다.

보편성을 위장하다

하시즈메 지금은 대중 문화 이야기를 하고 있지만, 정신 문화를 고찰해보면 이것도 역시 미묘합니다.

가장 문제가 되는 것은 자본주의와 민주주의죠. 기독교와 프로테스탄티즘이 전 세계에 수용되지 않는 것은 거의 분명하지만, 그것이 세속화된 자본주의와 민주주의가 수용됩니까, 어떻습니까? 이것은 21세기의 중대한 요점이죠.
오사와 그렇군요. 거의 찬성하거나 합의할 수 있는 내용이지만 아메리카의 보편성과 특수성 — 보편성과 특수성은 표리일체이지만—은 좀 다른 지역의 문화적 맥락에서의 그것들과는 다른 것이라고 생각합니다. 예를 들면 "일본에서 유도라는 격투기가 생겨났다. 거기에는 일본의 전통적인 무도의 매너와 에토스가 침투되어 있어서 상당히 특수하다. 그러나 예컨대 체중 별로 경합한다든가 여러 가지로 세계 표준에 맞도록 몹시 특수한 부분은 삭제하고 타협해 가면서 전 세계에 보급해 지금은 올림픽 종목으로도 되어 있다." 이런 경우라면 특수성과 보편성은 상충관계trade-off가 됩니다. 그러나 아메리카 문화에 관해 말하면, 역으로 특수성과 보편성이 말하자면 분리 불가합니다. 요컨대 너무 보편적인 것으로 만들려 했기 때문에 역으로 특수한 것이 되어버리는 것이다, 그렇게 생각합니다.

가장 이해하기 쉬운 예는 미식 축구입니다. 풋볼 계통의 스포츠를 대표하는 것은 물론 축구와 럭비입니다. 그 외에 하키, 아이스하키 등도 그렇지만 대부분 영국에서 생겼습니다. 축구는 특히 세계에서 가장 인기있는 스포츠이지만 왠지 아메리카에서는 별반 인기가 없습니다. 대신에 아메리카에서는 아메리카에서 만든 미식 축구가 있습니다. 미식 축구는 축구나 럭비였던 풋볼의 보편화의 산물이라고 생각합니다. 축구와 럭비, 특히 축구는 어딘가 토착성 같은 것이 남아 있습니다. 시간을 재는 방식에서 나타나는 것처럼 규칙도 대충대충입니다. 그런 애매한 부분을 전부 말끔히 표준화하기도 하고 정밀화하기도 해서 규칙을 정비하고 다양한 풋볼의 여러 요소를 취사선택해서 완성한 것이 미식 축구입니다. 그것은 전 세계 어디에서 누가 하더라도 맥락과 관계없이 동일하게 할 수 있도록 엄밀하게 표준화되어 있습니다. 말하자면 보편화된 풋볼입니다.

그래서 전 세계에 보급되고 있는가 하면 그 반대입니다. 거의 아메리카에서밖에 하고 있지 않습니다. 보편화된 것인데 오히려 특수한 것이 되어버린 것입니다. 역으로 토착성과 지역성의 뿌리를 확실히 남기고 있는 축구 쪽이 세계적인 스포츠로 계속 보급되고 있습니다. 미식 축구와 동일해 보이는 것을 농구와 야구에 관해서도 말할 수 있지만 이제 그만 얘기합시다.

여하튼 이런 대중 문화는 어느 정도 시시한 얘기지만, 자본주의와 민주주의에 대해서도 동일한 얘기를 할 수 있습니다. 아메리카 방식의 자본주의는 어떤 의미에서 보편적입니다. 뭐랄까 보편성을 위장합니다. 그러나 그렇기 때문에 특수성도 있습니다. 사실은 아메리카에서밖에 할 수 없는 점이 있습니다. 그럼에도 불구하고 동시에 우리는 그것이 보편적이라는 그런 게임을 받아들이지 않을 수 없습니다. 서투르지만 미식 축구로 승부를 거는 것과 같은 것입니다.

선택받은 나라인가?

하시즈메 아메리카가 선택받은 나라인가, 요컨대 특별한 나라인가, 아니면 다른 나라와 비슷한가 하는 점에 관해서는 어떻습니까?

오사와 아메리카인은 자신들이 선택받았다는 의식이 있다고 생각합니다. 그런 의식이 없다면 그렇게까지 할 수 없습니다. 객관적으로 보면 이해할 수 없지만 예언의 자기 성취 같은 것이 있어서 선택받았다는 자기 확신을 저렇게까지 가질 수 있는 사람들은 없을 것입니다.

뭐랄까 엄밀하게 말하면, 선택받았는가 어떤가는 사실 인간은 알 수 없다는 것이 기본 전제입니다. 일반적인 나라의 사람들이라면 이 전제 때문에 자신이 선택받았는지 어떤지 확신을 갖지 않게 되기 마련입니다. 그러나 아메리카의 경우에는 역으로 바로 그렇기 때문에 자신들은 선택받았다는 강한 자기 확신을 갖습니다. 그 덕분에 그만큼의 일이 가능하고 결과적으로 아메리카만이 특수하다는 것으로 되었다고 생각하죠.

하시즈메 유대 민족(이스라엘 사람)은 선택받았다는 감각을 계속 갖고 있지 않습니까. 그것은 예언자가 다른 민족에게는 나타나지 않는다는 것, 자신들이 신앙을 지키고 있다는 것을 의미합니다. 유대 민족은 특별히 "세계 제일이 아니어도 좋아, 선택받고 있으면 됐어"라고 생각합니다.

하시즈메 예. 신이 보기엔 말이죠.

오사와 세계 제일이 된다고 해도 그것은 신이 직접 개입한 경우에 실현되는 것이고 자신들의 힘으로 세계 제일이 되는 것이 아닙니다.

그런데 아메리카가 선택받았다는 것을 어떻게 확신할까요? 유대교와 달리, 예수 그리스도의 복음은 인류 전체의 것이기 때문에 아메리카가 기독교를 독점하는 것은 불가능합니다. 현재의 유럽에도 라틴 아메리카에도 많은 기독교 국가가 있습니다. 그러면 기독교의 극히 일부분인데도 아메리카는 왜 선택받았다는 걸까요? 유대인처럼 소박하고 단순하게 믿는 것은 무리입니다.

오사와 맞는 말이군요.

하시즈메 신대륙이기 때문에 선택받았다는 걸까요? 확실히 아메리카는 신대륙에 있지만 라틴 아메리카도 전부 그렇겠죠. 이것도 기준이 될 수 없습니다.

세계 제일의 아메리카

하시즈메 그렇다면 남은 것이 무엇이냐 하면 '세계 제일'이죠.

처음에 아메리카는 세계 제일이 아니었지만, 선택받았다는 강렬한 확신이 있었습니다. 세계 제일보다도 '세계 최초'라는 쪽이 원점이었던 것은 아닐까요. 세계 최초의 유일한 신앙 공동체. 세계 최초의 아메리카합중국과 민주주의. 세계 최초의 풀턴Robert Fulton의 증기기관과 에디슨의 전구, 하버드대학교, 다양한 아이디어 등. 이쪽이 원점이라고.

그렇지만 아메리카와 같이 자원이 풍부한 곳에서 세계 최초를 이루면 세계 제일이 되었습니다. 20세기가 되면 세계 제일의 연속이죠. 누구라도 아메리카를 세계 제일이라고 생각하고 있고, 지금도 세계 제일이지만, 경제는 머지않아 중국이 세계 제일이 될 것입니다. 21세기에 아메리카는 잇따라 세계 제일의 자리를 내줄 것입니다. 그래도 최후까지 남는 것은 '세계 최초'일 것입니다. 요컨대 과학이 가장 발달한 나라, 아이디어가 가장 잘 현실화되고 있는 나라라는 점이 아닐까요? 과학 기술과 대학교에서 정체성을 구해가는 방향으로 되어간다고 생각합니다.

　과학 기술은 프론티어적인 것이죠. 프론티어가 남아 있습니다. 이것조차 없어지게 되면 아메리카의 아메리카다움은 궁지에 몰리고 끝내 해체될 것 같은 느낌이 듭니다. 그것이 '선택받았다'는 것의 증거였기 때문입니다.

　선택받았다는 건 아메리카의 정체성의 핵심이 아닐까요.

오사와　그러나 기독교인이라면 누구라도 선택받고 싶은 법이죠. 라틴 아메리카도 기독교인이지만 그들은 가톨릭입니다. 그들도 신에게 선택받아서 신의 나라에 들어가고 싶다고 생각하고 있겠지만, 왠지 아메리카만큼의 박력은 갖고 있지 않습니다.

　아메리카가 세계 제일이 된 것은 아까도 말한 것처럼 어느 정도 예언의 자기 성취라고 생각합니다. 자신이 당연히 선택받고 있다는 확신이 있었기 때문에 세계 제일도 되었고 세계 최초도 될 수 있었습니다. 다만 본인들은 이 인과관계를 역으로 사용합니다. 선택받았기 때문에 세계 제일이 되었고, 세계 최초가 되는 것이 가능했다고.

다만 세계 제일이라든가, 세계 최초라는 것은 선택받았다는 것의 근거가 아니고 유일한 증거도 아닙니다. 말하자면 상황 증거 같은 것이라고 생각합니다. 객관적으로는 세계 제일이 되었기 때문에 선택받았다고 납득하는 것이 아니고, 선택받았다는 자기 확신이 누차 세계 제일과 세계 최초를 가능하게 해주고 있다는 것입니다. 요컨대 선택받았다는 확신을 가져오는 원인이 세계 제일은 아니라고 생각합니다. 그러므로 21세기 중반과 후반이 되어 '아메리카가 세계 제일'인 장르가 줄어들더라도 아메리카인이 선택받았다는 확신은 그렇게 간단히는 소멸하지 않을 것으로 생각합니다.

기독교의 토착화인가?

오사와 단지 제가 불가사의하게 생각하고 있는 것을 말해보자면, 유대교의 단계부터 몇천 년의 기간으로 살펴볼 때 유대교와 기독교, 다시 프로테스탄트가 생겨나는 흐름 속에서 타 종교에는 없는 독특한 포인트는, 막스 베버가 말한 것이지만 '고난의 신정론神正論'이라고 생각하지요. 보통 종교라는 것은 '행복의 신정론'이 기초가 되고 있지요. 이런 식으로 하면 행복하게 된다, 뭔가 좋은 것이 있다, 구

128

원받는다 등과 같은 말을 설파하는 것을 기본으로 하고 있습니다. 고난의 신정론이란 것은 신앙이 독실한 사람이 어떻게 불행하게 되는가, 고난에 빠지는가와 같은 말에 답하는 것입니다. 예컨대 신과 계약을 맺은 유대인만이 고난의 연속이고 이교도는 번영하고 있는 것처럼 보이는 것은 어째서인가? 이것에 답할 수 없다면 신 자체의 권위가 의심을 받아버리게 됩니다.

고난의 신정론을 기초로 하고 있다는 점이 유대교와 기독교의 현저한 특징이라는 것이 베버의 착안점이라고 생각합니다. 예정설은 고난의 신정론에 대한 회답回答의 최종 버전입니다. 훌륭해 보이는 사람, 의인으로 보이는 사람이 불행하게 되었다고 해도 그것은 신이 예정하고 있던 것입니다. 그리고 결국 신이 무엇을 의도하고 있는지는 인간이 알 수 없습니다. 예정설은 고난의 신정설에 답하지 않는 것이 답이라고 하는 것 같은 논리이지만, 그렇기 때문에 최강의 회답입니다. 그리고 이 예정설을 중시한 개혁파야말로 이번 대담의 첫머리에서 나왔던 것처럼 아메리카 건국의 기초를 놓은 사람들입니다.

그러나 결국 아메리카에서 주류가 된 정신은 꽤 강력한 전형적인 행복의 신정론입니다. 올바른 일을 하거나 분발하면 성공한다는. 이 세속적인 버전이 아메리칸 드림이라는 것이지요. 고난의 신정론이 행복의 신정론으로 반전된 것입니다. 행복의 신정론만 본다면 어떤 의미에서 극히 평범합니다. 대부분의 종교가 행복의 신정론에 기초해 있기 때문입니다. 그러나 저는 아메리카에서 번성하고 있는 행복의 신정론은 고난의 신정론에 매개된 것이라는 점을 파악해두지 않으면 안 된다고 생각합니다. 그것은 어디에나 있는 행복의 신정론에 대해 부정의 부정을 한 결과입니다.

예컨대 모리모토 안리 선생은 기독교가 아메리카에서 '토착화'되었다고 말합니다. 외래 종교나 사상이 토착화된다는 것은 전 세계에서 자주 있는 일이라고 생각합니다. 유교가 일본에서 토착화됐다든가. 다만 아메리카의 경우에는 토착화라는 표현 방식이 적합하지 않다는 느낌이 듭니다. 아메리카가 식민지가 되기 전에 물론 선주민이 있었지만, 아메리카 사회가 받아들이기 위한 기초가 되지는 않았습니다. 물론 아메리카의 독특한 자연 환경이 있고 거기에 적응해가기도 했겠지요. 그렇지만 아메리카에 원래 커다란 사회가 있어서 그들의 문화적 맥락 속에 기독교가 들어온 것이 아니고 기독교의 내재적 논리만으로 변화해간 것이기 때문에 기독교의 토착화라는 표현 방식은 그다지 적절하지 않습니다. 거기에는 '토착土着'의 '토土'가 없기 때문입니다.

하시즈메 그렇군요.

오사와 어쨌든 아메리카에서의 기독교의 가장 급진적인 부분, 종교 개혁으로부터 시작되어 16, 17세기 즈음에 출현한 급진파가 아메리카로 감으로써 잠재력을 꽃피움과 동시에 원래의 모습과 표리가 반전된 것처럼 바뀌어갔습니다. 그런 불가사의가 있다고 생각합니다.

제9장 트럼프 대통령의 탄생은
무엇을 의미하는가?

복음파의 대두

하시즈메 그러면 지금까지 얘기한 것을 근거로 할 때, 트럼프의 등장은 무엇일까요?

그 배후에는 종교 우파의 존재가 있습니다. 복음주의 evangelicalism라 불리는 사람들도 있습니다.

복음파란, 간단히 말하면 "성서는 신의 말씀이다"라고 믿고 있는 사람들입니다. 당연하게 생각할지도 모르겠습니다. 보통의 기독교와 어디가 다른가 하고. 조금 다릅니다.

세상에는 책이 많이 있지요. 과학책, 요리책, 문학책, 철학책……. 이런 책들은 인간이 쓴 책(인간의 행위)입니다. 그에 반해 성서는 신의 말씀이 씌인 책으로 별격別格(신의 일)입니다. 따라서 과학이나 철학이 성서와 모순되는 경우에 당연히 성서 쪽을 취합니다. 이것이 복음파입니다.

복음파가 아닌 보통의 기독교인(주류파)은 근대적이어서, 과학이나 철학을 신뢰하기 때문에 성서를 통째로 받아들이지는 않지요. 이것이 다릅니다.

오사와 그렇군요.

하시즈메 복음파의 입장을 더 철저히 추구한 원리주의 fundamentalism라는 입장도 있습니다.

이 입장을 가진 사람들은 성서의 어느 줄이라도 신의 말씀이어서 문자 그대로 옳다고 생각합니다. 그래서 "피를 마시면 안 된다"란 말이 있으면 "자, 수혈도 안 된다"라고 생각하기도 합니다.

이런 독해 방식을 축자 영감설逐字靈感說verbal inspiration이라고 하지요.

복음파는 그 정도까지는 아니지만 성서가 '전체로서' 신의 말씀이라고 생각합니다. 거기에 무엇이 씌어 있는지는 복음파의 목사나 전도사에게 배웁니다.

복음파는 앞에서 나온 유니테리언과 반대의 입장이지요. 유니테리언은 자연과학과 같은 인간이 이성을 활용해서 세계를 해명하는 노력을 제대로 평가합니다. 문학이나 철학도 그렇습니다. 그렇게 하면 성서로부터 그만큼 멀어지게 됩니다. 복음파는 그러면 안 된다고 보고서 성서에 머물러 있자고 합니다. 자연과학과 철학이 아메리카를 움직이고 있는 것은 틀렸다고 봅니다. 성서를 중요하게 여기지 않으면 안 된다는 보수적인 입장입니다. 후퇴전後退戰이지요.

오사와 그렇군요.

하시즈메 복음파는 그런 의미에서 반동反動입니다. 실직 노동자, 시골에 남겨진 사람들 등을 기반으로 합니다. 민주당과 공화당의 득표를 비교해보면 동해안과 서해안이 민주당의 지지 기반입니다. 산업이 발달하고 도시화가 진전된 지역입니다. 그에 비해 나머지 중서부가 대체로 공화당의 기반이 되고 있습니다. 복음파가 번성하고 있는 지역과 겹치지요.

트럼프와 복음파

하시즈메 트럼프와 복음파는 왜 친화성이 높을까요?

트럼프는 "아메리카를 다시 위대하게 만들자Make America great again!"라고 말했습니다. 아메리카는 지금도 위대하지만 세계 제일은 아니라는 것이겠지요. 그러면 아메리카가 선택받은 나라인가 어떤가 하는 의문이 생기게 됩니다.

"아메리카는 세계 제일이 아니어도 좋다. 혁신적이고 창의적이면 아메리카는 아메리카인 것이다." 그러나 창의적이기 위해서는 교육도, 지성도 필요합니다. 이것이 동해안과 서해안에 사는 사람들의 사고방식입니다.

그러나 중서부 사람들은 그다지 창의적이지 않습니다. 세계 제일이 아니게 된 데에다 세계 최초라는 것도 불가능합니다. 그렇다면 아메리카를 다시 위대하게 만들자. 세계 제일도 세계 최초도 아니라고 해도 어쨌든 자신들은 선택받아서 훌륭하다고 우깁니다.

오사와 원리주의자는 성서에 씌어 있는 것을 문자 그대로 받아들이는 사람들이라고 할 때, 예전에 이슬람교 전문가가와 대화를 나눈 적이 있는데, "그런 정의를 내려버리면 이슬람교인 전부가 원리주의자가 되어버린다"고 말하더군요. 기독교의 경우는 성서를 중시한다고 해도 그것을 문자 그대로 받아들이는 태도도 가능하고, 좀 더 우의적寓意的으로 해석해서 디테일은 신경쓰지 않는다든가 기본적인 것만 믿는다면 세세한 것은 묻지 않는다는 태도도 가능합니다. 이것은 똑같이 신의 말씀이라도 쿠란은 참으로 정확하게 신의 말씀을 베낀 것인 데 비해, 성서는 신의 말씀에 관한 인간의 말이라는 차이가 관련되어 있는 것은 아닌가 생각합니다. 어쨌든 성서를 '문자 그대로' 읽는 방식을 이슬람교에도 똑같이 적용할 수는 없지 않을까 그런 의견입니다만 그 부분은 어떻습니까?

하시즈메　원리주의는 기독교에서 나온 개념인데, 그것을 이슬람교에 적용하는 것은 애당초 이상합니다.

　이슬람교는 어떤 의미에서 원리주의적이지요. 쿠란을 법률로 삼아 실행하고 있기 때문입니다. 그러나 그것은 행위의 차원이죠.

　기독교의 경우에 성서는 법률이 아닙니다. 그래서 성서를 문자 그대로 받아들여도 사회 생활은 변화하지 않습니다. 따르고 있는 법률은 세속법이며 연방법으로서, 신앙이 없는 사람들과 조금도 다르지 않습니다. 이슬람교와는 동렬로 논할 수 없습니다. 복음파 사람들과 리버럴한 민주당 사람들의 실제 세속 행동은 조금도 다르지 않습니다.

오사와 기독교인이라면 성서에 씌어 있는 것을 그다지 세세하게 신경쓰지 않아도 "나는 기독교인입니다"라고 말할 수 있지만, 이슬람교인이라면 "그것은 네가 이슬람교인이 아니라고 말하는 것과 마찬가지다"라는 식으로 되어버립니다. 역으로 말하면 기독교는 그런 믿음의 방식이 가능하다고 생각합니다. 성서가 있지만 성서에 대해 그런 탄력적인 관계를 맺는 방식이 가능하다는 것이죠.

생각해보면 여기에는 역사의 역설 같은 것이 작동하고 있는데, 루터의 주장 중 가장 중요한 것 중 하나가 '오직 성서만'이라는 것이죠. 종교 개혁은 성서와 매우 원리적으로 관계를 맺으면서 시작하지만 거기에서 나온 유파에는 물론 복음파와 비슷한 것도 있습니다. 그렇지만 다른 한편에서 텍스트에 대해 매우 탄력적으로 관계를 맺을 수 있는 사람들도 생겨납니다. 프로테스탄트는 가톨릭보다도 철저하게 '오직 성서만'을 추구하는데도, 역으로 성서로부터 자유로운 신앙이 거기에서 생겨났습니다. 역사 전개의 불가사의 비슷한 것을 느낍니다.

복음파는 감소하고 있는가?

오사와 다음에, 이것은 질문인데요. 하시즈메 선생이 말씀하신 것으로 현실이 대체로 설명될 수 있다고 생각하지만, 예컨대 미래에 글로벌화가 더 진전되어 중서부의 사람들에게도 다양한 정보가 널리 전해져서 세계의 정세에 관해 이해할 수 있게 된다면, 과연 그런 원시적인 것을 말하는 사람이 줄어들고 복음파는 점점 감소해갈 것이라고 생각해도 괜찮은지요? 늦은 것을 만회하면 어떻게든 되는 걸까요?

하시즈메 복음파는 얼마 전에 증가하다가 지금은 답보 상태입니다. 그것은 중류 계급의 해체와 관계가 있습니다. 1950년대와 1960년대에 아메리카 경제가 상승해서 사람들이 풍요로워졌습니다. 오사와 선생이 아메리카에 있던 때가 1990년대입니까?

오사와 1998년과 1999년입니다.

하시즈메 그 무렵 중류 계급이 활력이 없었나요?

오사와 클린턴 시대죠. 지금보다는 훨씬 활력이 있었죠.

하시즈메 1950년대와 1960년대에 아메리카인은 일본인보다 좋은 옷을 입고 있었습니다. 머지않아 일본인도 좋은 옷을 입게 되었습니다. 최근의 아메리카인은 양판점의 옷만 입고 있습니다. 점점 가난해지고 있다고 생각합니다.

거기에는 여러 요인이 있지만 원래 아메리카인은 급여에 기초해서 사는 사람이 많았습니다.

그것이 일본이나 중국, 개발도상국에 추격당해서, 가구나 가전, 대중용 소비재는 해외 수입품으로 채워졌습니다. 국내의 제조업은 공동화되어버리고 극히 일부의 첨단 산업에 집중해 있습니다. 단순 노동도 멕시코인이나 불법 노동자의 비율이 높고 학교를 졸업해도 직장이 없는 사람이 매우 많습니다. 보통으로 살고 있는 게 아니라, 생활의 목표를 세울 수 없다는 그런 감각이 잇따라 생기고 있습니다. 복음파의 기초가 되는 것이 이러한 사람들이기 때문에 이것이 당분간 계속되는 것은 아닐까요.

아메리카의 중류 계급이 앞으로 부활할 것이라고는 생각하지 않습니다. 정보가 들어오면 들어올수록 오히려 좌절이 커지겠죠.

오사와 그 좌절에 대한, 불우하다는 느낌에 대한 보상으로 성서를 문자 그대로 믿는군요.

하시즈메 선택받았다는 감각이 불우하다는 느낌을 덮어버리는 겁니다.

오사와 그래서 성서를 대하는, 종교를 대하는 다소 원리주의적인 태도가 생기는군요.

하시즈메 성서를 대하는 '과도한' 신앙이 자신의 일상 생활의 근저에 있는 자부심을 지탱하는 구조가 되고 있습니다. 종교로서는 조금 규칙 위반입니다.

오사와 그런 사회심리학적인 메커니즘이 작용하고 있다는 느낌이 드네요.

아메리카가 두 개인가?

오사와 아메리카인에게는 다소 짓궂은 얘기를 덧붙이자면, 이런 생각이 드네요. 선거 결과를 보면 아메리카는 동서 해안 쪽에서 민주당을 지지합니다. 그리고 중서부는 공화당을 지지하고, 그 중간에 바이블 벨트Bible Belt도 있습니다. 이와 같이 매우 명백한 색깔 구분이 되어 있기 때문에 따로 나눠서 두 개의 나라로 만들면 좋지 않을까 하는 생각이 듭니다. '유나이티드 스테이츠 오브 데모크라틱 아메리카'와 '리퍼블릭 아메리카'와 같이 되면 좋지 않을까 하는.

그러나 생각해보면 이것은 상보적인 관계일 가능성이 있습니다. 무슨 말이냐 하면 사실은 지금 전 세계 사람들이 진심으로 기독교를 믿고 있지는 않지만, 아메리카인만은 진심으로 믿고 있습니다. 그 아메리카인이 진심으로 믿고 있다는 것을 전제로 하는 게임을 전 세계 사람들이 행하고 있습니다. 그렇지만 사실은 아메리카에서도 진심으로 믿고 있는 사람은 일부입니다. 그 '일부'에 해당하는 것이 복음파 사람들입니다. 좀 더 계몽된 사람들은 기독교에 대해 반쯤 '되는 대로' 관여하고 있습니다. 그러면 근신勤愼하지 못한 일이겠지만, 예컨대 세속적인 지식과 타협해서 유니테리언이 되기도 합니다.

기독교에 대해 이와 같이 거리를 두는 태도를 가지고도 더욱 헌신할 수 있는 것은, 기독교를 진심으로 철석같이 믿고 있는 사람이 있다는 가정이 성립하기 때문입니다. 여러 번 사용된 예를 또 들어보면, 자신은 사후 세계를 믿지 않지만 고인의 명복을 비는 것이 가능한 것은 자신은 어쨌든간에 사후 세계를 진심으로 믿고 있는 사람이 있기 때문입니다. 마찬가지로 기독교에 대해서 나름의 거리를 취하면서 계몽적인 지식과의 양립을 도모하는 것은 기독교를 진심으로 믿고 있는 사람이 있기 때문입니다. 아메리카의 지식인 가운데 "저 녀석들은 진화론도 믿지 못한다니 난처하군"이라고 하면서 복음파에 험담을 하는 사람도 있지만, 사실은 그들 덕분에 당신이 구원받는 것 아닌가라는 가능성도 있다고 생각하기도 합니다.

하시즈메 철학과 비교해보겠습니다.

철학은 칸트 한 사람만 있어도, 데카르트, 헤겔, 마르크스 한 사람만 있어도 굉장한 파워를 행사하지 않습니까. 복음파는 5천만인가 됩니다. 칸트에 비하면 인원 수가 엄청 많습니다.

오사와 게다가 비교적 평범한 사람들이기 때문이군요.

하시즈메 맞습니다. 따라서 지탱하기에 충분한 인원 수라고 생각합니다.

오사와 그런 사람들이 아메리카에 있다는 것이 중요하다고 생각합니다. 어딘가 다른 곳에 있다면 그런 기능을 발휘하지 못합니다. 아메리카의 짐 같은 것에 관해 얘기하고 있지만, 그들 덕분에 아메리카가 멋진 일도 할 수 있는 구조가 된 것은 아닐까요.

하시즈메 아메리카의 첨단적인 부분은, 요컨대 대학교가 아닙니까. 대학교는 원래 기독교의 각 종파를 기초로 해서 생겨납니다. 지금은 세속화되어서 과학만 다루고 있지만, 그래도 어딘가에 복음파와 통하는 기독교적인 요소가 남아 있습니다. 이 양쪽이 있어서 아메리카가 가능하다는 것은 이미 말한 그대로입니다.

이것은 매우 중요한 점입니다. 대학교에 관해서는 일본인도 이해하기 쉽습니다. 복음파에 관해서는 이해하기 어렵습니다. 그러나 그 양쪽을 이해하지 않으면 안 됩니다.

트럼프가 나오고서 "복음파가 이해하지 못하면, 아메리카가 이해하지 못한다"는 것을 비로소 알게 됐습니다.

오사와 우리가 알았다는 기분이 드는 부분도 사실은 알지 못하는 부분과 세트가 되는 현상이 있다는 것을 확실히 해둘 필요가 있겠네요. 우리가 이해하지 못하는 부분이 오히려 핵심이고 기본 전제라는 것을 파악해두면, 언뜻 보기에 매우 평범하게 보이는 아메리카인의 행동조차도 전혀 평범한 것이 아니라는 것이 이해되겠네요.

하시즈메 오사와 선생이 이와이 카츠히토 선생의 예를 들어 얘기해준 대로, 실은 경제학도 일본인이 생각하는 경제학이 아닙니다. 그것에 관해 더 말하면, 문학이든 미술이든 그 무엇이라도 일본인이 생각하고 있는 그것이 아닐 가능성이 큽니다.

오사와 경제학처럼 가장 세속적인 학문에서조차 본인들도 의식하지 못하고 신학적으로 행하고 있다는 것을 발견했기 때문이겠네요.

하시즈메 그 무엇보다 정치는 완전히 기독교가 전제입니다.

오사와 경제에서조차 그런데, 하물며 정치야.

제2부

아메리카적인
것은
무엇인가?

제1장 프래그머티즘

프래그머티즘의 새로움

오사와 지금까지 기독교를 토대로 해서 아메리카에 대해 고찰해왔지만, 지금부터는 지극히 아메리카적인 사고, 아메리카에서만 나온 프래그머티즘pragmatism이라는 사상에 주목해서 아메리카의 아메리카성을 부상시켜보고 싶습니다.

아메리카는 지금까지 얘기해온 것처럼, 매우 기독교적인 문화이지만 동시에 그 정도로 세속적인 것도 없는 것으로 보입니다. 그 정도로 종교와 인연이 먼 사람들은 없는 게 아닐까 하는 기분이 들기도 합니다. 그 양쪽 국면을 어떻게 하나의 시야에 끌어들일까를 알게 되면 아메리카를 알게 되겠지만, 그 연결고리가 되는 것이 프래그머티즘이라는 것이 제 전망입니다.

하시즈메 찬성합니다.

오사와 프래그머티즘에는 퍼스Charles Sanders Peirce (1839~1914), 제임스William James(1842~1910), 듀이John Dewey(1859~1952)라는 중요한 사상가들이 있습니다. 최초의 사상가는 퍼스이지만, 실제로 프래그머티즘이라는 용어가 인구에 회자되게 된 것은 제임스 덕분입니다. 제임스의 〈프래그머티즘〉이라는 연속 강의가 대단한 성공을 거두어 프래그머티즘이라는 철학이 확대된 것이지요.

제임스가 이 강의를 한 것은 1906년부터 1907년까지입니다. 따라서 20세기 초엽입니다.

그 무렵에 제임스는 무명의 철학자였던 퍼스를 소개하는 형식으로 '프래그머티즘'이라는 용어를 내놨지만, 퍼스가 이 용어를 발명한 것은 1870년대에 남북 전쟁이 끝난 직후 무렵입니다. 어쩌면 아메리카 식민지에 놓인 사람들의 실감 같은 것이 최종적으로 자각될 때 프래그머티즘이라는 철학으로 성숙된 것이고, 프래그머티즘이라는 용어의 발명보다도 프래그머티즘적인 발상 쪽이 더 오래되었다고 말할 수 있습니다.

그러면 프래그머티즘의 요점은 어떤 개념에 의해 무엇을 의미하고 있는가를 고찰할 때, 그 개념의 대상이 어떤 결과를 우리의 경험에 가져오는지가 결정적으로 중요합니다. 그것이 우리의 경험에 좋은 결과를 가져온다면, 그것은 참입니다. 생각한 결과를 가져오지 않는다면 그것은 거짓입니다. 그렇게 생각합니다. 요컨대 우리의 경험에 어떤 결과를 가져오는지가 그 개념이 의미하는 전부입니다.

이것은 어느 교과서에나 씌어 있는 것이지만, 잠깐 듣기만 해도 우리가 알고 있는 그 이전의 철학이나 사상과는 압도적으로 다르다는 느낌이 듭니다. 철학이란 것은 무엇이 참인가, 무엇이 선인가를 고찰해가기 마련입니다. 자신들이 경험하고 있는 것이 그대로 답이 된다면, 애당초 생각하지 않아도 되는 것이 아닌가라는 식으로 됩니다.

우리의 경험 자체에 의해서는 바로 참인가 거짓인가를 판정할 수 없고, 진정한 참이라는 것은 우리가 지금 경험하고 있는 것과 어딘가 다른 데가 있다고 생각하기 때문에 철학이 가능했습니다. 그렇게 손쉽게 해결된다면 철학 따위는 필요없다는 느낌마저 듭니다. 그런 정도로까지 전혀 새로운 발상인 것입니다.

하시즈메 프래그머티즘이 철학이냐는 질문이네요.

프래그머티즘이 출현했을 때, 그때까지의 철학과 다른 '새로운 철학'이라고 모두가 받아들였지만, 정말로 그럴까요?

역사에서는 때때로 새로운 철학이 나타납니다. 그것은 철학의 주장으로서 새로운 것이고, 새로운 내용을 주장해서 그 이전의 철학을 넘어서려 합니다. 그러나 프래그머티즘은 그런 식으로 되어 있지 않습니다. 그렇다는 것은 어떤 의미에서 철학이 '아니다'라는 것이지요.

그것은 철학인가?

하시즈메 이 문제를 좀 더 생각해봅시다.

철학은 우선 신학으로부터 나왔습니다. 신학의 부속물이었습니다. 신학은 신앙을 보강하기 위한 것으로서, 옳음의 원천은 신에게 있습니다. 인간이 이것저것 생각해도, 옳음의 질서는 꿈쩍도 안 하며 사전에 결정되어 있습니다.

그러다가 철학이 신학과 분리되었습니다. 철학에는 철학의 규칙이 있습니다. 거기서는 인간과 인간이 싸우는 것이지요. 그러나 그 전제는 누가 어떻게 생각해도 이 세계에는 진리가 이미 존재하고 있고, 그것을 올바르게 고찰하는 철학자와 틀리게 고찰하는 철학자가 있다는 것입니다. 어느쪽이 옳은가 결판을 내려고 논쟁하는 것입니다.

결국 신학이 도그마(증명 없이 옳은 것, 즉 교의)로 이루어져 있다면, 철학은 도그마와는 별개의 진리를 추구합니다. 진리는 인간이 모색하는 것이기 때문에 면전에 복수複數의 주장이 있어 그 중 어느것이 옳은가 결판을 내는 수순을 밟습니다. 그래서 존재나 인식과 같은 개념이나 절차가 있는 것이죠.

프래그머티즘이 말하고 있는 것은 이렇습니다. 무언가 진리가 있는 것 같고 그것도 복수가 있는 것 같습니다. 그 중 어느것이 옳은지 결판내지 않아도 좋습니다. 자신은 그 진리가 말하는 것을 듣고 자신의 생활에 플러스가 되면 그것을 받아들이고, 마이너스가 되면 받아들이지 않습니다. 이런 삶의 방식을 취해서 좋다! 그런 선언인 것입니다.

그것은 삶의 방식인가?

하시즈메 그러면 도그마나 진리가 생활과 맺는 관계를 살펴봅시다. 생활에 있어서는 도그마나 진리가 존재해도 좋지만, 최종 심급에서는 없습니다. 최후에 결정하는 것은 우리입니다. 우리의 생활은 체계적으로 이루어져 있지 않아도 좋고, 도그마로 덮어지지 않아도 좋고, 심지어 진리가 아니더라도 좋습니다. 이런 태도입니다. 이것이 철학일까요? 통상적인 의미로는 철학이 아닙니다. 그렇지만 이것이 철학이라고 주장하는 것이 프래그머티즘입니다.

오사와 그렇군요.

신과 종교와 도그마에 대한 제임스의 감각은 그렇게까지 명쾌하게 결론이 나 있지는 않군요. 퍼스의 경우는, 확실히 말해서 유일한 진실이라는 것이 있다고 생각하는 면이 있습니다. 그래서 한꺼번에 이탈하지는 않아서, 프래그머티즘에도 하시즈메 선생이 말한 것과 같은 잠재력이 있다는 것은 확실하지만, 그 잠재력을 완전히 끌어내는 과정이 중요하다고 생각합니다.

애매모호함

오사와 단적으로 말하면, 프래그머티즘을 취할 때 종교를 어떻게 생각할 것인지가 대단히 어렵습니다. 물론 염두에 두고 있는 그들의 종교는 기독교이지만, 일반적으로 초월적인 것을 고찰할 때, 제임스에게는 한정적 진리라는 용어와 실증적 진리라는 용어가 있습니다. 요컨대 진리에는 두 종류가 있다는 이미지가 떠오릅니다.

실증적 진리란 극히 보통의 과학적 진리를 말합니다. 따라서 궁극적인 실재가 있고 그 실재를 비추는 진리가 있다는 전제에 서 있습니다. 한정적 진리는 앞서 하시즈메 선생이 말한 것 같은 것입니다. 좋은 결과를 가져오는 것이면 그 사람에게 그 범위 내에서 진리가 아닐까 하는 것이지요. 이쪽이 정말 중요하고, 어떤 의미에서 진리의 부정인 것이지요. 진리의 정의에 반하지만, 그것을 진리라고 말해도 좋지 않을까 하는 느낌입니다.

왜 일부러 한정적 진리 등이라고 말을 꺼냈는가 하면, 역으로 종교를 구하기 위해서이기도 합니다. 각각의 사람이 신을 믿고 있다고 합시다. 그 사람은 신을 믿는 것에 의해 정신의 안정을 얻기도 하고 의욕이 생기기도 하고 인생에 의미가 있다고 곰곰이 생각하기도 하는 것이지요. 그때 전통적인 철학이나 신학이라면 신의 존재론적 증명에 도전하기도 하지만, 프래그머티즘의 경우는 그 사람이 나름대로 좋은 결과를 얻고 있다면 그것을 한정적 진리로 봐도 좋지 않을까 하는 것입니다.

다만 제 생각에, 제임스 또는 프래그머티즘은 마음속으로는 그것이 정말로 진리라고 말하고 싶을 겁니다. 사실은 일찍이 신학과 철학이 해온 것을 받아들이고 싶은 것이지요. 결국 한정적 진리라는 말의 무게는, '한정적'이라는 겸허한 형용사가 아니라 '진리'라는 쪽에 있는 셈이지요. 진리를 구하고 싶다고 해도 전통적인 방법으로 구하는 것이 아니기 때문에, 한정적 경험에 의거한 좋은 결과라는 점에 주목한다는 순서로 되는 것입니다. 따라서 프래그머티즘 속에 분열에 대한 지향성이 있다고 생각합니다. 그런 이중성을 파악해두지 않으면 안 됩니다.

이 이중성은 제임스의 『프래그머티즘』이라는 책에서 '온화한 마음'과 '경직된 마음'이라는 유명한 말로 나옵니다. '온화한 마음'이란 원리에 따라 합리적으로 생각하는, 신학의 전통이 강한 대륙의 합리주의 비슷한 것이지요. 데카르트나 칸트를 염두에 두고 있다고 생각합니다. '경직된 마음'이란 사실에 따르는 경험주의자입니다. 어느쪽이냐 하면 자연과학에 호의적인 경험주의입니다.

전체를 읽어보면 제임스는 때때로 경험주의 쪽에 서 있는 것처럼 보입니다. 그러나 경험주의가 좋고 합리주의는 안 된다고 말하느냐 하면, 마지막에는 분명히 거꾸로 뒤집는 것 같은 분위기로 쓰고 있습니다. 결론적으로 말하면 양쪽을 다 취하고 싶은 것입니다. 신학의 냄새가 농후하게 남아 있는 합리주의의 흐름에 명확하게 한계가 있다고 생각하면서 경험주의에 상당한 밀착을 보이고 있지만, 마지막에는 한번 더 합리주의가 갖고 있는 종교적인 것을 구하고 싶은 마음이 있어서, 그 양쪽을 다 구하는 것이 프래그머티즘이라는 것이죠.

하시즈메 이중성이라면 이중성이네요. 그렇지만 그것을 이중성이라는 식으로 잘라서 말해버리면 프래그머티즘이라는 사상의 활력이 없어지는 느낌이 듭니다. 따라서 여기서는 신중하게 다루고 싶습니다.

진리의 강요

하시즈메 신앙에 진리가 내재한다는 사고방식과, 진리는 여럿이 있기 때문에 그것은 개개인의 문제이고 사회 전체로서는 결론이 없어도 좋다는 사고방식. 이것이 프래그머티즘이 씨름하고 있는 문제가 아닐까요?

역사적으로 일본인은 이런 것을 그다지 심각하게 생각할 필요가 없었습니다. 그것이 프래그머티즘을 절실하게 생각할 수 없었던 이유라고 생각합니다.

오사와 물론 그렇지요.

하시즈메 종교 개혁도 없었고 종교 전쟁도 없었습니다. 교회와 세속의 세력이 충돌한 일도 없었습니다.

일본의 독자에게 지금 오사와 선생이 말한 상황을 알기 쉽게 설명하자면, 두 개의 예가 떠오릅니다. 하나는 창가학회創價學會이고, 다른 하나는 옴진리교입니다.

창가학회는 예전에 절복折伏이란 것을 말했습니다. 절복이란 자신의 신앙이 올바르고 상대가 틀렸기 때문에 올바른 신앙을 가지라고 설득하기도 하고 압력을 넣기도 하는 것입니다. 이 사고방식은 원래 일본의 불교 종파 중 하나인 니치렌슈우日蓮宗가 갖고 있었습니다. 이 구조는 기독교의 복음과 완전히 동일합니다. 절복과 복음은 종교 공동체를 만들어낼 수 있습니다. 종교로서는 정공법이지만 사회의 현상現狀에는 맞지 않는 면이 있습니다.

옴진리교도 자신들이 올바르고 상대가 틀렸다고 생각하고서 일본 전체를 옴진리교화하려고 했습니다. 이것도 진리는 하나라는 사고방식이지요. 이것을 폭력적으로 실현하려 한 것은 알고 계신 바와 같습니다.

일본 국민은 옴진리교에 거부 반응을 보였습니다. 새빨갛다고 생각했습니다. 진리는 하나가 아니라도 좋습니다. 요컨대 일단 이 문제를 생각하고는 있습니다, 이 문제라고 깨닫지 못한 채로. 그러고는 프래그머티즘 측에 서 있다고 생각합니다.

오사와 그렇군요. 무슨 말인지 알겠습니다. 진리는 본래 하나라는 대전제와, 진리는 경험에 따라 다양해도 좋다는 측면. 후자에 착안하고 있는 점이 그때까지의 서양 철학에는 없는 프래그머티즘의 결정적 특징입니다. 그래서 아까 소개한 것처럼 두 종류의 진리를 내세우게 된 것이지만, 본심을 보면 이 두 종류를 방치해도 좋다고 생각하는 것은 아니고, 뭐랄까 양자 사이의 긴장 관계를 극복하고 지양하고 싶다고 생각하고 있지요. 그러나 그 숨겨진 본심을 일본인은 알 수 없다고 생각합니다.

제2장 프래그머티즘과 근대 과학은 어떻게 다른가?

경험은 진리를 이끄는가?

오사와 그러면 프래그머티즘은 서양의 사고방식 중에서 얼마나 혁신적이었을까요? 좀 더 서양 철학 전체에서 보고 싶지만 저는 이런 식으로 생각하고 있습니다.

우리는 과학 혁명보다 훨씬 뒤의 서양 사상을 받아들이면서 살고 있기 때문에 감이 잘 오지 않지만, 아직 신학과 일체화되어 있던 중세의 철학에서는, 확실히 말하면 인간의 지성과 경험은 관계가 없었다는 것이지요. 그것을 구분하는 것이 핵심입니다. 프래그머티즘은 경험 쪽에 진리성의 기준을 두었다는 점에서 독특한 면이 있고, 경험을 통한 인식으로부터 진리가 나온다고 생각하지만, 중세의 철학은—중세의 철학자는 아리스토텔레스로부터 해석하는 형태로 작업을 하고 있다는 의미에서 그리스 철학도 그렇지만—진리의 인식(지성)과 경험을 확실히 구분하고 있습니다.

지성은 중세에는 대단히 중요한 단어이지만, 그리스어로 말하면 '누스nous'입니다. 경험에 해당하는 것은 '프시

케psyche'의 의미 속에 포섭되어 있고, 이것이 훨씬 뒤에 칸트의 '판단력'으로 바뀝니다.

지성이란 것은 솔직하게 말하면 신의 능력입니다. 오직 신만이 지성을 갖고, 진리를 알기 위해서 아무리 노력해도 안 되고 신에게 은총을 받은 사람이 지성을 갖게 됩니다. 지성과 경험은 어디가 다를까요? 다소 시적으로 말하면 지성은 고뇌하지 않습니다. 그에 비해 경험은 고뇌를 느끼기도 하고 기쁨을 느끼기도 합니다. 좀 다른 방식으로 말하면 지성과 경험이 가장 다른 점은, 지성은 단일하다는 것입니다. 경험은 제각각입니다. 동료 사이에서 공통성을 갖고 상식이 되기도 하지만 근본적인 유일성이나 보편성이 없습니다. 개인 간에 다양합니다. 따라서 번번이 바뀌고 앞일은 알지 못합니다.

그것은 먼 훗날 근대 철학 속에서는 칸트의 '물 자체'와 '현상'이라는 이분법으로 연결됩니다. 칸트는 현상(요컨대 경험) 쪽에서 인식을 보고 있지만, 여기에 일종의 획기적인 전환이 있어서, 프래그머티즘을 끌어들이는 전조가 여기에 있습니다. 여하튼 지성과 경험은 별개의 것이고, 그것을 혼동하지 않는 것이 서양의 고대와 중세의 철학과 신학의 가장 중요한 핵심이었던 것입니다.

그 점을 생각하면 경험에서의 유용성으로부터 진리에 다가가는 프래그머티즘은 어떤 의미에서 그 서양 철학의 전통을 전면 부정하고 있습니다. 경험과 지성의 차이를 나타내는 알기 쉬운 기준이 있습니다. 경험에 있어서 죽음은 시야 밖에 있습니다. 요컨대 죽음은 절대 경험할 수 없지요. 경험은 죽음이라는 한계를 갖고 있습니다. 지성의 경우는 죽지 않습니다. 지성에서는 죽음이 한계가 되지 않습니다. 경험은 죽음이라는 한계를 갖고 있고, 그 죽음을 향한 과정이 고뇌입니다. 그런 고뇌와 무관한 지성에 의해 진리가 인식될 수 있습니다. 그것이 서양에서 중세 이래의 전통이지만 프래그머티즘은 그 전제를 완전히 뒤집는 구조로 되어 있습니다. 이것을 우선 말해두고 싶습니다.

하시즈메 매우 맞는 말입니다.

　그렇지만 프래그머티즘 이전에 자연과학이 그것을 한 것 같은 느낌이 듭니다.

오사와 네. 보통은 그런 셈입니다. 과학 혁명을 통해서 근대 과학이 태어납니다. 크게 보면, 아까 말했던 중세 철학이 있고, 프래그머티즘이 있고, 그 중간에 과학 혁명과 근대 과학이 있습니다. 근대 과학이 프래그머티즘보다 훨씬 이전에 중세 이래의 전통을 파괴하고 있습니다. 일면 그것이 맞습니다. 그렇지만 프래그머티즘 쪽에서 보자면 근대 과학은 아직 서양의 전통적인 사고의 내부에 있습니다. 바꿔 말해서, 근대 과학과 프래그머티즘의 차이에 주목하면 서양의 전통적 사고와 프래그머티즘의 차이가 눈에 잘 띈다고 생각합니다. 요컨대 근대 과학이라는 것을 어떻게 평가하는가에 의해서 프래그머티즘를 보는 방식도 다소 바꿰게 됩니다.

경험은 신뢰할 수 있는가?

하시즈메 그것은 어떤 것입니까?

중세에는 진리성의 기준이 성스러운 텍스트에 있는 법입니다. 성스러운 텍스트를 정확하게 읽고 해석하면 진리에 도달합니다. 말씀에 의한 논증이지요. 그에 비해 근대 과학은 사물에 대한 경험 가운데 진리의 기준이 있다는 식으로 봅니다. 앞으로 한 걸음 더 나가면 프래그머티즘이라고 생각되지만, 근대 과학이 출현한 때의 상태를 생각해보면, 단순히 중세로부터 과학 혁명을 거쳐 진리성의 기준이 텍스트로부터 경험으로 바뀌었다고 보는 것은 사태의 본질을 벗어나는 것입니다.

조르조 아감벤Giorgio Agamben이라는 이탈리아 철학자가 이런 말을 하고 있습니다. 17세기 무렵에 과학 혁명이 일어나고 근대 과학이 탄생했다. 중세에는 지성의 주체와 경험의 주체는 존재론적인 신분이 달랐다. 그에 비해 과학 혁명은 진리를 인식하는 지성의 주체와 경험의 주체를 겹치게 만들었다. 이런 식으로 보면, 지금까지 진리로부터 멀리 떨어져 있던 경험이라는 것이 점점 진리의 기준이 되었다고 생각할지도 모르겠습니다. 그러나 여기에서 생겨난 것은 오히려 역으로 경험이라는 것에 대한 불신감이라고 아감벤은 말합니다.

요컨대 잘 살펴보면, 어떤 의미에서는 중세 사람들보다도 과학 혁명 시대의 사람들이 갖고 있던 경험에 대한 불신감이 훨씬 컸다는 것입니다. 그것에 관한 최고의 증거는 데카르트입니다. 데카르트는 과학 혁명 시대의 사람이지요. 인간이 경험하고 있는 것이 실은 진리가 아닐지도 모른다는 것에 대한, 거의 강박적이기까지 한 그의 반성이 있습니다. 다소 병적일 정도이지만 데카르트만 예외라는 식으로 볼 수 없지요.

교과서적으로는, 데카르트와 프란시스 베이컨을 대비시키고 있습니다. 데카르트는 방법론적 회의에 의해, 모든 경험은 어쩌면 진리성을 소외시키고 있는지도 모른다고 생각합니다. 궁극적으로는 "나는 생각한다"라는 사실, 내용을 갖지 않는 경험의 형식 이외에는 그 무엇이라도 진리의 기준이 아니라는 지점까지 나아가버리게 됩니다. 그에 반해 베이컨은 귀납법을 정식화한 사람이기 때문에 경험으로부터 진리를 도출하는 방법에 관해 고찰했습니다. 그렇기 때문에 데카르트와 대비되면서 근대적인 경험 과학의 길을 개척한 사람으로 일컬어집니다.

그러나 잘 읽어보면 베이컨은 데카르트만큼 병적이지는 않다고 하더라도 인간의 경험을 신뢰하고 있지 않습니다. 신뢰할 수 없는 경험으로부터 어떻게 진리를 끌어낼 것인가 하는 것이 베이컨의 작업이지요.

베이컨은, 철학사 교과서에 기초한 대학원 입학 시험 풍으로 말하면, "베이컨의 4가지 우상idola에 관해 설명하시오" 같은 형태로 나옵니다. 4가지 우상(선입견)이란 것은, 인간의 경험을 틀리게 하는 네 개의 기준이 있다고 말하는 것이지요. 독특한 표현 방식이지만 종족의 우상, 동굴의 우상, 시장의 우상, 극장의 우상, 이 네 가지입니다.

종족의 우상은 인간이 자연스럽게 갖게 되어버리는 편견입니다. 예를 들면, 태양이 지구 주위를 돌고 있는 것처럼 보이잖습니까. 실제로는 지구가 돌고 있을 뿐이지만 우리의 경험에서는 아무리 해도 그렇게 보이지 않게 돼버립니다. 인간이 갖게 돼버리는 그러한 착각 같은 것입니다. 동굴의 우상은 우리의 습관이라든가 공동체가 갖고 있는 편견 같은 것에 의한 폐해를 말합니다. 동굴처럼 좁은 곳에서 사물을 보는 이미지입니다. 시장의 우상은 소문입니다. 우리가 소문을 믿어버리면 틀리게 됩니다. 극장의 우상은 권위입니다. 권위를 맹목적으로 믿어버리기 때문에 틀리게 됩니다.

요컨대 경험이라는 것이 어떻게 진리로부터 멀리 떨어져 있는가에 관한 기준을 전부 거론하고, 그런 다음 경험으로부터 어떻게 해서 진리를 끌어낼 것인가 하는 문제의식입니다. 결국 경험을 신뢰하지 않는데도 그 신뢰할 수 없는 경험으로부터 진리를 끌어내는 일을 한 것이 과학 혁명입니다. 결론적으로 말하면 그것 때문에 탄생한 것이 실험이라는 방법이라고 생각합니다.

과학의 어디가 획기적인가?

오사와 앞서 말한 것처럼 경험과 진리의 가장 큰 차이는, 경험은 뿔뿔히 흩어져서 다양하다는 점입니다. 진리는 유일합니다. 실험의 핵심은, 경험이지만 누가 하더라도 동일한 결과가 나온다는 것입니다. 실험은 경험의 하나이지만 경험의 본질적인 조건을 극복하고 있습니다.

경험은 누구라도 가능합니다. 그러나―중세까지의 설정에서는―지성은 신에게서 은총을 받은 사람밖에는 가질 수 없습니다. 보통 사람에게는 지성이 없습니다. 따라서 진리를 인식할 수 없습니다. 따라서 성서를 잘 읽어주어도 난감할 따름입니다. 그런데 지성의 주체와 경험의 주체가 겹쳐지면 누구라도 경험할 수 있기 때문에, 원칙적으로는 누구라도 진리의 인식에 접근할 수 있게 됩니다.

예전에는 과학 혁명에 관해 쓴 책을 읽고 과연 그렇구나 하고 생각했는데, '코먼 센스common sense'나 '코먼 피플 common people'이라고 할 때의 그 '코먼'이라는 말이 있죠. 코먼이란 것은 원래 비속하다거나 고상하지 못한 것이기 때문에 나쁜 의미였지만, 과학 혁명 시대부터 긍정적인 의미로 전환됩니다. 누구라도 진리의 인식 주체가 된다는 바로 그 이유로 코먼이라는 것이 중요하죠. 보통의 경험은 제각각이어서 하나의 진리가 될 수 없기 때문에 경험의 단일성을 보증하기 위해 실험이라는 방법이 나온 것입니다.

말이 나온 김에 덧붙이자면, '코먼'이라는 말이 갖고 있는 함의의 전환이 잘 보여주는 것처럼, 지성의 주체와 경험의 주체가 겹쳐지면 진리라는 것이 내용의 면에서 일반성을 가질 뿐만 아니라 사회적인 일반성도 갖는 것으로 상정되게 되었다는 것을 의미합니다.

여하튼 경험 가운데서 진리를 끌어낸다는, 본래는 불가능한 패러독스를 무리하게 푼 것이 과학 혁명입니다. 그런 식으로 생각하면, 중세가 있고 과학 혁명이 있고 프래그머티즘이 있고, 점점 경험의 지위가 높아져왔다고 단순하게는 말할 수 없습니다. 오히려 과학 혁명 시대에 중세보다도 경험에 대한 훨씬 더 깊은 불신감이 나타나고 있습니다. 그런 깊은 불신감을 전제로 하면서 경험 가운데서 진리를 도출하는 방법을 낳았다는 바로 그 이유 때문에 과학 혁명은 획기적이었던 것입니다.

이런 식으로 보는 것이 맞다는 느낌이 듭니다.

하시즈메 지금까지의 얘기에 이견이 없습니다.

오사와 매우 중요한 사항이기 때문에 반복하지만, 아메리카를 이해하기 위해서는, 유럽 대륙에서 생겨난 신학 및 철학의 전통과 프래그머티즘이 어떻게 눈에 띄는 대조를 보이는가를 확실히 하지 않으면 안 됩니다. 그렇지만 그 중간에 있는 과학 혁명에 의해 프래그머티즘과 상당히 가까워진 것은 아니고, 프래그머티즘이 갖고 있는 경험에 대한 솔직한 신뢰가 오히려 과학 혁명에는 전혀 없습니다. 그것을 확실해해두고 싶었던 것입니다.

종교와 과학의 대립

오사와 하나만 더 덧붙이자면, 중세에는 경험이 진정한 진리에 대해 소외되어 있지만, 그래도 제임스가 말한 '한정적 진리'는 있었습니다. 구체적으로 말하면 격언이나 속담입니다. 그것은 지성으로부터 나온 진리가 아니라 경험이나 판단력으로부터 나온 것이지만 그 나름의 진리성—또는 의사擬似 진리성—을 인정받고 중세에는 그럭저럭 권위가 있었습니다. 근대 과학이 출현했을 때 그런 격언이나 속담 같은 진리는 진정한 진리가 아닙니다. 경험으로부터 진정한 진리를 끌어내기 위해서는 어떻게 하면 좋을까, 그것을 위해 실험이라는 방법이 고안되는 흐름이라고 생각합니다.

하시즈메 일본에서는 에도江戸 시대에 종교도 과학도 활발하지 않았습니다. 따라서 일본인은 종교와 과학의 충돌 역시 심각하게 경험하지 않았습니다.

유럽은 그 나름대로 심각하게 경험했습니다. 아메리카도 심각하게 경험했다고 생각합니다.

유럽에서 과학은 귀족의 취미 같은 것이었기 때문에 사회적 영향력이 거의 없었고, 귀족 서클이 내부적으로 같이 하는 것으로 족했습니다. 그들이 신앙을 상실해도 시골에서 신앙 생활을 영위하고 있는 사람들과는 관계가 없습니다. 그렇게 해서 태어난, 과학이라고도 철학이라고도 할 수 없는 것이 계몽 사상입니다. 계몽 사상은 궁정을 기반으로 해서 구세력과 신세력에 걸쳐 있습니다. 가장 번성했던 곳이 프랑스라고 생각하지만, 계몽 사상은 솔직하게 말하면 무신론입니다.

오사와 그렇군요.

하시즈메 "나는 무신론입니다"라고 말하지 않는 무신론입니다.

오사와 계몽 사상에는 신에 대한 적의가 숨겨져 있군요.

하시즈메 그래서 교회가 의혹의 눈길로 봅니다. 왜 이렇게 열심히 과학이나 철학을 하면서 교회에는 오지 않는가? 사실은 무신론 아닌가? 그러나 이미 종교 재판을 하는 시대는 아니기 때문에 자신이 무신론자라고 말하지 않는 한 단속할 수 없습니다. 신앙과 과학의 모순과 대립은 사회 전체의 심각한 문제가 되지 않았습니다.

대학과 과학

하시즈메 그건 그렇고 유럽에는 대학이 있습니다. 아메리카에도 대학이 있습니다. 아메리카의 대학은 종교와 과학의 접점이 되고 있다고 생각합니다.

아메리카 대학의 특징은 프로테스탄트의 각 종파가 설립한 새로운 대학이라는 점입니다. 처음에 대학은 목사를 양성하기 위한 것이었습니다. 교의에 대한 의견이 다르면 다른 대학이 생깁니다. 하버드대학교에 대항해서 예일대학교나 프린스턴대학교가 생기는 것처럼.

하버드대학교의 미술관에서 '필로소피 체임버philosophy chamber'라는 전시를 하고 있었습니다. 200년 정도 이전에 사용됐던 태양계의 모형이라든가 생물 표본이 나열되어 있었습니다. 목사 후보 학생에게 자연과학과 철학을 교육하고 있었던 것이죠. 간단히 말해서 성서에 씌어 있는 것이 반드시 옳은 것은 아니라는 것입니다. 각지에 있는 교회가 헌금으로 대학교를 지원하고 있는데도 일반 신도와 이렇게 격차가 있는 것을 가르쳐도 좋을까요? 그렇지만 목사는 일반 신도에게 도움이 되는 설교를 하고 사회의 지도자가 되리라는 기대를 받고 있기 때문에 무엇이든 알고 있지 않으면 안 됩니다. 과학과 신앙이 양립합니다. 양립하지 않으면 안 됩니다. 이것이 아메리카 주류파의 기독교입니다.

오사와 재미있는 얘기군요.

가장 전형적인 계몽 사상다운 계몽 사상이 출현하는 것은 말씀하신 대로 프랑스가 아니겠습니까. 그리고 확실히 무신론으로 보이죠. 어떻게 프랑스라는 맥락에서 계몽 사상이 출현했는가에 대해 솔직하게 말하면, 프로테스탄티즘이 별로 없고 미약했기 때문이라고 생각합니다. 역으로 말하면 프로테스탄트란 것은 가톨릭 입장에서 보면 좀 괴이한 것이지요. "당신, 무신론?"이라고 물으면 프로테스탄트는 부정하겠지만, 가톨릭의 기준에서 보면 무신론인가, 신앙이 있는 건가 하면서 알 수 없는 상태로 보입니다. 그런데 프랑스에는 프로테스탄트가 없기 때문에 곧바로 가톨릭에 대해 반항할 수밖에 없어서 결국 무신론인가 하는 의심을 받는 상태가 된 것입니다.

다만 상당히 완화된 프로테스탄트적인 기준에서 보면 계몽 사상가들도 어떤 의미에서는 기독교를 믿고 있는 것이죠. 칼뱅파는 그만두더라도 기독교는 그만두지 않는다는 것과 동일한 말인데, 그들은 무신론처럼 보이지만 정말로 그들의 세계에 신이 없는가 하면 역시 신이 있는 것입니다.

가장 전형적인 예는 아까부터 나오고 있는 데카르트입니다. 데카르트는 파스칼로부터 당신은 무신론자가 아니냐고 의심을 받을 정도로 신과 거리를 두고 있는 것처럼 보입니다. 그렇지만 그 데카르트라고 하더라도 코기토 cogito(나는 생각한다)의 확실성을 최종적으로 담보하는 것은 신이기 때문에, 결국 궁극적으로는 신이 존재한다는 것이 전제입니다. 따라서 기독교는 불가사의한 점이 있고, 기독교 그 자체 안에 기독교와 무신론의 매개 같은 것이 들어 있다는 것이죠.

그래서 주로 아메리카 대학의 특징을 얘기하고 있는데, 생각해보면 대학이란 것처럼 유럽적인 것은 없죠. 우리는 대학을 나라가 만들기도 하는 제도였기 때문에 일본국 안에 대학이 있는 것처럼 생각하지만, 유럽의 중요한 대학은 국가보다 훨씬 오래되었기 때문에 나라 단위의 국가적 정체성보다도 대학의 정체성이 역사적 두께가 상당히 두텁습니다. 도대체 왜 대학이 있을까요? 근원을 따지면 대학의 기본적인 사명은 일종의 신학 교육에 있는 셈이지만, 그렇다면 왜 교회만으로는 안 될까요? 역시 거기에 교회의 가르침에 대항하는 안티테제적인 것이 기독교 자체에 내재해 있고, 따라서 교회는 항상 대학에서 무엇을 가르치고 있는지 신경이 쓰이는 것이겠죠. 이단적인 것을 가르치고 있는 것은 아닌가 하고. 여하튼 그런 분열이 기독교 안에 잉태되어 있습니다.

그 분열이 더욱 확실히 나타나는 것이 아메리카의 경우이죠. 말씀을 듣고서 아메리카 대학이 갖고 있는 갈등은 프래그머티즘이 갖고 있는 갈등과 비슷하다고 생각했습니다. 요컨대 대학은 대개 기독교 각 종파 때문에 존재하죠. 그러나 실제로 가르치는 것은 더 도움이 되는 과학 같은 것입니다. 프래그머티즘의 사람들도 본심으로는 역시 그것에 의해 더욱 강한 종교적 근거가 주어진다고 생각하고 있었다고 봅니다. 그러나 실제로는 프래그머티즘의 열매가 있는 부분을 취해간다면, 종교와는 무관한 경험 과학의 기초 같은 것으로 되어갑니다. 아메리카 대학이 안아버렸던 이중성을 사상의 차원으로 투영하면 프래그머티즘이 갖고 있던 운명과 겹쳐간다는 것을 생각했습니다.

하시즈메 그렇군요.

제3장 프래그머티즘은 어디에서 왔는가?

선구로서의 초월주의

오사와 중세 이래의 유럽의 정신 구조와 프래그머티즘은 매우 대조적이어서, 어떻게든 양자를 매개하고 있는 것으로 보이는 과학 혁명을 중간에 넣고 보아도 오히려 대조성이 뚜렷해진다는 것을 알게 됐습니다.

그러고 보니, 프래그머티즘이 어떻게 출현했는가를 새삼 생각해보지 않으면 안 되겠습니다. 그 근원이 되는 착상이랄까 언어화되기 전의 감각은 아메리카의 식민지 경험 속에서 자연스럽게 생겨난 것이지만, 프래그머티즘의 전사前史로서 중요시되는 것은 초월주의transcendentalism이죠. 그것은 어떤 교과서에도 나오지만, 저는 다양한 교과서에 나오는 서술 방식에 불만이 있기 때문에 여기서 문제삼아두고 싶습니다.

그때까지 아메리카의 사상은 기본적으로 말하면 유럽의 사상을 그대로 수입할 뿐이었기 때문에 그렇게 독창적인 것이 없었지만, 1830년대 무렵이 되어 비로소 아메리카의 독특한 사상으로서 초월주의가 출현합니다. 1837년에 에머슨Ralph Waldo Emerson(1803~1882)이 행한 〈아메리카의 학자〉라는 강연이 대단히 유명합니다. '우리의 의존의 시대, 도제의 시대'는 종언을 고했다는 내용입니다. 서양에 의존하거나 서양의 제자였던 시대는 끝났다는, 말하자면 아메리카의 지적 독립 선언입니다. 정치적 독립 선언으로부터 대략 60년 뒤입니다.

프래그머티즘 이전에 이 에머슨을 중심으로 한 초월주의 운동이 있었다는 것인데, 이 초월주의의 속 내용을 보면 오히려 놀랍습니다. 무엇에 놀라냐 하면 프래그머티즘과 너무도 다르기 때문이죠. 요컨대 보통의 시각으로는, 유럽의 철학 및 사상과 아메리카의 프래그머티즘은 상당히 다르기 때문에, 그 사이에 초월주의가 있게 되면 거기에는 어딘가 프래그머티즘의 예감이 있어서 정확히 중간의 '잃어버린 고리missing link'를 메우게 된다고 생각하고 싶어집니다. 그러나 생각하기에 따라서는 초월주의만큼 프래그머티즘과 다른 것은 없다는 느낌이 듭니다.

에머슨, 그리고 소로Henry David Thoreau(1817~1862)에게서 물려받은 초월주의의 핵심은 이렇습니다. "인간의 정신에는 어떤 특수한 능력이 있다. 우리가 매일 보기도 하고 느끼기도 하는 감각적인 경험을 초월한 사적인 직관 같은 것이 있고 그것에 의해서 참의 실재를 파악할 수 있다." 따라서 초월주의라고 말하는 것이죠.

그러자 경험과는 다른 곳에 지성이 있다고 생각하지 않는, 요컨대 경험을 초월한 곳에 진리나 실재나 개념의 근거를 인정하지 않는 것이 프래그머티즘이고, 바로 그렇기 때문에 프래그머티즘은 머지않아 유럽에 역수출되어 논리 실증주의 등에 연결되기도 합니다. 그렇지만 초월주의는 완전히 반대로, 경험을 초월한 인간의 능력이라는 지점에 강조점이 있습니다. 이것만큼 프래그머티즘과 다르게 보이는 것은 없죠. 프래그머티즘이 탄생하기 정확히 한 세대 정도 앞의 세대가 만든 아메리카 특유의 사상이 오히려 프래그머티즘과 정반대인 것으로 보입니다. 이것은 어떻게 된 일일까요?

하시즈메 매우 흥미로운 점이네요.

칸트를 읽다

오사와 좀 보조선補助線 같은 얘기를 하자면, 초월주의의 사람이면 대체로 칸트를 좋아하죠. 칸트를 독자적인 방식으로 읽고는 "그거, 틀렸어"라고 생각하는 식의 독서 방식입니다. 구체적으로 말하면 앞에서 나온 것처럼 『순수 이성 비판』이라는 책의 요점은 '물 자체'와 '현상'을 구별하는 것입니다. 우리가 인식할 수 있는 것은 현상뿐이지만, 그 현상의 배후에 참의 실재로서의 물 자체라고 하는 가정을 두는 것입니다. 그것이 칸트의 요점이죠.

초월주의의 사람들은 칼라일Thomas Carlyle이나 콜리지 Samuel Taylor Coleridge 같은 유럽의 시인들의 칸트 독해를 매개로 하면서, 칸트가 현상이 있고 물 자체가 있다는 식으로 생각했다는 것은, 역으로 어떤 의미에서 물 자체를 인식할 수 있다고 한 것이라고 생각합니다. 칸트는 이론적 이성(오성)은 물 자체에는 도달하지 못한다고 적어도 표면적으로는 말하고 있지만, 그렇다는 것은 현상의 저편에 참의 실재가 있다는 것을 알고 있는 것이 아닐까요. 경험에 의해 인식할 수 있는 범위가 현상이라는 것이지만, 칸트는 그 현상을 초월한 곳에 있는 물 자체를 직접 파악하는 능력이 있다고 말하고 있는 것이 됩니다. 이런 식으로 칸트를 잘못 독해하는 것입니다.

　물 자체와 현상이라는 구별 속에서, 가능한 한 현상 쪽에만 승부를 걸고 물 자체는 괄호를 치고 경우에 따라서는 생략하고 나가는 것이 근대 과학의 흐름이기도 하고, 동시에 프래그머티즘으로 향하는 선이기도 하죠. 그러나 초월주의는 어떤 의미에서 유럽보다 더 단적으로 반경험주의적인 철학을 만들어갑니다. 그것이 프래그머티즘 직전에 나옵니다. 이 기묘함을 생각해둘 필요가 있다는 것이 저의 문제제기입니다.

초월주의는 어떤 것인가?

하시즈메　초월주의는 프래그머티즘에 인접해 있는 선행先行 사상인데도 정반대가 아닐까요?

　매우 재미있는 지적입니다. 어떤 의미에서 정반대. 그러나 어떤 의미에서 전부 그대로. 결국 정반대는 아니라고 생각합니다.

몇 개의 보조선을 그어가면서 프래그머티즘에 다가가봅시다.

우선 프래그머티즘을, 흔한 설명을 들어서 이미지화하는 비속한 경험주의로 보지 않는 편이 좋습니다.

프래그머티즘에는 비속한 경험주의와 실증주의의 측면이 있습니다. 그렇지만 그것을 넘어선 것입니다. 사실은 그것이 아메리카의 비밀입니다. 자본주의이면서도 그것을 넘어서고 있습니다. 과학주의이면서도 그것을 넘어서고 있습니다.

초월주의와 프래그머티즘. 보기 쉬운 공통점을 확인해두면, 어느쪽도 특정한 교회, 종파, 조직, 도그마에 종속되지 않습니다. 종속되면 안 된다고 생각합니다. 이것이 중요한 공통점입니다.

왜 그럴까요? 초월주의는 보통의 신비주의가 아닙니다. 초월주의가 1830년 무렵이라고 한다면, 그때는 아메리카의 지식인이 대중의 경험을 세련된 언어로 서술한 시기입니다. 그 이전부터 공통된 이해가 누적되어 있었습니다. 그 공통된 이해란 자연과학은 올바르다, 인간의 이성은 신뢰할 수 있다, 인간은 신의 일을 생각하고 교류할 능력이 있다 등과 같은 것입니다.

하나 기억해두어야 할 것은, 가톨릭에는 수도원이 있지만 프로테스탄트에게는 없다는 점입니다. 신부는 미사를 집행하거나 교구의 신도에게 봉사를 하기도 하면서 매우 분주합니다. 수도원은 교구도 없고 신도에 대한 책임도 없습니다. 그들은 기도의 전문가입니다. 교회와 수도원은 이렇게 분업을 하고 있습니다. 수도원은 경비가 많이 듭니다. 프로테스탄트는 그런 수도원을 폐지했습니다. 기도는 누구라도 일을 해가면서도 할 수 있습니다. 당연히 그럴 것 같았는데 막상 해보니까 잘 안 됩니다. 일요일에 교회에 가는 것이 고작입니다. 초기 아메리카 식민지는 플리머스 같은 곳은 예외로 하자면, 세례를 받은 착실한 신도가 인구의 극히 일부였습니다.

그렇다면 프로테스탄트에게 교회가 중요하냐고 하면 그렇지는 않습니다. 개개인이 신의 앞에 섭니다. 개인과 신의 관계(만)가 중요하기 때문에 교회는 어떤 의미에서 아무래도 좋습니다. 교회는 구원을 '집행하는' 권한이 없습니다. 인간과, 인간을 초월해서 인간을 구원하는 신의 관계만이 중요하게 됩니다.

그러면 개인이 세속 생활 속에서 신을 향하는 것은 어떻게 해야 할까요? 통상의 기독교라면, 그것은 성령의 활동입니다. 성령이 활동해서, 세속 생활을 영위하는 인간을 신의 방향으로 향하게 합니다.

그런데 유니테리언은 통상의 기독교와 달라서, 삼위일체론을 전제로 하지 않는 입장입니다. 삼위일체론은 인간이 생각한 교의(공의회의 결의)에 불과하지, 신의 가르침이 아니다. 예수가 신이 아들이라는 것도 마찬가지로 인간이 생각한 교의다. 이런 입장을 세우면, 인간이 신의 일을 생각하고 신과 교류할 수 있는 것은, 인간이 그런 영적인 능력을 갖추고 있기 때문이라고밖에 생각할 수 없습니다. 자신의 그러한 영적 성질을 믿습니다. 자신을 초월한 영적 세계와의 교류를 희구하는 것이 초월주의입니다.

그 초월주의의 대표자가 에머슨입니다.

그러니까 초월주의는 무신론(통상의 기독교와는 다른 생각)에 한 발을 들여놓고 있습니다. 그렇지만 남은 한 발은 신앙에 머물러 있습니다. 가톨릭이 아닌 프로테스탄트에게만 보이는 특유의 종교적 태도라고 생각합니다.

초월주의와 칸트는 궁합이 잘 맞습니다. 어째서일까요? 칸트는 어떤 신앙을 갖고 있는지 확실히 얘기하지 않습니다. 자연과학을 인정합니다. 그리고 프로테스탄트의 각 종파의 신앙을 부정하지 않기 때문입니다.

오사와 위화감이라든가 이견이 전연 없군요.

에머슨의 사상

오사와 시대적으로 말하면, 에머슨은 제1차 각성 운동 무렵이네요. 말씀하신 대로 퀘이커나 감리파 가운데서 일어난 것을 다소 철학적으로 또는 시적으로 세련된 형태로 표현하면, 에머슨의 초월주의 비슷한 느낌이 아닐까 하는 생각이 듭니다. 일종의 자연과의 일체감이랄까, 자연 그 자체가 커다란 자아 같은 것으로 나의 자아와 연결되어 있는, 그 커다란 자아에 의해 내가 움직이고 있는 것 같은 그런 것이 초월주의의 내용입니다. 그렇기 때문에 정말로 각성해서, 객관적으로는 전혀 상황이 변하지 않지만 세계를 보는 방식이랄까 우주의 그림과 땅이 반전하는 것 같은 기분이 돼 보이는 것을 좀 더 빈틈없이 사상적으로 표현하면 초월주의로 되어갑니다. 완전히 말씀하신 그대로라고 생각합니다.

물론 초월주의 안에는 평범하게 보아도 프래그머티즘과 비슷한 부분이 있습니다. 대부분의 교과서에는 그 부분이 강조되어 있습니다. 예를 들어 구체적으로 말하면, 텍스트보다도 생활을 중시하는 감각입니다. 또는 행동에 있어서 무언가가 변하지 않으면 사상으로서 의미가 없다는 감각을 대단히 강하게 갖고 있습니다.

에머슨의 제자와 같은 위치를 가졌던 사람이 H. D. 소로입니다. 제가 대학에 입학했을 때 제일 먼저 읽은 영어책이 그의 『월든, 숲 속의 삶Walden, or Life in the Woods』인데, 이상하게 어려운 영어 때문에 고전했던 기억이 납니다. 그가 숲에서 어떤 생활을 했는가에 관한 기록인데, 문자 그대로의 의미에서 실용서 비슷한 점이 있습니다. 숲 속에서 어떻게 생활하면 좋은가, 어떻게 오두막을 지으면 좋은가 같은 것이 많이 씌어 있습니다. 사상과 생활은 완전히 일체라는 감각이죠.

앞에서 말한 수도원적인 것과도 연결되는 느낌입니다. 노동을 하지 않고 기도만 하는 사람에게 종교적인 것이 머물리가 없고, 노동하는 가운데 가장 초월적인 것에 접하는 순간이 있다고 하는 느낌입니다. 한쪽에는 수도원적인 세계를 두고 다른 쪽에는 프래그머티즘을 두고 보면, 확실히 행동 가운데서 어떤 결과를 낳는지가 사상이나 개념의 핵심이 된다는 것이 프래그머티즘의 중요한 주장이지만, 초월주의는 분명히 이들 양극의 가교라는 것을 알게 되는군요.

하시즈메 네.

프래그머티즘 그 이상

오사와 그것은 확실히 맞습니다만, 저로서는 동시에 하나 더 중시하지 않으면 안 된다고 생각합니다. 요컨대 하시즈메 선생도 말씀하신 것이지만, 초월주의 속에는 언뜻 보기에 이중성이 있는 셈입니다. 한쪽에는 프래그머티즘과 매우 다른, 경험을 초월한 정신의 직관을 매우 중시하는 면. 다른 쪽에는 사상과 생활, 행동의 일체화라는 면.

후자만 보면 프래그머티즘과 가까운 점도 있습니다. 그 연계를 볼 때, 언뜻 보기에 프래그머티즘과 다른 부분도 프래그머티즘과 관련지어 이해하지 않으면 안 된다고 생각합니다. 요컨대 보통은 어떻게든 프래그머티즘에 한 걸음 더 나아가는 것 같은 점만 중시하고, 따라서 초월주의는 프래그머티즘의 전사前史가 된다고 말합니다. 물론 그렇지 않지만, 역으로 언뜻 보기에 프래그머티즘과 멀리 떨어져 있는 것처럼 보이는 부분도 염두에 두지 않으면 안 된다는 것이지요.

초월주의는 앞서 말한 과학 혁명보다 더욱 프래그머티즘으로부터 떨어져 있는 것처럼 보입니다. 여하튼 앞서 말한 것처럼, 이론적인 이성이 파악할 수 있는 현상의 저편에 참의 실재가 있는 것처럼 말하고 있기 때문입니다. 과학 혁명 속에서 획득한 인식의 본질을 반성적으로 추출하는 것이 칸트의 철학 특히 『순수 이성 비판』이기 때문이죠. 칸트를 배반하는 것 같은 모양으로 칸트를 계승하고 있는 그들은 과학 혁명보다 더 프래그머티즘으로부터 떨어져 있는 것처럼 보입니다. 그러나 그 가장 멀리 떨어져 있는 것처럼 보이는 부분을 포함해서 프래그머티즘과의 연계를 이해하고 설명하지 않으면 안 됩니다. 그렇게 하지 않으면 결국 프래그머티즘의 재미있는 부분도 보이지 않습니다. 또한 아메리카적인 것의 중요성도 보이지 않습니다. 앞서 하시즈메 선생이 말씀하신 것처럼, 아메리카는 세속적이지만 세속 이상이고, 자본주의이지만 자본주의 이상이며, 이 정도로 과학주의에 철저한 나라는 없는 것으로 보이지만 과학 이상이 되고 있습니다. 따라서 프래그머티즘에 대해서도 프래그머티즘이지만 프래그머티즘 이상인 부분도 보지 않으면 안 됩니다. 초월주의를 배경으로 뒤에서 빛을 비추면 프래그머티즘 속에 있는 놓치기 쉬운 측면이 부상될 것 같은 기분이 듭니다.

선구로서의 유니테리언

하시즈메 초월주의와 나란히 프래그머티즘의 선구 형태라고 생각되는 것이 유니테리언입니다.

퀘이커와 감리파의 얘기를 했습니다만, 퀘이커는 퀘이커끼리만 모여서 친우親友 교회라는 그룹을 만듭니다. 감리파는 감리파끼리만 모여서 감리 교회를 만들고 있습니다. 그렇지만 유니테리언은 유니테리언 교회를 만들지만 앞의 교회들과 같은 종류의 교회인지 어떤지 미묘합니다.

하버드대학교가 유니테리언이라는 얘기는 했습니다. 그러나 처음에는 칼뱅파였죠. 회중파의 칼뱅파였습니다. 회중파는 자치를 중시하고 무엇이든 회중이 결정합니다. 목사를 누구로 정할까, 임원을 누구로 정할까, 금년의 활동 방침은 어떻게 정할까, 그리고 자신들이 무엇을 믿을까(교의)도 회중이 토론해서 결정합니다. 토론하고 있던 동안에 유니테리언의 회중이 증가해서 유니테리언 교회로 간판을 바꿔 달게 되었습니다. 그래서 하버드대학교는 칼뱅파가 아니라 유니테리언이 되었습니다.

유니테리언은 천문학도 물리학도 진화론도 옳다고 생각하기 때문에 대학교가 과학의 교육과 연구를 발전시켜도 아무 문제가 없습니다.

유니테리언의 특징을 정리해보면, 교의(도그마)는 있어도 좋지만 그것은 각 개인의 문제이고 전원을 속박하는 것은 아니라는 것입니다. 그렇게 되면 기독교인가 아닌가, 교회인가 아닌가 미묘해집니다. 유니테리언은 도그마는 인정하지 않는다, 무슨무슨 학파는 인정하지 않는다, 그러나 우리는 철학이다라고 말하는 프래그머티즘과 꼭 닮았습니다.

오사와 그렇군요. 에머슨은 처음에는 유니테리언이었죠. 부모도 그랬고, 그래서 본인도 유니테리언의 목사 비슷한 일을 하던 도중에 맞지 않아서 뛰쳐나왔습니다. 따라서 유니테리언 이상으로 유니테리언이 된 것 같은 느낌이지 않습니까.

하시즈메 그런 사람이 많이 있었습니다.

오사와 어떤 의미에서 유니테리언과 프래그머티즘 또는 초월주의라는 것은 일종의 가족 유사성 비슷한 것을 만들고 있어서, 본인으로서는 유니테리언으로부터 나온 것을 몹시 의식하고 있지만, 작은 세계 속에서 이동하고 있는 느낌이 들지 않을까 생각했습니다.

하시즈메 칸트를 읽고서 '형이상학 그룹'이라는 이름의 서클에 모였습니다. 하버드대학교에서 했겠죠. 하버드는 그 무렵 유니테리언의 아성이었기 때문에 유니테리언의 분위기가 농후했습니다. 일본의 철학자는 유니테리언을 철학과 관계없다고 생각하고 별로 중시하지 않지만, 아메리카

에서는 중요합니다. 하버드대학교의 철학동棟의 이름은
에머슨 홀입니다. 에머슨은 철학자이자 유니테리언이고
초월주의자입니다.

오사와 이것은 유니테리언에 한정된 것이 아니지만, 이런
것을 고찰할 때 어려운 점은, 거기에 있는 당사자에게는
너무도 자명한 전제가 그들 자신에 의해 자각되지도 않은
채로 말로 표현되어서 "자신들은 이렇다"고 특별히 말해
지기도 하는 것은 아닐까 하는 것이지요. 외부로부터 그
사회를 관찰하는 사람은, 특별히 글로 쓰이거나 말해지지
않은 그런 전제가 있다는 것을 깨닫기 어렵습니다.

가장 중요한 전제만 전해지지 않는 일이 자주 있어서,
외부의 다른 쪽에서 보고 있는 사람은 더 알 수 없기 때문
에 이런 종류의 일을 고찰할 때는 더욱 곰곰이 생각하게
되죠.

제4장 퍼스는 이렇게 생각했다

퍼스의 인물과 사상

오사와 그러면 지금부터는 프래그머티즘에 관해 더 구체적으로, 각각의 논자의 사상에 입각해서 고찰해가고 싶습니다.

아까는 제임스부터 들어갔지만, 프래그머티즘이란 용어를 만들고 그 개념 규정을 한 사람은 제임스보다 연상인 찰스 샌더스 퍼스Charles Sanders Peirce(1839~1914)입니다. 그는 상당히 만능적인 천재였던 것처럼 보이지만, 세간에서는 별로 평가받지 못한 채로 조용히 집필 활동을 하다가 죽었습니다.

제 생각에는 제임스 이후만 본다면 서양의 전통과 프래그머티즘의 연계를 보기 어렵게 되지만, 퍼스에 착안하면 연계의 부분이 확실히 보입니다. 퍼스라는 사람도 여러 가지를 말하고 있지만, 제가 감탄한 것은 탐구inquiry란 무엇인가에 대한 정의입니다. 지극히 명석합니다.

탐구는 회의doubt라는 자극에 의해 시작되고, 신앙 또는 신념belief에 의해 정지되는 과정입니다. 그렇게 정의하고 있습니다. 이것이 여러 가지 의미에서 고찰해가는 복선伏

線이 된다는 생각이 듭니다. 예를 들면 아까도 화제가 되었던 과학과 종교라는 문제이죠. 의념疑念 쪽이 과학에 관계하는 부분, 신념은 종교에 관계하는 부분이라고 말할 수 있습니다. 과학과 종교의 연계를 고찰하는 데 있어서도 꽤 재미있는 정의입니다.

퍼스에 따르면 의념을 신념과 연계하는 방법은 네 가지가 있습니다.

제1의 방법은 하나의 무언가를 고집하는 것입니다. 요컨대 의혹이 생기더라도 그것을 무시하고 고집하는 것입니다. 제2의 방법은 신이 말씀하시는 것이라든지 도그마라든지 권위에 의지하는 것입니다.

여기까지는 별거 아니지만, 나머지 두 가지가 중요합니다. 세 번째는 잠깐 듣기만 해서는 무슨 말인지 알 수 없을지도 모르겠지만, 선험적인a priori 원리에 의지하는 것입니다. 여기서 구체적으로 염두에 두는 것은 데카르트입니다. 데카르트는 의심에서부터 시작하고 있지 않습니까. 그래서 시종 의심으로 일관합니다. 의심 속에서 의심의 전제는 무엇인지 계속 거슬러 올라갑니다. 예를 들면 자신이 보고 있는 것은 망상인지도 모른다고 의심합니다. 그것을 망상이 아니라고 물리칠 만한 근거는 있는가라고. 그러나 이 근거도 의심할 수 있는 것입니다. 다만 계속해서 내면적으로 살펴볼 뿐입니다. 그리고 최종적으로 "나는 생각한다"라는, 점검하지 않아도 아는 선험적인 원리만을, 의심할 수 없는 것으로서 발견합니다. 거기서부터 모든 의심을 불식시켜갑니다. 이것은 초월론적이라고 말해도 좋지만, 경험에 선행하는 선험적인 원리로부터 시작해서 의심을 제거하는 것입니다.

그리고 네 번째가 과학입니다. 과학은 경험을 활용해서, 즉 프래그머티즘의 원리를 활용해서 의심을 극복합니다. 따라서 퍼스가 프래그머티즘이라고 말했을 때, 그가 맞수로 여겼던 방식은 세 번째의 선험적인 원리에 의해 진리에 도달하는 방식입니다. 그것에 대항해서 과학적인 원리를 둡니다. 그 기본적인 방침으로서 프래그머티즘이라는 것을 발명하는 것이죠.

제임스가 강의에서 말한 바에 따르면, 퍼스가 프래그머티즘이란 용어를 최초로 사용한 것은 1878년 「우리의 관념을 명확하게 하는 방법How to Make Our Ideas Clear」이라는 논문입니다. 앞서 말한 것처럼 "개념의 대상이 실제로 어떤 결과를 가져오는지가 그 개념이 갖는 의미의 전부이다"라고 하는 프래그머티즘의 원리가 여기에서 제시되었습니다.

실용적, 도덕적

오사와 여기서 꽤 재미있는 것은 이 용어의 출처입니다. 어디에서 취해온 것일까요? 조어造語인데, 기초가 되고 있는 것은 역시 칸트입니다. 아까 초월주의 사람들은 칸트의 한계를 넘어서서 자신들의 원리로서 사용하고 있다는 얘기를 했지만, 퍼스의 경우에도 칸트가 나오지만 그 사용 방식이 초월주의와는 대조적입니다. 무슨 말인가 하면, 칸트의 세 비판서 중 두 번째인 『실천 이성 비판』의 '실천(적)'이라는 것이 'praktisch'라는 단어입니다. 이 단어에서 온 것은 아닙니다.

칸트에 의하면, 인간의 행위를 규정하는 이 'praktisch'(일본어로 '실천적'이라고 번역되고 있는)한 법칙에는 두 종류가 있습니다. 그런데 두 종류의 법칙 가운데 하나가, 일본어로는 '실용적'이라고 번역되고 있지만, 'pragmatisch'한 법칙입니다. 또 하나는 'moralisch(도덕적)'한 법칙입니다. 실천적 법칙에는 실용적 법칙과 도덕적 법칙이 있다고 칸트는 말하고 있습니다. 퍼스는 그 'pragmatisch'한 법칙에서 힌트를 얻어서 'pragmatism'이란 용어를 사용하고 있습니다.

실용적과 도덕적은 어떻게 다를까요? 이것은 칸트의 독특한 표현 방식이기 때문에 상당히 어렵습니다. 도덕적 법칙이란 것은, 인간이 행복할 자격을 얻기 위해서 작동하는 법칙입니다. 그에 반해 실용적 법칙은, 행복을 얻기 위해서 "무엇을 하면 욕구를 충족시킬 수 있다"라는 형식으로 작동합니다. 요컨대 '행복할 자격을 얻는다'는 표현 방식과 '행복을 얻기 위해서'라는 표현 방식을 구분하고 있습니다. '자격을 얻는다'는 것은 "저 사람은 행복해야 마땅하지 않은가? 저토록 훌륭하니까"라는 것입니다. 그러나 그렇다고 해서 정말로 행복한지는 알 수 없습니다. 다만 "저와 같은 사람이야말로 이 세상에서 행복해야 마땅하다"고 우리가 생각하는 사람들이 무엇을 할 것인가 하는 것이 도덕적 법칙이지요. 그에 비해 예컨대 부자가 되고 싶다든가 맛있는 음식을 먹고 싶다든가 멋진 사람과 결혼하고 싶다든가, 행복을 얻기 위해서 어떻게 하면 좋을까 생각할 때 나오는 것이 실용적인 법칙이지요. 실용적인 법칙은 반드시 "A를 하면 (어떤 자연의 욕구를 충족시키는) B라는 결과를 얻을 수 있을 것이다"라는 구조를 갖고 있습니다. 이 'B라는 결과'가 '행복'입니다.

도덕적 법칙은 '정언적定言的kategorisch'이라는 엄청 어려운 일본어로 번역되어 있는 유형의 명령 형식을 갖고 있습니다. 정언적 명령이란 절대 무조건적으로 따르지 않으면 안 되는 명령이라는 의미입니다. 그에 비해 실용적인 쪽은 '가언적假言的' 명령입니다. 요컨대 'if……, then……'의 구조, '만일 무엇무엇이라면……'의 구조로 되어 있습니다. 그 가언명법 쪽에서 프래그머티즘이 나오지요.

요컨대 어떤 개념의 의미를 명확히 하기 위해서는 어떻게 하면 좋을까요? 프래그머티즘에 따르면, "x를 하면 y라는 관찰 가능한 결과를 얻을 것이다"라는 형태로 명확화할 수 있습니다. 예컨대 "이 물은 차갑다"라는 관념이 있다고 할 때 그것은 어떤 것을 의미할까요? 보통의 사람이 그 물에 닿았을 때 차갑다거나 춥다는 감각을 느끼는 걸 말할까요? 또는 무언가 온도계 비슷한 사물을 투입했을 때 그 온도계의 눈금이 낮아지는 걸 말할까요? 요컨대 "무엇무엇을 하면 무엇무엇"이라는 관측 가능한 결과가 나온다는 것에 의해 개념의 의미를 얻게 됩니다. 좀 전에 얘기한 실용적인 법칙과 동일하게 가언 명령의 형식이 되는 것입니다.

어디가 재미있다고 생각했냐면, 칸트에 따르면 도덕적 법칙 쪽이 훨씬 중요하죠. 요컨대 도덕적 법칙의 중요성을 말하기 위해서 버리는 돌로 실용적 법칙이 있습니다. 실용적 법칙은 단지 조건이 있을 때 득을 보기 위해 하는 것일 뿐입니다. 그에 비해 도덕적 법칙은 보편적인 법칙이기 때문에 조건이 없습니다. 진정한 법칙을 눈에 띄게 하기 위해 가언 명령이 있습니다. 요컨대 프래그머티즘은 칸트에게 있어서 중요하지 않은 쪽을 따온 것입니다. 그 점이 재미있다고 생각합니다.

초월주의는, 칸트가 "인간은 여기까지밖에 할 수 없어요"라고 이른바 경계선을 그었지만, 그 경계선의 저편으로 가서—칸트의 금기를 범하면서—사실은 칸트가 말하지 않은 것을 칸트가 말한 것처럼 받아들이면서 탄생합니다. 그에 반해 프래그머티즘은 칸트가 더욱 말하고 싶은 것이 있었는데도 다른 부분을 취하고 있습니다. 우리도 논문 안에서 중요하지 않은 부분이 인용되면 왜 저쪽을 택하지 않았나 하고 생각하는 경우가 종종 있지요.

하시즈메 네. 그렇습니다.

퍼스와 제임스

오사와 여기서 퍼스와 제임스가 어떻게 다른가를 조금 생각해둘 필요가 있습니다. 아메리카의 전체상을 파악하거나 아메리카의 핵심에 닿기 위해서는 역시 제임스 쪽이 그 특징을 잘 드러내고 있지만, 제임스 쪽만 보고 퍼스 쪽은 경시해도 좋은가 하면, 그렇지 않다는 느낌이 듭니다. 제임스 생각의 핵심 부분은 역시 퍼스에서 출발하고 있습니다. 요컨대 제임스의 단계에서는 보기 어렵게 되어버린, 원래 작동하던 힘이랄까 추진력이 보이는 느낌이 듭니다.

제임스와 퍼스의 차이는 표면적으로는 파악하기 어렵습니다. 양쪽 다, 개념의 대상이 되는 것이 실제로는 우리의 경험에 어떤 결과를 가져오는가를 고려하면 개념의 의미를 알게 된다는 것입니다. 관념적, 추상적으로 아무리 생각해도 소용없다고 봅니다. 따라서 표면상으로는 완전히 동일하게 보입니다.

그러나 퍼스가 그런 식으로 말할 때 생각하고 있던 '실제적 조작'이란, 확실히 말하면 '실험'입니다. 뭐랄까, 퍼스는 실험이라는 개념을 확장하려 했던 것입니다. 앞서 과학혁명의 경우에 실험이 어떻게 중요한가에 대한 얘기를 했습니다. 다양할 뿐만 아니라 '유일한 진리'에 도달할 수 없는 것이 경험의 기본적인 한계입니다. 그러나 경험을 실험화하면 누가 해도 동일한 결과가 나오는 방식의 경험이 됩니다. 이렇게 실험은 과학에서 유일하게 승인된 경험이 되어갑니다. 퍼스는 그 실험이란 것을 고려하고 있습니다.

다만 실험이라고 해도 퍼스의 경우, 예컨대 "이 의자는 무겁다"라고 할 때, "당신이 들어올리려 하면 근육이 아프다"라든가 "한 사람은 들어올릴 수 없기 때문에 두 사람 이상이 필요하다" 같은 것을 포함하고 있습니다. 따라서 '실험'이란 말의 의미는 꽤 느슨합니다. 그렇다고 해도 실험이 있기 때문에 기본적으로 누가 하더라도 동일한 결과가 된다는 것에 요점이 있습니다. 따라서 개념을 실험에 대응시킴으로써 그 의미를 상세하게 만든 것입니다. 퍼스는 이런 의미에서 '실제적 결과'라는 것을 말했습니다.

그에 비해 제임스는 '실제적 결과'라는 것을 한 단계 더 느슨하게 채택합니다. 알기 쉽게 얘기하면, "그것을 사용하면 뭔가를 느낀다"라든가 하는 정서적인 반응 같은 것을 포함합니다. 예컨대 "정어리 머리도 믿음에서"라는 식으로 "정어리 머리에 혼이 깃들어 있다고 생각하면 나는 매우 안심이 된다" 같은 것도 '실제적 결과'라는 식으로 생각하는 것입니다. 그렇게 되면, 그런 한도 내에서 '정어리 머리의 혼'은 참이라고 말할 수 있습니다. '한정적 진리'입니다. 제임스가 이렇게 말할 때, 진정으로 목표하는 바가 어디에 있는지 명확하죠. 요컨대 종교입니다.

예를 들면 신이 존재하는가 아닌가에 대해서, 신의 존재론적 증명 등에 도전해서 정면으로 '신의 존재'를 증명하려 하는 것이 중세 사람들이라면, 신이 존재하는 것을 믿고 전제로 함으로써 당신이 어떻게 되는가를 주제로 하는 것이 제임스입니다. 예를 들면, 신을 믿음으로써 살아갈 용기가 솟아나서 내일도 일할 기분이 된다든가, 자신의 인생에 희망이 생겨 의욕이 늘어난다든가 그렇게 된다면 신이 존재한다는 것과 동일한 의미를 갖게 되고, 신이 존재하든 아니든 그 사람의 생활에 아무런 변화가 없다면 신에게는 애초에 개념으로서 아무런 의미도 없다는 것입니다.

여하튼 제임스는 신의 존재에 관해서도 진위를 말할 수 있도록 준비하기 위해 '실제적 결과'에 정서적 반응이나 주관적 반응도 넣었죠. 그렇게 하자 프래그머티즘의 의의가 퍼스의 경우와는 반대로 되었습니다. 퍼스의 프래그머티즘은 무의미한 형이상학적 개념을 필요하지 않은 것으로 보고 버린다는 점에 의의가 있는 것으로 여겨집니다. 요컨대 예를 들면 신이라는 것을 가정하는가 않는가로 실제상의 결과는 변하지 않기 때문에 그런 것에 관해 고민할 필요가 없다는 것입니다. 그런 형이상학이라든가 신학에 바탕을 둔 개념을 떼어내는 것이 퍼스의 원래 동기입니다. 그러나 제임스의 경우는 그 반대입니다. 그런 개념에 권리를 주기 위해 프래그머티즘을 사용하고 있습니다.

따라서 원점에서의 프래그머티즘에 대한 정의는 대동소

이하지만 방향성은 완전히 반대입니다. 퍼스는 만년에 그것이 아무래도 마음에 들지 않았는지, 나는 이제 프래그머티스트가 아니고 프래그머티시스트pragmaticist라고 하는 등 새로운 용어를 도입할 정도입니다. "프래그머티시즘pragmaticism이란 말은 아무리 봐도 촌스러울 것이다. 이것이라면 타인에게 유괴당할 염려도 없겠지"라고 말할 정도입니다.

제5장 퍼스에서 제임스로

탐구의 전제

　오사와 퍼스의 논의에서 제 자신이 감탄한 것은, 앞에서 말한 것처럼, 탐구란 무엇인가에 대한 선명한 정의이지만, 그 경우에 퍼스는 이렇게 생각하고 있습니다. 탐구가 가능하기 위해서는 근본적인 전제가 필요하다고. 이 점이 먼 훗날 비판의 대상이 됩니다. 리처드 로티Richard Rorty (1931~2007)는 『프래그머티즘의 귀결』에서 아메리카 프래그머티즘의 전통을 평가하고 있습니다. 그런데 그 원점에 있는 퍼스는 부정합니다. 퍼스는 소용없다고 말하는데, 그것은 왜냐면 퍼스는 탐구가 일어나기 위해서는 유일한 진리가 있다는 가정이 필요하다고 생각하고 있기 때문입니다. 우리는 탐구한 결과를 다른 사람에게 얘기하고 "이럴 것이야"라고 설득하기도 합니다. 그렇게 되면 궁극적으로는 모두가 동의하는, "그렇지"라고 생각하지 않을 수 없다고 전원이 납득할 수 있도록 정해져 있는 의견이 있는 셈이 됩니다. 이것도 이미 하나의 의견이라는 점을 무시하고서 그것이 진리가 된다고 퍼스는 생각합니다. 이 보편적인 외경畏敬에 의해 표현되는 대상이 실재입니다.

퍼스의 '진리'나 '실재'라는 개념은 칸트의 '초월론적 가상'과 좀 닮았습니다. 실제로 진리나 실재에 도달해버리는 것은 없지만, 탐구라는 행위가 유의미해지기 위한 불가결의 전제이기 때문입니다.

인류는 실제로는 도달할 수 없는 영원의 저쪽에서나 진리에 도달하기 때문에, 실제로 우리는 늘 진리나 실재에 도달하지 못합니다. 요컨대 우리는 늘 계속해서 틀리고 있습니다. 영원히 닿을 수 없는 극한에 진리가 있기 때문에 손에 넣은 의견은 오류일 가능성이 늘 있습니다. 프래그머티즘의 중요한 요점은 이 오류주의라고 생각합니다. 그러나 "이것은 오류일지도 모른다"라고 생각하기 위해서는 오류가 아닌 것, 즉 진리가 필요하지 않습니까.

다만 퍼스는 만년으로 가면 점점 신비적으로 변해서 세계는 일종의 신비한 연속체라고 말합니다. 모든 것은 우리가 경험하는 한에서 궁극의 진리에는 도달할 수 없다. 오류 가능성이 남아 있다. 따라서 늘 의심을 품고 신념에 도달하는 일을 반복하고 있습니다. 그렇게 되면 세계는 확실성의 농도가 높은 부분과 비교적 확실성이 낮은 부분이 있고, 확실성 또는 불확실성에 관한 연속체가 된다는 이미지이지요.

진리는 아직 알 수 없다

하시즈메 진리에 대한 퍼스의 사고방식. 결코 도달할 수 없지만 탐구를 위해서는 진리가 전제가 되고 있습니다. 지극히 제대로 된 당연한 사고방식으로, 자연과학의 사고방식이라고 생각합니다.

자연과학은 가설이기 때문에 언제나 잠정적인 결론이고 반증 가능성에 노출되어 있고 계속 갱신됩니다. 모두 그렇게 생각하고 있지 않습니까. 그럼 어느것도 진리로 분명하게 드러나지 않냐면 그렇지는 않고 모두가 매일 노력하고 있습니다. 퍼스가 이것을 매우 적확하게 말하고 있다고 생각하면 로티는 어디가 마음에 들지 않았는지 알 수 없지만, 퍼스는 이상한 말을 하는 데가 하나도 없습니다.

오사와 맞습니다. 요컨대 퍼스는 근대 과학의 당연한 전제를 확실히 말했다고 생각합니다. 다만 거기에 두 가지를 부가하지 않으면 안 됩니다. 하나는, 아메리카보다 더 넓게 보아 인류의 지식의 체계로서 보았을 때 근대 과학은 매우 특수한 것이라는 점입니다. 각각의 문명이 각각의 진리 체계를 가져왔습니다. 일반적으로 진리 체계는 '제국'이나 '세계 종교'와 함께 생겨납니다. 과학 이외의 진리 체계의 전제는, 중요한 진리는 이미 알려져 있다는 것입니다. 현자라든지 예언자라든지 붓다라든지 특권적인 사람이 이미 진리를 알고 있습니다. 유럽도 근대 과학 이전에는 동일한 전제로 움직여왔습니다. 근대 과학만이 진리는 아직 알려져 있지 않다는 전제를 갖고 있습니다. 따라서 퍼스가 말하고 있는 것은 근대 과학으로서는 당연한 것이지만, 인류의 지식이라는 것을 전체로 보면 근대 서양 고유의 것을 극단적으로 과장하고 있다고 말할 수 있습니다.

그리고 하나 더 말하고 싶은 것은, 퍼스와 같은 방식으로 말하면 두 가지 역점이 가능합니다. 요컨대 아직 우리는 진리를 알지 못한다는 점과, 저쪽에 진정한 진리가 있다는 점입니다. 퍼스의 마음의 중심重心은 '있다' 쪽에 있지요. 한편, 제임스와 로티는 '아직' 쪽에 요점이 있습니다.

모든 지식은 연속되어 있다

하시즈메 이런 것 아닐까요. 지식이 확실한 것부터 애매한 것까지 연속되어 있다는 것이 왜 중요하냐면, 만일 확실한 지식이 확실하지 않은 지식과 분리되면 그것만이 의심을 떨쳐내기 때문에 도그마가 됩니다. 도그마를 인정하지 않으면 안 되게 됩니다. 한편 모든 지식이 연속되어 있다면 도그마가 존재하지 않게 됩니다. 종교든 진리의 제도든 인간을 구속해버리는 도그마가 존재할 수 없다고 말하고 있습니다. 매우 중요한 근본적인 주장으로서 이것이 프래그머티즘의 본질이라고 생각합니다.

오사와 그렇군요. 연속이라는 것으로 퍼스가 말하고 있는 것은 매우 이해하기 어렵습니다.

하시즈메 지금처럼 해석하면 일관됩니다.

오사와 그렇군요. 여기서 퍼스와 제임스의 차이가 확실해지는 느낌이 듭니다. 퍼스처럼 생각하면, 우리가 경험하고 있는 것은 전부 오류의 가능성이 있죠. 따라서 궁극적으로는 경험과 진리가 분리될 수도 있습니다. 한편 제임스에게 있어서는 모든 실재가 직접 경험이죠. 경험 저편의 참의 실재 따위는 생각하지 않죠. 따라서 퍼스의 경우에는 잠정적인 진리는 있어도 진정한 진리에는 도달할 수 없다는 것을 역설하지만, 제임스는 잠정적이라고 해도 진리임에는 변함없다는 점을 강조합니다.

아까부터 말해온 것처럼, 프래그머티즘에서 최종적으로 중시되는 것은 후자 쪽입니다. 요컨대 어떤 종류의 경험에서 유효성을 발휘하고, 추구하고 있는 것을 그것에 의해 얻게 되고, 우리의 행복과 쾌락이 증가하는 것이라면, 그 한도 내에서 진리라는 식으로 생각하는 것이 프래그머티즘의 요점입니다. 한편으로는 실증적 진리와 한정적 진리를 구별해서 다소는 종래의 진리 개념을 존중하는 방식을 보여주고 있지만, 바로 한정적 진리 쪽에 제임스의 논의의 중심이 있습니다.

하시즈메 만일 퍼스와 제임스의 차이가 그것뿐이라면 거의 동일합니다. 그 차이를 고집해도 의미가 없습니다.

그런 느낌입니다. 아까 유니테리언 얘기를 했지만, 유니테리언 교회에는 세례를 받은 보통의 기독교인도 있습니다. 태어날 때부터 유니테리언인 사람도 있습니다. 유니테리언은 세례를 받지 않고, 삼위일체론도 관계가 없습니다. 그리고 지금은 이슬람교도, 불교도, 무신론자, 사회주의자도 있습니다. 비유해서 말하면, 퍼스는 세례를 받은 기독교인 유니테리언이고, 제임스는 세례를 받지 않은 유니테리언입니다. 그렇지만 두 사람 다 유니테리언입니다. 그 두 사람이 함께 있는 것이 유니테리언의 본질이고, 퍼스와 제임스 모두 프래그머티즘이라는 것이 프래그머티즘의 본질 아닙니까.

진리를 초월한 태도

하시즈메 프래그머티즘은 어떤 진리관에 서 있고 무엇을 진리로 삼고 있는지 고찰해보고 싶지만 그렇게 해서는 안 됩니다. 그렇게 생각하는 것은 "철학은 어떤 진리를 진리로 삼아서 공유하는 사람들이 그룹을 만들어야 한다"는, 프래그머티즘 이전의 사고방식에 사로잡혀 있는 것이기 때문입니다. 말하고 있는 것은 그것이 아니라, 어떤 사람에게 이 신념이 유용하다면 그것을 진리라고 인정하자. 그 유용성은 분명하다. 다른 사람이 다른 진리관을 갖고 있다고 해도 그것이 유용하면 그것도 인정하자. 이런 말을 하고 있는 것에 지나지 않습니다.

진리보다 더 상위에 경험의 유용성이라든가, 사는 데 도움이 된다든지 하는 설정이 있지만, 그것은 도그마도 아니고 원리도 아닙니다. 그것은 태도로 보여주는 것입니다. 태도로 보여준다는 것이 무엇이냐면, 퍼스와 제임스가 "우리는 프래그머티즘을 얘기하고 있습니다"라고 하는,

그것일 뿐입니다.

오사와 적어도 로티는 두 사람이 극적으로 다르다고 생각하고 있을 겁니다. 로티는 제임스의 어떤 부분을 과장해서 취하고 있지만. 극한 개념으로서 진리가 있다고 하는 식으로 상정한 경우와, 애당초 그런 것은 없고 실재도 없다는 식으로 생각한 경우가 어떻게 다른가를 생각해봅시다. 만일 극한에 진리가 있다고 한다면 "당신이 말하고 있는 것보다 내가 말하는 것이 더 진리에 가깝다"라는 것이 의미를 갖기 시작하죠. 예컨대 두 개의 소설을 비교해서 어느쪽이 진리인가를 말해도 어쩔 수 없지 않습니까. 그에 비해 보통의 과학 이론이라면, 예컨대 특수 상대성 이론으로 서술할 수 있는 것과 뉴턴 역학으로 서술할 수 있는 것 중에서 어느쪽이 진리에 가까운가에 대해서 "특수 상대성 이론으로 고찰해도 아직 알 수 없는 부분이 많이 남아 있지만, 뉴턴 역학보다 진리에 가깝다"라고 말하는 편이 의미를 갖게 되죠. 그러나 솔직하게 말하면 로티는 진리를 둘러싼 이런 다툼은 의미가 없다고 생각하고 있죠. 진리를 둘러싼 논쟁을 소설의 비교와 동일한 유형으로 환원시켰다고나 할까요.

진리에도 두 가지가 있다

하시즈메 저는 로티에 대해서 상세히 알지는 못하지만, 얘기를 듣고 있자니 로티는 프래그머티즘의 본질을 파악하지 못하지 않았나 싶습니다. 로티는 자신의 사상을 프래그 머티즘이라고 생각하고 있는 것처럼 보이지만 오해인지도 모르겠습니다.

종교에는 종파가 있고 도그마가 몇 개나 병렬되어 있어 그 도그마들 중 어느 것이 진리이고 어느 것이 진리가 아 닌지를 대개 얘기하지 않습니다. 어느 도그마에 속해도 다 른 도그마는 진리가 아닌 것처럼 봅니다. 척박한 진리 다 툼이 일어납니다.

자연과학은 다릅니다. 인류 전체가 공통의 규칙을 따르 면서 잠정적인 가설을 넘어 점점 궁극의 진리에 접근해가 는 그런 운동입니다. 이 운동에서는 누구 쪽이 진리에 가 깝다고 말하는 것에 의미가 있습니다. 도전의 방식도, 논 쟁의 규칙도 명확합니다.

이 두 가지, 즉 종교와 자연과학 모두를 감싸안는 것이 지식 운동이고 이 양쪽을 감싸안는 토대가 프래그머티즘 입니다. 그래서 진리에도 두 가지가 있게 되지만, 그 두 가 지를 혼란스럽게 만들어서는 안 됩니다.

오사와 그렇군요. 그것은 나중에 또 로티의 얘기를 할 것 이기 때문에 거기서 다루기로 하죠.

우리가 일면밖에 보지 못한다는 생각이 들면 곤란하기 때문에 말해두고 싶은 것이 있습니다. 일찍이 기호론이나 구조주의가 유행하고 있던 무렵에 그 원류에 소쉬르가 있 다고 여겨졌습니다. 그러나 그 무렵 기호론적인 사고방식으로는 소쉬르 이전에 실은 퍼스가 있다는 것이 재발견되었습니다.

상세하게 깊이 들어가지는 않겠습니다만, 퍼스가 왜 기호론을 구상했는가 그 이유만은 고찰해두고 싶습니다. 퍼스는 인간의 직관 능력을 부정합니다. 직관이란 무엇인가 하면, 그것 이전의 인식에 규정되지 않는 인식입니다. 보통 우리가 뭔가를 인식할 때는 뭔가 다른 인식을 전제로 하기 마련입니다. 그러나 그 전제가 되는 인식은 편견이라고 말할 수 있습니다. 그런 편견에 영향을 받지 않고서 진리를 단숨에 인식하는 것이 직관입니다. 퍼스는 그런 의미에서 직관은 있을 수 없다고 말합니다.

제 생각으로는, 이 주장의 흐름 가운데서 기호론이 나왔습니다. 결국 인간의 사고는 기호에 매개되는데, 기호에 기호를 겹치는 것만으로는 인식이 일어나지 않죠. 사물의 진리성을 직접 파악하는 것은 불가능합니다.

하시즈메 그렇군요.

초월주의는 자연을 보고 신과 교류합니다. "당신은 정말 교류하고 있습니까?"라고 의심을 받기 때문에 "교류하고 있습니다"라고 말하기 위해 영감에 의해 시를 쓰는 것입니다. 이것이 교류의 최고의 증명이고 타자에 대한 표명이 된다고 생각하죠. 퀘이커도 내면의 빛으로 가득차면 영감이 이끄는 대로 말을 지껄입니다. 직관은 직관이 아닌 것이 될 때 비로소 직관으로서의 모습을 나타냅니다. 그것은 불가피합니다.

초월성과 언어의 문제

하시즈메 그런데 프로테스탄트는 성서를 표현하는 유일한 언어를 없애버리고서 독일어 성서, 프랑스어 성서, 영어 성서를 번역하고, 그것을 신의 말씀에 최고의 언어 형태로 삼고, 국민 교육을 하거나 철자를 정하거나 문법을 정하거나 합니다. 시詩도 그 언어의 형식은 역시 근대 국민 언어로 짓습니다. 그래서 직관이 국민 언어에 의해 표현되게 됩니다. 워즈워스도, 에머슨도 모두 그렇습니다.

여기서 퍼뜩 생각합니다. 영어 시와 프랑스어 시, 독일어 시 중 어떤 것이 옳은가? 번역할 수 있는가? 신은 신의 언어로 세계를 창조하고 인간에게 감성을 부여했지만, 영어는 인간이 만든 것인지도 모르고 시대나 뭔가의 제약이 있다. 그 왜곡은 어떻게 되는 건가?

초월주의 입장에서 칸트적인 틀에 입각하게 되면, 언어 그 자체가 초월성을 저해하는 요인으로서 과제로 떠오르는 것이 당연하기 때문에, 퍼스는 매우 올바르게 문제를 설정했다고 생각합니다. 그것은 오로지 프로테스탄티즘으로부터 나옵니다.

오사와 그렇군요. 재미있습니다.

새로운 관념을 가져오는 귀추

오사와 퍼스가 생각한 것 중에서 하나 더 어떻게 해서라도 말해두지 않으면 안 되는 것이 '귀추歸推abduction'라는 추론 형식입니다. 추론의 형식에서 가장 전형적인 것은 연역법deduction이죠. 그에 반해 다양한 경험적 사실을 모아서 그 공통성으로부터 일반 법칙을 추출하는 것이 귀납법induction입니다. 일반적인 전제로부터 개별적인 결론을 이끌어내는 연역법은 옛날부터 있었고, 귀납법에 대해서는 프란시스 베이컨이 과학 혁명 무렵에 정교하게 정식화했습니다. 이 두 가지가 기본적이지만, 그와 더불어 세 번째 추론 형식이 있습니다. 그것은 퍼스의 조어造語이지만 귀추라고 합니다. 이 귀추라는 것은 사실은 오류 추리, 즉 틀린 추론입니다. 그렇지만 그런 점은 퍼스도 충분히 인정하면서, 그 오류 추리가 갖고 있는 생산적인 가치와 의미를 중시하는 것입니다.

전형적인 연역법은 삼단 논법이지요. "소크라테스는 인간이다. 인간은 반드시 죽는다. 따라서 소크라테스는 반드시 죽는다"와 같은 것입니다. 이런 식으로 하는 것이 보통의 연역법이지만, 귀추는 'P'라는 것을 알고 있고 'P이면 Q이다'를 알았다. 이때 'Q이면 P다'라고 생각해보는 것입니다. 논리학에서 이것은 '후건 긍정後件肯定의 오류 추리'라고 불려온 것인데, 'P이면 Q다'라고 해도 'Q이면 P다'라고 한정지을 수 없다는 것이 강조되어왔습니다. 그에 반해 퍼스는 이 추론에 가령 오류의 가능성이 포함되어 있다고 하더라도 여전히 창조적인 의의가 있다고 생각했습니다.

생각해보면 연역법은 일반적인 전제로부터 특수한 명제를 도출하는 것이기에 이미 존재하고 있는 관념을 전제로 할 수밖에 없죠. 귀납법의 경우는, 새로운 관념을 찾아내는 것이 가능할 것처럼 보이지만 그렇지 않습니다. 구체적인 사례의 집합으로부터 본질적인 것을 찾아내기 위해서는 미리 무엇이 본질적인가를 전제로 하지 않으면 안 된다는 논점論點 선취先取와 같은 문제가 있습니다. 위의 두 방식에 비해 귀추만이 새로운 관념을 가져올 수 있습니다.

P는 전부 Q였다고 해봅시다. 그러면 Q는 전부 P라고 생각해봅시다. 이것은 틀렸을지도 모릅니다. 그러나 새로운 가설입니다. 오류 가능성이 있는지도 모르지만 새로운 관념을 가져옵니다. 가정해보고 탐구해봅니다. 그렇게 되면 물론 결과적으로 오류였다는 것이 발견될 수도 있고, 역시 생각했던 대로였다는 것을 확인할지도 모릅니다. 퍼스 안에는 두 개의 추진력이 있는데, 먼저 궁극적으로는 절대 진리가 존재한다는 확신이 있습니다. 그러나 늘 진리는 아닐지도 모른다는 것이 유보되어 있습니다. 그 두 가지를 연결하면, 진리가 아닐지도 모르는 것을 일단 진리로 인정해보면 어떨까 하는 탐구의 과정이 생깁니다. 그렇게 해서 나오는 것이 귀추라는 추론 방식이고, 퍼스가 말한 것 중에서 가장 결실이 많은 것이 여기 있지 않을까 하고

생각하는 바입니다.

하시즈메 그렇군요. 매우 흥미롭습니다.

제임스의 '믿으려는 의지'

오사와 제임스에게 「믿으려는 의지」라는 논문이 있습니다. 이것은 프래그머티즘을 소개하기 좀 이전에 쓴 것이지만 상당히 재미있습니다. 이것은 퍼스의 귀추의 일반화라고 해석할 수 있기 때문입니다.

귀추는 요컨대 '믿어보자'는 것입니다. "사실은 P이면 Q라는 걸 알았다고 해서 Q이면 P라는 근거는 없지만, 우선 그렇게 믿어보자"라는 식으로 '믿으려는 의지'를 가져보자는 것입니다. 그렇다면 프래그머티즘을 일반 사람에게 계몽시키기 이전부터 제임스가 갖고 있는 기본적인 태도와 퍼스의 꽤 엄밀한 철학이 같은 측면이 있었다는 것이 시사됩니다. 퍼스가 학술적인 '탐구'의 경우만을 염두에 두고 사용했던 논리를 제임스는 인생 전체에 적용하고 있습니다.

이 '믿으려는 의지'도 그렇습니다. 여기서 제임스가 말하고 싶었던 것은 이것입니다. 우리 인간은 살 만한 가치가 있을까 고민합니다. 그러나 우선 인생은 살 만한 가치가 있다고 믿어보자 하는 것 아닌가라는 것입니다. 그렇게 하면 예언의 자기 성취 같은 것이 됩니다. 요컨대 믿고 있는 것이 사실이 됩니다. 나의 인생에 의미가 있을까 하는 식으로 생각하기 시작하면 어느 쪽도 결정하지 못하게 됩니다. 우선은 의미가 있다고 믿으려는 의지를 가지시오라고. 그렇게 하면 결과적으로 의미가 있게 된다는 것입니다.

"인생에 의미가 있다는 신념이 올바르다는 과학적 증명은 최후의 심판의 날이 올 때까지 알 수 없기 때문에"라는 취지의 내용이 씌어 있습니다. 최후의 심판의 날은 당장은 오지 않는다고나 할까, 사실은 언제까지나 오지 않기 때문에 지금은 믿으려는 의지를 가지자. 가령 알고 있다고 해도 그것은 최후의 심판의 날이기 때문에 고민하지 말고 믿으려는 의지를 가지자. 요컨대 귀추라는 사고방식의 일반화가 '믿으려는 의지'입니다. 이때 제임스는 퍼스를 의식하고서 말하고 있는 것은 아닙니다. 그렇지만 제임스에게는 퍼스가 갖고 있던 것을 뭔가 느슨하게 일반화하려는 경향이 있습니다. 결론적으로 말하면, 제임스의 프래그머티즘은 전부 그렇다고 생각합니다. 퍼스가 매우 엄격한 수비 범위 안에서 고찰했던 것을, 인간이 살아가는 양식 전체에 일반화해버리자고.

그렇지만 그렇게 하면 결과적으로 생각지 못한 역설이 생겨납니다. 퍼스는 지나치게 형이상학적인 개념이나 종교적인 개념을 이성적인 논의로부터 제외하는 것을 겨냥하고 있었습니다. 그러나 제임스가 그 발상을 일반화했을 때, 역으로 "신이 있어서 최후의 심판의 날에 당신의 인생의 의미에 대해 판정해줄지도 모른다고 믿어버리자"는 얘기가 되고, 퍼스가 꼭 배제하려 했던 것을 부활시키고 있습니다. 여기서 퍼스와 제임스는 곧장 연결됨과 동시에 대립하는 것이기도 합니다.

왜 이 얘기를 하냐면 이 대담의 첫 부분에서, 아메리카는 종교적인 경건과 극단적으로 세속적인 모독이 지름길로 연결되어 있는 것처럼 보인다는 점이 불가사의하다는 문제제기를 했기 때문입니다. 그런데 퍼스와 제임스의 이 연결에 이 의문을 해결할 하나의 열쇠가 있다고도 생각했기 때문입니다.

제6장 듀이는 이렇게 생각했다

듀이의 인물과 사상

오사와 프래그머티즘을 고찰할 때, 퍼스와 제임스 그리고 듀이 세 사람을 파악해두지 않으면 안 됩니다.

듀이는 마무리 역할을 하는 측면이 있습니다. 그의 논의에 의하면, 서양 철학은 근본적으로 이원론에 속박되어왔습니다. 그것은 추상적인 보편성과 구체적인 개체라는 이원론입니다.

이 이원론은 어디에서 온 것일까요? 그것은 직접적으로는 관상觀想(순수한 이성의 활동에 의해 진리나 실재를 인식하는 일)과 실천의 이원론에서 옵니다. 그것을 원류로 더 거슬러가면 고대 그리스의 시민과 노예의 이원론에 다다릅니다. 실천과 관계없는 것을 할 수 없었던 사람과 보고 생각하는 일에 매진할 수밖에 없는 사람이 있었습니다. 현대에 이르는 도중에 기독교가 중간에 끼어 그 이원론을 강화했습니다. 이것이 듀이의 견해입니다.

이것이 사상사 해석으로서 올바른가 아닌가는 지금은 미뤄두겠습니다. 어쨌든 듀이가 갖고 있던 이 세계관이 중요하다고 생각합니다. 듀이의 프래그머티즘은 보통 도구주의instrumentalism 또는 실험주의experimentalism라고 일컬어집니다. 그것이 뭐냐면, 요는 이론과 실천은 동일한 것이라는 사고방식입니다. 실천하면 어떤 결과가 나오는지가 사상의 요체라는 것입니다. 또는 사상은 환경을 개변하거나 통제하기 위한 도구라는 것입니다. 그런 사고방식입니다.

일본에서는 대부분 교육학의 맥락에서 받아들이고 있고, 실제로 듀이도 학교 같은 것을 만들어서 도구주의에 기초한 교육, 요컨대 생각하는 것이 어떤 식으로 환경을 바꾸는 데 도구로서 역할을 하는가를 아이들에게 체득시키려는 교육을 하고 있습니다. 말하자면 문제 해결형 학습입니다.

『아메리카의 반지성주의』로 유명한 리처드 호프스태터 Richard Hofstadter의 오래된 책에 '아메리카의 사회진화 사상'이라는 것이 있습니다. 스펜서의 사회진화론이 아메리카의 자본주의나 정치 사상에 어떤 관계를 맺어왔는가를 논하고 있습니다. 그 중에 프래그머티즘을 거론하고 있는데 듀이를 매우 중시하고 있습니다. 호프스태터에 따르면, 스펜서의 사회진화론은 자유 방임형의 시장 원리를 정당화하는 이데올로기가 되었습니다. 그런 상황 속에서 프래그머티즘, 특히 듀이가 새로운 사고방식을 도입했습니다. 요컨대 관념이라든지 사상은 그것을 가지고 환경을 개변시키기 위한 도구라는 인식이죠. 그것이 정치나 국가가 시장에 개입할 때의 중추가 되고, 그 뒤에 루스벨트의 사상이나 제도파의 경제학이 나오는 지적 분위기를 조성했습니다. 아메리카에서의 자본주의의 변화와 듀이의 프래그머티즘이 동일화되는 점이 흥미롭다고 생각합니다.

하시즈메 네, 그렇습니다.

사실과 가치

오사와 하나만 더. 듀이가 확실히 말했던 것은 사실 판단과 가치 판단의 관계입니다.

예를 들어 그리스 철학을 우리 눈으로 보자면, 가치 판단이 사실 판단을 규정하고 있습니다. 가장 유명한 것은 프톨레마이오스에게 계승된 아리스토텔레스의 우주입니다. 아리스토텔레스의 우주상은 물론 천동설이지만, 그것이 어쨌든 중요한 것은 천구天球가 완전한 원圓 운동을 한다는 것입니다. 그런데 실제로 생각해보면, 예컨대 혹성도 완전한 원 운동을 하지 않죠. 그렇지만 아리스토텔레스적으로 말하면 원 운동이 아니면 곤란합니다. 최고선最高善의 표현은 완벽한 원이어야 하기 때문입니다. 그렇게 되면 천구에 원이 아닌 것으로 보이는 것을 어떻게 생각하면 좋을까 하는 문제가 생겨서, 원 속에 원을 회전시킨다든지 대단히 복잡한 것을 이것저것 하게 됩니다. 어떻게 그렇게 되냐면, 원 운동이어야 한다는 규범적인 가치 판단이 선행하기 때문이죠.

206

그 규범적인 판단에 따라서 사실이 성립된다는 생각입니다.

그에 반해 근대 과학은 가치 판단과 사실 판단을 엄격히 구별합니다. 이것은 당연하지만, 프래그머티즘은 그것이 진리인가 아닌가는 그 사람에게 어떤 가치를 가졌는가에 의해서 결정되기 때문에, 원래부터 사실 판단과 가치 판단의 경계선을 애매하게 하고 있죠. 그것을 확실히 말한 사람이 듀이라고 생각합니다.

궁극적으로는 사실 판단으로부터 가치 판단을 끌어내는 것이 가능하다고 말합니다. 요컨대 "내가 무엇무엇을 바라고 있다"는 사실 판단이 있고 그것을 기초로 "나에게 무엇이 좋은가?"라는 가치 판단을 끌어내는 것이 가능하다는 것입니다. 이것이 정말로 성공할지 아닐지는 알 수 없지만, 듀이는 이러한 프래그머티즘의 기본적인 방향성을 확실히 말했습니다.

하시즈메 그렇군요.

제7장 프래그머티즘과 종교

종교의 장소

오사와 그렇다면 프래그머티즘의 대체적인 흐름은 본 것으로 치고, 아메리카를 고찰할 때 그것이 어떤 함의를 갖고 있을까요? 지금까지도 잠재적으로 논의되고 있지만, 프래그머티즘과 종교의 관계를 고찰하면, 프래그머티즘이라는 하나의 입장으로부터 극단적인 두 가지를 끌어낼 수 있다고 생각합니다. 한쪽에서는 무신론이나 종교적인 세계관으로부터 탈피한 계몽 사상에 친화적인 세계관을 끌어낼 수 있다면, 다른 쪽에서는 역으로, 강한 종교적 지향을 갖고 있기도 합니다. 그 이중성이 역시 중요하다고 생각합니다.

프래그머티즘이 도입한 것으로 알려진 새로운 진리나 개념에 관한 견해를 복습해보면, 어딘가에 가치 판단으로부터 독립된 객관적인 실재가 있고 그것을 투영하는 것이 진리라고 보는 전통적인 견해와는 대조적으로, 프래그머티즘의 경우에는 개념의 내용이라든가 관념의 진리성을 그것이 관계맺고 있는 대상이 어떤 가치를 지니는가, 어떤 유용성을 갖는가에 의해 측정하려고 합니다. 이 점에서 그때까지 평범하게 보였던 세계관을, 주객主客 도식에 기초한 세계관이라고 할까, 그런 것을 부정하는 듯한 지향성이 강합니다. 실제로 로티는 그것을 높게 평가합니다.

그러나 앞서 말한 것처럼 퍼스는 명백히 어딘가에 극한으로서 객관적인 실재가 있고, 진리는 그것을 표현한다는 감각을 갖고 있습니다. 듀이도 그렇죠. 제임스는 좀 미묘합니다. 제임스의 경우에 참의 실재라는 것은 순수 경험의 것입니다. 순수 경험이란 것은, 나중에 일본에서 이른바 니시다西田幾多郞 철학에서 사용된 개념이기 때문에 거기로 계승되고 있습니다. 하지만 제임스의 경우는 니시다 철학처럼 심오한 의미는 없고, 우리가 멍하니 있을 때 체험하는 것에 주관이 없으면 객관도 없는 그런 상태가 순수 경험입니다. 요컨대 주관과 객관이 혼재해 있는 세계의 모습 전체가 순수 경험입니다. 객체에 관해서 주관과 독립된 실재라는 식으로 말할 수도 없고, 주관적 환상도 말할 수 없습니다.

따라서 제임스의 경우는 말하고 있는 것이 미묘하지만, 어쨌든 프래그머티즘 안에서 객관적인 실재를 해소하고 환원해간다는 측면과, 그럼에도 불구하고 다른 한편에서 절대적 전제로서 그것을 요청하고 있다는 측면 등 두 측면이 있습니다.

그 양면성은 프래그머티즘이 신이나 종교에 대해서도 취하고 있는 해석의 양면성과 연계되어 있다고 생각합니다. 프래그머티즘은 우리의 경험이나 직관과 인식을 넘어선 지점에 있는 신이나 그 이외의 형이상학적 관념을 배제하기 위해 사용되고 있습니다.

그런 의미에서는 일종의 무신론이나 과학적 합리주의에 가깝습니다. 이것이 보통 프래그머티즘이 평가될 때의 요점이 되고 있습니다. 그러나 다른 한편에서는 프래그머티즘을 주창하는 사람들, 특히 세 사람을 들 수 있는데, 이 사람들은 전부 명백하게 신이나 종교를 중시하고 있죠. 궁극의 진리성을 추구하고 있습니다. 논리실증주의자들과 가장 관계가 좋은 퍼스조차도 그렇습니다. 매우 신랄하게 무신론적인 얘기를 하고 있는 것처럼 보이는 사상가가 최종적으로는 오히려 신에 구속되는 양상이 자주 있는데, 퍼스의 경우도 그렇습니다.

퍼스는 1908년, 말년에 가까워졌을 때부터 「신의 실재에 대해 무시되었던 하나의 논의」라는 논문을 썼습니다. 하지만 생각하기에 따라서는 프래그머티즘에 대한 배신처럼 보이기도 하는 논의를 전개하고 있습니다. 예컨대 우리는 '검다'라는 것을 경험할 수 있습니다. 어떤 사물이 검다. 그것은 경험입니다. 검다는 것을 경험할 수 있는 이유는 흑黑이라는 보편이 존재하고 있기 때문입니다. 예컨대 인간은 자기 희생을 실행하는 경우가 있습니다. 자기 희생을 '훌륭하다'고 생각할 수 있는 것은, 자기 희생이 보편적으로 존재하기 때문입니다. 그런 논의이죠. 흑이라는 보편성과 자기 희생이라는 보편성이 있는 것과 마찬가지로, 신이라는 보편도 감각을 초월해서 실재합니다. 그것이 퍼스의 도달점입니다.

이미 말한 것처럼 제임스도 개개의 신앙에 대해서는 한정적인 진리가 있다고 여겼습니다. 각자가 그것을 믿는 것이 유의미하다면, 그 한도 내에서 그것은 진리라고. 개개의 신앙에 대해서는 그렇지만, 최종적으로 신을 믿는 일반적인 부분에 관해서 말하면 제임스는 한정적인 진리를 넘어선 궁극의 진리, 초월적인 신앙을 논의의 가장 중요한 전제로 하고 있었습니다. 「종교적 경험의 다양성」에서 한정적 진리라는 유보를 뺀 초월적 신앙the over-belief이라는 것에 관해 얘기하고 있습니다.

듀이도 종교적인 것the religious이라는 개념을 도입하고 있습니다. 특정한 종교를 편들고 있는 것이 아니라, 종교적인 것이 궁극의 실재로서 전제되어 있습니다. 요컨대 우리가 감각적으로 이해하고 있는 세계와는 다른 차원이 역시 존재하고, 그런 것에 대한 초월적인 신앙에 충실해야 한다고.

그것만 보면 어떻게든 프래그머티즘에 반하는 것처럼 보이지만, 프래그머티즘 자체 속에는 독특한 이중성이 있죠. 이것을 어떤 식으로 이해하면 하나의 정합적인 시야 속에서 수습하게 될까요? 아메리카가 갖고 있는 특징이지만, 세속처럼 보이는데 세속을 넘어서고 있고, 경험주의자처럼 보이는데 초월주의자입니다. 그러한 이중성을 어떻게 생각할까 하는 것이 아메리카를 푸는 열쇠가 아닐까요.

프래그머티즘의 제안

하시즈메 잘 정리해주셨습니다.

일본에서 읽는 보통의 프래그머티즘 해설서에는 대체로 그런 식의 것들이 씌어 있습니다. 그렇지만 과연 그럴까 하는 생각이 듭니다.

프래그머티즘을 보통의 철학처럼 어떤 지적 체계로 보지 않는 편이 좋다고 생각합니다. 철학으로 보면 모순되어 보이고 이중적으로 보입니다. 개개의 프래그머티스트가 개인으로서 말하고 있는 것과 프래그머티즘이 주장하고 있는 것 사이에 격차 또는 모순이 있는 것으로 보입니다. 그것을 어떻게 받아들이면 좋을까 하는 반응이 생깁니다.

프래그머티즘은 종교에 관해 고찰하고 있습니다. 다양한 기독교 종파(교회)와 자연과학을 고찰하고, 이것이 조화되고 공존하는 아메리카라는 공간을 어떻게 설계하면 좋을까 고찰하고 있는 것입니다. 그것은 종교이면서 종교가 아니고, 철학이면서 철학이 아니고, 과학이면서 과학이 아닙니다. 하나의 아메리카적인 생활 방식의 제안입니다. 아메리카에는 다양한 사고방식을 가진 사람들이 있기 때문에, 서로 모순되고 있어서 전체로서 뭔가 말하고 싶게 되지만, 그대로도 좋다는 제안입니다.

호텔 복도

하시즈메 제임스는 『프래그머티즘』에서 파피니 Giovanni Papini라는 사람이 얘기한 예를 공감을 표하면서 인용하고 있습니다. 호텔의 복도처럼 각 방을 연결하고 있는 것이 프래그머티즘입니다. 어떤 방에서는 누군가가 무신론에 관한 책을 쓰고 있고, 옆방에는 무릎을 꿇고 기도를 올리고 있는 사람이 있습니다. 그 옆방에서는 화학자가 실험을 하고 있고, 네 번째 방에서는 누군가가 이상적인 형이상학을 고찰하고, 다섯 번째 방에서는 형이상학의 불가능성을 증명하고 있습니다. 요컨대 다양한 종교와 과학과 철학의 배치와 공존이라는 것입니다. 그렇다면 특정한 주장이 아닙니다.

상대주의인가?

하시즈메 그러면 이런 사고 실험을 해봅시다.

자신은 프래그머티즘 따위는 인정하지 않고 개똥이라고 생각한다. 칼뱅파의 신앙이 유일하게 옳아, 아니야 마르크스주의가 옳아, 아니야 논리실증주의가 옳아. 이렇게 우기는 사람들이 프래그머티즘의 일부일까요 아닐까요?

프래그머티즘이 성립된다고 하면 이것들은 프래그머티즘의 일부입니다. 프래그머티즘을 채택하지 않음으로써 사람들의 실험이 유용하게 진전되어 사람들이 더욱 행복하게 된다고 하면 프래그머티즘을 부정하는 사상을 프래그머티즘의 일부로 인정하자고 하지 않을 수 없습니다.

이것은 상대주의의 역설과 매우 닮았습니다.

상대주의가 있다고 하고, A주의와 B주의를 모두 인정하고서 "각자 괜찮아. 전부 인정하자"라고 X씨가 말했습니다. X씨의 상대주의가 성립하지 않는다는 증명을 위해, "상대주의 따위 절대 인정하지 않겠어"라고 하는 절대적 독재주의인 Y씨가 나타납니다. "절대적 독재주의, 괜찮아. 그것도 인정합니다"라고 X씨가 말하면, "자, 너를 살해하겠다, 불만은 없을 것이야"라고 하면서 X씨를 죽이면 상대주의는 없어져버린다는 것입니다.

정치학이라면 살해해서 그것으로 증명이 끝날지도 모르겠습니다. 철학에서는 이것으로 증명이 끝나지 않습니다. 스스로 목숨을 잃은 상대주의 사상이 아직 남아 있습니다.

프래그머티즘은 호텔의 각 방이 조화롭게 공존하는 관계를 갖고 있습니다. 프래그머티즘이란 틀은 살해 사건이 일어나도 남아 있는 것이 아닐까 생각합니다.

순회 설교사

하시즈메 프래그머티즘이 아메리카적이라고 생각하는 이유는 그 선구 형태가 대각성 운동이나 유니테리언이라는 다원주의적인 것이고, 특정한 도그마를 세우지 않는 행동 방식을 계속 갖고 있기 때문입니다.

대각성 운동의 중심이 되었던 순회 설교사라는 사람들

이 있었다는 얘기를 했습니다.

그들은 신학교에서 교육을 받고 목사가 된, 정통으로 전문적인 기독교인과는 달리, 어딘가의 누구와도 알지 못하는 본성을 알 수 없는 사람들입니다. 신학 교육을 받지 않고 종교적 소양도 전혀 불분명하지만, 어디선가 나타나며 특히 말을 잘합니다. 그런 순회 설교사가 이 마을에서 저 마을로 여행을 합니다. 청중은 회심하고 실신하기도 합니다. 그걸로 먹고 살 수 있는 순회 설교사가 수백 명도 넘었습니다,

순회 설교사의 특징은 특정 종파(교회)와 관계가 없다는 것입니다. 어떤 마을은 감리 교회, 옆 마을은 침례 교회, 그 옆은 루터파 교회인 경우에 특정 종파에 구애받아서는 순회할 수 없습니다. 어떤 청중에게라도 호소할 수 있는 성구成句를 늘어놓는 뛰어난 화술의 설교를 경험 속에서 만들어내는 것입니다. 종파로부터 독립되어 종파의 도그마에 사로잡히지 않는다는 점이 프래그머티즘의 원형이 되고 있습니다. 공동체를 연결하고 아메리카를 만들어내는 작용이 있었던 것입니다.

오사와 그렇군요. 오히려 독립 운동의 계기가 되었군요.

하시즈메 아메리카의 독립은 세속의 사건이지만 "우리는 기독교인, 특정 종파를 초월하고 있다"라는 귀속 의식이 생겨난 것이 컸습니다.

순회 형식의 비밀

하시즈메 이어서 말하자면, 순회 설교사와 방문 판매, 순회 예술인은 비슷합니다.

순회 예술인은 순회 설교사와 동일하게 이 마을에서 저 마을로 예술을 보여주면서 떠돌아 다닙니다. 대규모화하면 서커스나 쇼보트showboat가 됩니다.

그것이 머지않아 뮤지컬이 됩니다. 뮤지컬은 순회를 멈추고서 브로드웨이 같은 특별한 장소에서 상설 공연을 합니다만, 지방 도시의 순회 공연도 합니다. 내용은 세속적인 것으로서, 어떤 특정 종파(교회)와는 관계가 없습니다. 누구라도 즐길 수 있고 관람할 수 있습니다.

아메리카적인 것은 공동체를 연결하고 순회라는 형식으로 되어 있습니다. 유럽에도 순회 형식은 있지만, 계몽의 시대를 정점으로 수그러지고 아메리카처럼 발달하지는 않았습니다. 이것이 프래그머티즘의 비밀이 아닐까 생각합니다.

오사와 그렇군요. 재미있습니다.

복도의 성격

오사와 앞에서 여러 가지 방이 있다는 얘기를 했지만, 프래그머티즘에 대해서는 확실히 그런 평가가 있고, 로티는 확실히 그런 느낌입니다. 로티에 대한 비판은 대부분 "너는 상대주의에 지나지 않아" 같은 식이지만, 어떤 의미에서 그는 오히려 상대주의에 열려 있습니다. "당신이 기독교를 믿고 싶다면 그렇게 하시오. 이슬람교의 예배를 드리고 싶다면 그렇게 하시오"와 같이 여러 가지 방에 여러 종류의 사람이 있고, 로티는 그것을 넘어서는 초월적 진리는 없다고 생각하고 있습니다.

확실히 그와 같지만, 덧붙여 제가 생각하는 것은 그 복도의 성격입니다. 복도의 전체로서의 성격은 공식 견해상으로는 중립적이고, 칼뱅파 풍이라든가 퀘이커 풍이라든가 그렇게 말할 수는 없습니다. 그러나 역시 일종의 기독교이죠.

아메리카화된 기독교이죠. 로티는 프래그머티즘이 전체로서 일종의 문화 다원주의 비슷한 것을 이른 단계부터 말하고 있었다고 평가합니다. 그것은 한편으로는 옳지만, 중립적이라고 일컬어지는 그 공간이 어떤 식으로 만들어지는가를 생각해보면, 거기에는 이른바 무의식 속에 침투되어 있는 것, 즉 기독교가 있습니다. 초기의 프래그머티스트의 표현방식이 늘 이중화되어버리는 것은 그것 때문이 아닌가 생각합니다. 요컨대 한쪽에서는 완전히 상대주의적인 것을 얘기하고 있죠. 그러나 다른 쪽에서는 궁극적으로 본심을 말하자면 독특한 신앙, 몹시 탈색된 기독교 신앙이 덩그러니 드러납니다.

순회 설교사도 특정 종파에 속해 있지는 않지만, 설교사라는 것은 설교사일 뿐이죠. 따라서 프래그머티즘이 중립적인 상대주의의 공간을 준비한다는 식으로만 보면, 어느 나라에서도 모방할 수 있는 것처럼 생각되지만, 실은 그 기초에 일종의 기독교가 있다는 느낌이 듭니다. 그리고 그것이 기독교 자체의 특징이기도 하다는 느낌이 듭니다. 무의식의 기독교이면서 다양한 종교나 종파가 공존할 수 있는 공간이 될 수도 있습니다. 그것이 다른 종교와는 좀 다릅니다.

법에 대한 신뢰

하시즈메 한가운데 있는 복도의 성격을 일종의 기독교라고 말해버리면, 논의가 기독교로부터 벗어나지 않아서 아메리카라는 것에 닿지 않을 것 같은 느낌이 드네요.

복도는 무엇일까요? 그건 기독교가 아니라 법률입니다.

우선 필그림 파더스의 메이플라워호 계약이 있습니다. 메일플라워호에는 신앙을 갖지 않은 사람들도 절반 정도 타고 있었습니다. 신앙인과 그렇지 않은 사람들이 공존하기 위한 계약이기 때문에 세속의 것이고 신앙을 속박하지 않습니다.

아메리카에서는 이 패턴이 반복되고 있었습니다. 여러 교회와 신앙이 없는 사람이 공존하는 공간을 만들기 위해서는 입법 행위가 필요하고, 게다가 그 법률은 세속의 것입니다. 이 세속의 법률에 복종하는 것이 무엇보다도 우선시됩니다. 신앙과 동등하거나, 그 이상으로 존중받습니다.

이런 방식이 나온 것입니다.

　이런 방식을 하나의 철학으로 고양시킨 것이 프래그머티즘이라고 생각합니다. 이것은 기독교적이지 않다고 말할 수 있습니다. 왜 그러냐면 기독교를 존중하지만, 신앙이 없는 사람의 공간이 있기 때문입니다.

오사와 그렇군요.

　그 경우에 그 입법 행위가 어떻게 효력을 가질 수 있었는지가 의문입니다. 현재의 세계를 보아도 알 수 있고 역사를 뒤돌아 보아도 알 수 있지만, '법의 지배'를 제대로 확립하는 것은 매우 어렵습니다. 대부분 실패합니다. 법의 지배라든가 실효성 있는 입법 행위가 잘 확립될 수 있었던 것은 역시 서양뿐이고, 특히 아메리카가 그렇습니다. 그러면 어떻게 해서 서양과 아메리카에서 그런 일이 성공했을까를 묻지 않으면 안 될 것입니다.

　입법 행위의 효력이라든가 또는 아까 말한 복도가 복도로서 성립되기 위한 조건을 생각해보면, 그것을 성립시켰던 무의식의 에토스가 있었다고 생각합니다. 그 원천을 더 듬어가면 객관적으로는 기독교가 아닌가 생각합니다. 다만 그 기독교는 순회 세일즈맨이라든가 단지 통로 같은 복도라든가 프래그머티즘의 모습을 띤 세속화된—뭐랄까 탈색된—기독교이지만.

정작 근대인이기 때문에

하시즈메 그 복도의 성립, 사람들의 에토스의 유래는 어디에 있을까요? 내가 보기에, 그들은 모두 근대인이었습니다. 그들은, 자신은 신에게 복종하고, 신에게 복종하는 자기 자신에게 복종하되 타인에게는 복종하지 않는 사람들이었습니다. 신은 자신을 지배할 수 있고 자신은 자신을 지배해야 하지만, 타인은 자신을 지배할 수 없다. 이 전제에 입각하면, 사회 질서가 성립될 수 없다는 문제가 생깁니다. 질서를 설정하기 위해서는 계약 이외에는 안 됩니다. 그래서 계약에 따릅니다.

이것이 근본적인 에토스이고 계몽 사상 이전부터 이미 200년이나 300년에 걸쳐 이 논의만 하는데, 홉스가 그 원리 원칙을 실제로 명확하게 얘기하고 있습니다. 홉스가 계약에 의해 사회를 구성한다는 아이디어의 최초의 출발점. 어떻게 그렇게 되는가 하면, 자신을 구속할 수 있는 것은 신 이외에는 자신뿐이기 때문입니다. 자신의 동의가 없으면 법률에 복종할 이유가 없습니다. 고로 어떤 법률에도 그것에 선행해 동의와 계약이 있어야 한다는 생각에 이르게 됩니다. 그것이 사회 계약이지만, 그런 것은 픽션이고 실제로는 있을리가 없다고 누구라도 생각하죠. 그렇지만 없으면 곤란하기 때문에 논의가 빙빙 돌고 있었습니다.

거기에 메일플라워 계약처럼 실정법으로서 사회 계약을 맺는 일이 일어났기 때문에 아메리카인에게는 자신을 정당화하는 신화가 됩니다. 반복에 반복을 거듭해 후렴구처럼 되어서 자기 모방이 일어납니다. 그 자기 모방이 각 주의 기본 법이 되고, 합중국 헌법이 됩니다.

이 후렴구 중 하나는 자신들은 근대인이라는 확신입니다. 또 하나는 근대인이라면 신에게만 복종해야 한다는 신앙입니다. 그리고 거기에 하나 더, 이민이라는 것. 이민이라는 것은 유럽의 전통적인 법 공간의 효력이 없어지고 다른 공간 속으로 옮겨져서 거기에 질서가 생기게 되면 그것이 법이 아니면 안 된다는 것입니다. 아메리카에 신앙 공동체(커뮤니티)는 많이 있지만, 공동체를 넘어서는 것으로는 법률밖에 없습니다. 이것이 프래그머티즘과 완전히 동일한 구조를 갖고 있는 것이죠.

그래서 아메리카인은 사회인으로서 우선 신앙 공동체(교회)에 속하고, 다음에는 법 공동체(세속의 집단)에 속하고, 지적으로는 대학교에 속하기도 하지만, 프래그머티즘으로서 자기 표현을 하는 것처럼 됩니다.

오사와 이견은 없지만, 그러면 어떤 의미에서 신앙 공동체에 속한다는 것이 대전제가 되네요. 프래그머티즘에 있어서도 그것은 무의식적인 전제였고, 때때로 본심으로서 표출되는 구조가 된다는 느낌이 듭니다. 그 무의식의 구조를 확실히 말한 사람이 퍼스였습니다. 한편에서는 일종의 신앙 공동체입니다. 바로 그렇기 때문에 프래그머틱한 다원주의와 공존이 가능하게 됩니다.

제8장 다시 아메리카 자본주의를 고찰하다

프래그머티즘과 자본주의

오사와 세계 최대의 성숙을 맞이한 아메리카 자본주의의 정신을 프래그머티즘을 매개항으로 해서 고찰해보고 싶습니다. 그렇다면 보통 프래그머티즘은 능동적인 실천주의이기 때문에 그러한 점이 자본주의적인 것 같다고 말하게 되지만, 너무나 당연한 것이라서 재미가 없습니다.

앞서 퍼스의 탐구에 관한 정의에 대해서 얘기하지 않았습니까. 탐구란 회의doubt로부터 시작해서 그것을 신념belief으로 변환하는 것이라고 말했습니다. 그럼에도 불구하고 탐구는 끝나지 않습니다. 신념은 곧 새로운 회의를 찾아내고 그 회의가 다시 신념으로 변환됩니다. 그런 반복이 탐구입니다. 따라서 프래그머티즘에는 어떻게 해서 우리가 세계에 대해서 갖고 있는 회의를 넘어설까 하는 방향성이 있는 셈입니다. 이 회의와 신념의 반복이라는 현상을 프래그머티즘은 전혀 의식하지 못하고 있고 아메리카인도 전혀 의식하지 못하고 있지만, 자본주의 정신과 친화성이 있다고 생각합니다.

마르크스의 다소 거만한 표현을 빌리자면, 시장에 가서

물건을 파는 것은 '목숨을 건 비약'입니다. 상품을 생산해도 팔릴지 아닐지 모릅니다. 그렇지만 그 목숨을 건 비약을 향한 각오가 없으면 투자가 불가능합니다. 따라서 우선 이 상품이 팔릴지 아닐지 모른다는 회의가 있습니다. 그에 비해 '팔릴 것이다'는 신념을 갖지 않고서는 투자 행동으로 나가는 것이 불가능합니다. 퍼스의 '탐구'와 동일한 구조입니다. 회의와 신념의 반복이 자본의 축적을 가능하게 합니다.

프래그머티스트들이 따로 자본주의의 행동 원리를 추상화하자고 생각하지는 않겠죠. 그러나 거기서 전제가 되는 구조—사람은 어떤 불확실성에 직면하지 않을 수 없어서, 그 불확실성을 반복적으로 신념으로 바꿔서 행동해가는 구조—, 이것은 자본주의에서 모험적인 투자가에게 필요한 태도라고 생각합니다. 그렇게 하면 프래그머티즘과 자본주의적인 행동 원리 사이에 형식으로서의 유사성을 우선 알아차리게 됩니다.

하시즈메 아메리카라는 나라를 고찰해보면, 우선 넓습니다. 다음에 자연이 풍부하게 전개되어 있고 다양한 생태계가 있습니다. 게다가 인구 수가 적지 않습니다. 인구 밀도가 낮습니다. 유럽에 비해서 지체되어 있습니다. 좋은 것은 전부 유럽에 있었습니다. 요컨대 후발 주자입니다. 이것이 처음 200년 정도의 식민지 시대부터 아메리카의 원체험原體驗이었다고 생각합니다.

약속의 땅

하시즈메 이것을 '지체되어 있다'라고는 반드시 생각하지는 않았다는 점이 아메리카의 특징이 아닐까요. 생각하지 않았다는 것은 이것이 신이 준 약속의 장소이고, 여기에서 살아가는 것이 올바르다고 모두가 생각했다는 것입니다.

처음에 한 일은 공업도 자본주의도 아니고 농업이었습니다. 그 농업의 주체가 가족이었습니다.

이것은 라틴계의 식민지와 전혀 다른 점이죠. 라틴계 식민지는 대토지 소유제로서 지주가 있고, 농업 노동자가 있고, 빈곤이 있는 상업 경제(농산물을 상품으로 수출하는)이죠. 아메리카의 경우에는 전연 그렇지 않고 소규모 가족 경제로서 상품화의 정도가 매우 낮고 오히려 자급자족이었습니다. 공동체를 형성하는 것만이 목적인 것처럼 보이는 전혀 다른 발전 유형이었습니다.

가족을 영위하라는 것은 신의 명령입니다. 누구와 누구가 부부가 될 것인가도, 애정을 매개로 하지만 신이 결정한 것입니다. 따라서 가족을 영위하는 건 신을 향한 소중한 의무입니다. 또한 농업도 신의 명령입니다. 성서에 그렇게 씌어 있습니다. 낙원을 나왔을 때 아담과 이브에게 신이 말하기를 지금부터 이마에 땀 흘려 일하라고 했습니다.

그렇기 때문에 농업culture은 인간의 의무입니다. 한편 신의 일이 자연nature입니다. 자연(신의 일)과 농업(인간의 일)이 합쳐져서 수확물(신의 은총)이 주어지지만, 이것은 신과 인간의 교류입니다. 이런 식으로 생각하면서 매일을 지내는 것입니다.

선주민의 토지

하시즈메 아메리카의 선주민은 농업culture을 하지 않습니다. 신과 교류하지 않습니다. 노동에 의해 비로소 소유권이 발생한다는 로크의 적절한 철학이 있습니다. 그래서 그들을 쫓아내고서 자신들의 농지로 만들어도 좋습니다. 이런 논리로 점점 개척을 진행해가는 것입니다.

　농업으로부터도 창의적인 공부가 나옵니다. 공업 제품(트랙터)을 사용해 경작을 해도 좋을까? 화학 비료를 뿌려도 좋을까? 특별히 해서는 안 되는 것이 없다는 것이 아메리카의 특징입니다. 유럽의 농업에서는 토지의 전통이나 관행이 있습니다. 아메리카는 그런 종류의 것이 거의 없기 때문에 기계화나 효율화가 계속 진전됩니다. 그러자 토지의 집적이 진행되고 농민은 대량으로 대도시로 유입됩니다. 이것이 또한 자본주의가 크게 발전하는 데 딱 좋은 조건이 됩니다.

발명의 나라 아메리카

하시즈메 이런 생활 경험으로부터 '발명'이라는 참으로 아메리카적인 현상이 발생합니다. 에디슨도 발명가입니다. 라이트 형제의 비행기라든가 벨의 전화라든가 일일이 거론할 틈이 없습니다.

발명이 무엇이냐면, 아이디어인데, 뭔가 자연현상을 이용해서 어떤 하나의 새로운 제품이나 생활 양식을 낳습니다. 발명의 근원에 있는 자연 현상은 신의 영역에 속하는 신의 일입니다. 그것을 구체화한 제품을 탄생시키는 것은 인간의 일입니다. 신의 일과 인간의 일이 결합해 인간의 행복에 기여하는 것이기 때문에 그것은 올바른 일입니다. 지금까지 생각나지 않았던 쪽이 잘못입니다. 신은 자연 속에 그 힌트를 많이 박아 넣어줍니다. 발명이 가져오는 복리는 신의 은총이지만 그 복리를 발명을 통해서 사람들에게 보급하는 것, 예컨대 전기를 각 가정에 도달시키는 것은 이웃 사랑의 실천입니다.

그러므로 그 사업을 위해 자금을 모으는 것도 전혀 문제가 없습니다. 사업은 이윤을 동기로 하지만, 이윤과 무관하게 아이디어에 기초해서 사람들에게 복리를 가져다주는 것은 신의 의사로 이루어진다는 깊은 직관이 있습니다. 유럽이라면 이런 신기한 시도는 대개 누군가의 방해를 받아서 자유롭게 이루어질 수 없지만, 아메리카라면 방해하는 사람이 한 명도 없습니다. 오히려 크게 칭찬받습니다. 오사와 맞는 말이라고 생각합니다.

종교, 특히 기독교와 근대적인 행동의 관계를 살펴볼 때, 의식된 내용보다도 어떻게 그런 행동 형식이 나왔는가를 고찰할 필요가 있습니다. 내용에 준거하면 이미 그런 신앙을 갖지 않은 것처럼 되지만, 형식으로서는 신앙을 갖고 있을 때와 동일하게 행동하는 일이 일어나지요. 베버의 용어를 사용하자면, 프로테스탄트 윤리와 자본주의 정신, 그 두 개는 어떤 의미에서 동일한 것입니다.

동일한 것이지만, 프로테스탄트 윤리로서 볼 때는 신앙의 내용 문제가 됩니다. 다만 그것은 행동의 형식 쪽을 보면 자본주의 정신이 됩니다.

내용이 빠지고 행동의 형식만이 탈색되어 남습니다. 그 메커니즘을 근거로 해둘 필요가 있습니다.

발명과 예정설

오사와 앞서 '발명' 얘기를 했기 때문에 그것과 관계지어 보면, 물론 아메리카인만 발명을 하는 것은 아니지만, 아메리카는 발명의 보고寶庫 같은 점이 있습니다. 기본적인 발명은 대부분 아메리카에서 이루어집니다. 현재까지 영향을 미치고 있는 가장 이해하기 쉬운 예 중의 하나가 자동차죠. 19세기 말 무렵에 자동차를 둘러싼 시행착오가 행해지고 차례차례 시제품이 만들어졌습니다. 동력원에 관해서는 여러 가지가 시도되고, 처음에는 증기로 해보기도 하고 전기로 해보기도 하다가 최종적으로는 가솔린이 됩니다. 그러나 팔 만한 제품으로서 자동차가 탄생할 때까지는 꽤 시간이 걸리죠. 그리고 마침내 1908년에 T형 포드가 저렴한 가격으로 발매되고, 일반에게 엄청나게 많이 보급됐습니다.

우리는 이 결과를 알고 있기 때문에, 단지 포드가 열심히 했다고 생각할 뿐이지만, 이런 식으로 성공할 것이라는 것을 전혀 모른 채로 포드가 모험을 할 수 있었다는 점이 대단합니다. 최종적으로 성공했기 때문에 단순히 꿈의 성취 같은 것이 되지만, 문제는 이 결과를 알 수 없을 때 어떻게 이처럼 커다란 모험이 가능했을까 하는 것입니다.

베버는 예정설을 중시하죠. 예정설이 어떻게 자본주의 정신과 연결되었는지는 설명하기 어렵지만, 예정설이 기능할 때의 요점은 이렇습니다. 사실은 자신이 구원을 받을지 저주를 받을지 알 수 없습니다. 그러나 "자신은 구원받고 있다"라는 식으로 가정을 하는 것입니다. 그것을 가정하고 확신하는 것입니다. 가정하고 확신하는 것에 의해 발생한 행동이 세속에서의 금욕이 되는 구조입니다.

실은 이 구조는 앞서의 '귀추'와 동일하죠. 귀추는 아직 실증되지 않은 것에 대해 잠정적으로 진리라고 가정해버리는 것이죠. 가정해버린 뒤에 거기서부터 논리적으로 나오는 것을 실제로 해보는 것입니다. 물론 퍼스는 예정설의 응용이라고 생각하고 있지는 않습니다. 그렇지만 논리의 형식이, 예정설이 신자의 행동을 포착할 때의 논리 형식과 동일합니다.

그리고 발명도 그렇습니다. 발명이 성공한다고는 단정할 수 없습니다. 더욱이 발명한 제품이 시장에서 승인될지도 알 수 없습니다. 그러나 성공할 것이라고 가정하고, 확신해버리는 것입니다. 그렇게 가정한 뒤에 성공하려면 무엇을 하지 않으면 안 될까라고 논리적으로 추론합니다. "성공할지 아닐지는 모르지만 힘내자" 같은 것으로는 절대 자동차의 발명과 같은 모험적인 행동은 취할 수 없습니다. "성공할 것이다"라는 것에 대해 객관적으로 보면 불확실하고 본인도 정말로 그것을 알고 있는데도, 마치 현실이 될 것처럼 가정합니다. 그 결과의 시점에서 가정된 현실로부터, 말하자면 인과관계를 역으로 더듬어가는 형태로 행동하는 것입니다.

이렇게 하면 예정설과 프래그머티즘, 그리고 자본주의, 경우에 따라서는 아메리카 정신이라고 할 수 있는 것과 프론티어 정신, 또는 아메리칸 드림 등도 추가해도 좋은데, 그것들에 하나의 동일한 논리 형식이 관통되고 있다는 것을 알 수 있습니다.

정작 신의 지배가 있어야

하시즈메 예정설과 프래그머티즘과 자본주의. 그것을 관통하는 것은 신의 지배입니다.

예정설은 인간의 구원을 신이 결정하고 있다는 사고방식이겠죠. 프래그머티즘은 초월주의의 입장에서 말했지만, 이 자연이나 인간을 신이 만들고 그 인간 한 사람 한 사람에게 개성을 부여하지만 분명히 공존하고 행복하게 살아갈 수 있어요라는 틀이 아닙니까. 자본주의도 지상에서 사람들이 생존하기 위한 경제 활동을 신이 지배하고 있지요라는 사고방식입니다. 아담 스미스가 시장에는 '보이지 않는 신의 손'이 작동하고 있다고 말한 그대로입니다.

시장의 결과는 신의 의사입니다. 신의 의사는 '가능한 한 이웃 사랑을 많이 실천해라'이기 때문에 이웃 사랑의 실천도 되지만, 사람들에게 충분한 보수나 이윤이 주어진다는 점도 있습니다.

그러면 사람들은 어떤 직업에 종사하면 좋을까요? 이것도 최종적으로는 신의 의사입니다. 다만 신이 직접 가르쳐주지는 않습니다. 그래서 잠정적으로 '나는 구두장이다'라든가 '나는 이치로 같은 야구선수다'라든가 그렇게 정하는 것이겠죠. 여기에서 역전이 생기죠. 재능이 있다고 가정하고 '나는 평생 이것을 열심히 할거야'라고 정합니다. 재능은 신이 이 사람에게 그런 능력을 주었다는 것입니다. 그렇지만 경험적으로는 매일매일 그것만 하기 때문에 점점 잘하게 되고 주위로부터 '재능이 있네요'라는 말을 듣게 되는 것입니다.

오사와 객관적으로 보면 인과관계가 거꾸로죠.

하시즈메 그런지도 모르겠습니다. 그렇지만 신의 지배에 대한 사고방식에 따르면, 우선 재능이 있고 그 재능을 살리려고 그 직업에 매달려서 신의 명령에 복종하며 매일 열심히 일하기 때문에 역시 재능이 있었다는 것으로 됩니다.

이런 순서이죠.

이것을 재능의 신화라고 말하면 아메리카는 재능의 신화의 나라이고, 천재라든가 재능이 있다고 생각되는 나라입니다. 뒤집어 말하면, 즉 노력(인간의 일)으로 목표가 달성될 수 있다고는 생각하지 않습니다.

오사와 말씀하신 대로입니다. 실제로는 평생 열심히 하는 것일 뿐이죠. 자신의 성공이나 이 세계에 태어난 것의 의의 같은 것을 믿고 평생 열심히 할 뿐이지만, 그 궁극의 전제로서 신의 지배가 놓여 있습니다. 그렇지만 실제로는 신이 일일이 가르쳐주는 것은 아닙니다.

프래그머티즘도 그렇다고 생각합니다. 요컨대 프래그머티즘이 하고 있는 것은 경험적인 실험일 뿐입니다. 예정설의 경우, 신의 지배라는 것이 대전제가 되어 있고, 대전제가 되어 있기 때문에 한 번도 등장하지 않는 신의 의사라는 것이 있는 셈이죠. 그것과 동일하게 프래그머티즘도 한 번도 등장하지 않는 신앙적인 것이 사실은 전제가 되어 있습니다. 그것은 프로테스탄트의 궁극의 논리와 닮은 점이 있습니다.

일본과 닮았는가?

하시즈메 조금만 첨가해보겠습니다.

평생 열심히 일하는 것. 직업 활동이 자신에게도 타인에게도 좋은 것이고 인생의 목표라는 것. 프래그머티즘은 그런 것을 요청합니다.

그렇지만 사실은 일본 사회도 그런 것을 요청하고 있습니다. 외견상으로는 아주 꼭 닮았죠. 일본인은 완전히 프래그머티스트로서 행동하고 있는 것처럼 보입니다. 완전히 자본주의적으로 행동하고 있는 것처럼 보이기도 하지만, 그러면 양자는 동일한 것일까요? 프래그머티즘과 일본인은 그 신학이랄까 에토스의 전제가 다릅니다.

프래그머티즘은 역시 신의 지배를 출발점으로 하고 있습니다. 그러면 재능이 있다고 생각하고 평생 열심히 노력했다고 해도, 사실은 재능이 없었다는 것을 허용하지 않으면 안 됩니다. 그렇게 납득합니다. 평생 열심히 노력했다고 해도, 결과가 따르지 않았다. 그것은 운luck이 없다, 그렇게 여깁니다. 운이란 신의 의사입니다. 신의 의사이기 때문에 인간의 노력은 무의미하죠.

마찬가지로 교육도 생각하는 방식이 다릅니다. 교육은 해야 하고 면학도 해야 하지만, 노력은 무의미하고 신의 의사만이 가치가 있습니다. 전혀 노력하지 않아도 천재라면 금방 해버릴 수 있습니다. 노력해도 결과가 따르지 않는 것보다 노력하지 않아도 결과가 따르는 것이 제일 좋습니다.

아메리카는 이런 신학 속에 있기 때문에 노력과 성과는 관계가 없어도 좋습니다. 별로 노력하지 않는데도 어찌된 영문인지 엄청나게 부자인 사람이 있다면, 그것은 신의 은총이기 때문에 좋은 것이고 훌륭한 것입니다. 일본에서는 그러한 신학은 허용되지 않습니다. 신학이 다르면 제도의 운용도 다르고 사람들의 자기 이해도 달라집니다.

일본인은 프래그머티즘을 단순한 노력주의라든가 세속주의로 오해해서는 안 됩니다. 그것은 아메리카에 대한 오해의 근본이라고 생각합니다.

오사와 그렇군요. 다만 당사자에게 있어서는 그 신앙이 무의식이 되고 있다는 점도 있다고 생각합니다. 자신은 이미 신 따위는 믿지 않는다, 순수하게 세속적인 공리주의자로 살아가고 있을 뿐이다라고 생각하고 있습니다. 의식의 수준에서는 그럴지도 모르겠지만, 무의식 속에서는 신을 믿고 있는 사람과 동일하게 행동해버립니다. 그런 것이 역사의 충적 속에서 일어나버리죠. 일본과 아메리카의 차이를 본다면 그런 무의식 수준의 신앙에 눈을 돌리지 않으면 안 됩니다.

제9장 프래그머티즘의 귀결

콰인의 인물과 사상

오사와 그러면 프래그머티즘은 그 뒤에 어떻게 되었습니까? 결론적으로 말하면, 20세기 말의 대표적인 프래그머티스트는 리처드 로티입니다. 그렇지만 앞에서도 나온 것처럼 그는 프래그머티즘의 함의를 끌어내고 있는 것처럼 보이기도 하지만, 가장 긴요한 점을 부정하고 있는 것으로 보이기도 합니다. 어느쪽이든 취할 수 있는 것 같은 전개를 보이지만, 거기가 어떻게 연결되어 있는가를 탐구하기 위해 로티 이전의 콰인Willard Van Orman Quine(1908~2000)이라는 사람에 대한 얘기를 해두겠습니다.

콰인이라는 사람은 매우 훌륭한 언어철학자이지만 전통적인 프래그머티즘과 로티의 딱 중간 무렵에 나타나서 로티의 논의의 철학적 중추가 되기도 하는 것을 말하고 있습니다. 그는 1951년에 「경험주의의 두 가지 도그마」라는 논문을 쓰고 있습니다. 이것은 분석철학을 연구하는 사람은 반드시 읽는 유명한 논문입니다. 좀 어렵지만 이 '두 가지 도그마'를 설명해보겠습니다.

첫 번째 도그마는 "분석적 진리와 종합적 진리 사이에

는 단절이 있다"라는 것입니다. '분석적 진리'란 순수하게 이론적으로 인도되는 것입니다. 정의와 논리 법칙만으로 진위를 판정할 수 있습니다. 예컨대 "오늘 도쿄는 비가 내리든가 맑든가 둘 중 하나입니다." 둘 중 하나밖에 없기 때문에 당연하죠. 이것이 분석적 진리입니다. 그에 비해 "오늘 도쿄는 비가 내리고 있습니다." 이것은 지금 오늘 보지 않으면 알 수 없습니다. 논리 법칙만으로는 그 명제가 참인지 거짓인지 알 수 없습니다. 이것을 '종합적 진리'라고 합니다. 진리에는 분석적 진리와 종합적 진리 두 종류가 있다는 것이 오랫동안 서양 철학의 대전제였지만, 콰인은 이 둘 사이에 그렇게 명확한 단절은 없다는 것을 증명하였습니다. 이것은 이번 대담에서는 그다지 중요하지 않기 때문에 어떤 이치인지 설명을 생략하겠습니다.

두 번째 도그마는 '환원주의'라는 것입니다. 과학은 유의미한 명제의 집합입니다. 보통 그 유의미한 명제는 하나하나의 단일체로서 무엇인가 직접적인 경험에 대응해 있다고 생각되고 있습니다. 그러나 그것은 성립되지 않는다는 것이 콰인의 주장입니다. 예를 들면 "지구는 태양의 둘레를 돌고 있다"라는 명제가 있다고 합시다. 전통적으로는 그런 명제가 참인지 아닌지는, 지구가 태양의 둘레를 돌고 있는지 아닌지를 조사해보면 확실해지기 때문에 그 단일체로 진위를 결정할 수 있습니다. 그러나 잘 생각해보면, 지구가 태양의 둘레를 돌고 있다는 것을 우리가 참이라고 하기 위해서는 천체에 관한 세계관을 전부 바꾸지 않으면 안 됩니다. 지금까지 천동설이었던 것을 지동설로 바꾸고, 지구뿐만 아니라 우주 전체에 관한 관점과의 관계에서 이 명제의 진위가 결정됩니다. 예컨대 아리스토텔레스적인 세계관에서는 천상과 지상이 다른 법칙으로 성립된다고 생각하고 있습니다. 그러나 "지구가 태양의 둘레를 돌고 있다"고 긴주하기 위해서는 천상도 지상도 동일한 법칙, 예컨대 만유인력의 법칙이 작용하고 있다는 우주관 속에 이 명제를 두지 않으면 안 됩니다. 이와 같이 외계에 관한 명제는 개별적인 것이 아니라 여러 개가 모여서 하나의 통합을 이루고 있는 것입니다. 이 주장은 피에르 뒤엠Pierre Duhem이라는 프랑스 물리학자와의 논의를 근거로 하고 있기 때문에, '뒤엠-콰이 테제'라고 일컬어집니다.

그것을 받아들이고 10년 정도 지난 다음에 콰인은 『단어와 대상』이라는 유명하고 두꺼운 책을 쓰지만, 그 가운데 재미있는 얘기가 나옵니다. 내가 전혀 알지 못하는 언어 속으로 뛰어들었다고 해봅시다. 어디선가 어느 정도 알고 있는 것이 아니고 전혀 알지 못하는 언어 속으로 뛰어들었을 때, 그 언어에 의해 무엇이 지시되고 있는지, 개별 단어나 어휘에 의해 무엇이 지시되고 있는지 결정할 수 있을까요? 콰인의 말로는 '지시의 불가측성不可測性'이라고 말하지만, 구체적인 예를 들면, 어딘가 미지의 공동체에 갔을 때 그곳 사람들이 토끼가 나올 때마다 "가바가이, 가

바가이Gavagai Gavagai"라고 말합니다. 평범하게 보면 저것은 토끼라는 단어와 같은 식으로 생각할지도 모르지만, 혹시라도 그것이 아닐지도 모릅니다. 그것은 토끼가 도망가고 있는 상태를 가리키고 있을 뿐인지도 모르고, 단순히 하얗다는 의미로 말하고 있는지도 모르며, 절대로 확정지을 수 없습니다. 그것이 '지시의 불가측성'이라는 사고방식입니다,

지시가 불가측하다면 결국 그 언어와 예컨대 일본어를 대응시킬 수 없기 때문에 '번역의 불가능성'도 생깁니다. 그런 논의를 전개하고 있습니다.

이 논의를 지금까지의 얘기와 대비시키면 이렇게 됩니다. 예컨대 퍼스는 참의 실재가 있다는 가정을 하고 있다고 말했습니다. 최종적으로 우리의 진리는 그 실재를 거울처럼 투영한다는 것이 퍼스의 견해이고, 이것은 보통의 자연과학의 사고방식이기도 합니다. 그러나 원리상으로 지시가 불가측하다면 실재를 올바르게 지시하고 있는가, 대응하고 있는가 하는 사고방식은 넌센스라고 콰인이 말하고 있습니다. 따라서 어떤 언어 체계 속에 들어가면 그것은 진리처럼 보이지만, 다른 언어 체계 속에서는 전혀 알 수 없습니다. 콰인은 그것을 "우리는 각각 다른 배를 타고 있는 것과 같다"라고 말하고 있습니다. 각각의 배 안에서는 각각의 진리가 있습니다. 그렇지만 각각의 배로부터 독립된 진리의 실재 등과 같은 것은 없다는 것입니다.

하시즈메 그렇군요.

로티의 인물과 사상

오사와 이런 논의를 이어받아서 로티가 나옵니다.

로티는 근대 철학에는 세 개의 전환이 있었다고 얘기합니다. 지금은 그 세 번째에 와 있다고 하지만, 처음부터 설명하면 이렇습니다. 우선 인식론적 전환. 대표적인 철학자로서는 데카르트라든가 로크, 그리고 칸트도 포함됩니다. 진리의 인식이라는 것이 가능한가라는 것이 문제가 됐습니다. 두 번째, 20세기 초의 언어론적 전환. 기호논리학이 출현한다든지 언어철학이 출현한다든지 하는 상황이죠. 언어가 철학의 중심적인 주제가 됩니다. 예컨대 "존재란 무엇인가?"라고 묻는 것이 아니라 "어떤 때에 '존재하고 있다'라는 것이 가능한가?"라고 물으면, 언어론적 전환을 경유하고 있다는 느낌이 듭니다. 그리고 지금 세 번째 해석학적 전환이 다가오고 있다는 것입니다.

이 해석학적 전환의 요점은 콰인의 논의를 염두에 두면 알게 되지만, 각각의 사람이 전제로 하고 있는 각각의 지식의 틀로부터 독립된 절대적인 진리는 존재하지 않는다는 것입니다. 인식론적 전환의 시기에는 무엇이 진리인가, 진리에 도달하는 인식은 무엇인가가 문제가 되고 있었지만, 이제 곧 진리에 의해 철학을 기초짓는 것은 불가능한 것이 됩니다. '기초짓는 주의主義의 방기'라고 말하기도 하지만, 요는 철학의 부정이죠. 철학의 할 일은 각각의 인간이 어떤 틀로 사물을 보고 있는지를 그저 오로지 서술하는 해석학이 될 뿐이라는 것입니다. 그래서 '해석학적 전환'이라고 부르는 것입니다.

이러한 전제 위에서 로티는 프래그머티즘의 계승자라고 자칭합니다. 그는 『프래그머티즘의 귀결』이라는 1980년대 초에 낸 책에서 프래그머티즘의 중요한 특징으로는 세 가지가 있다고 말하고 있습니다.

하나는 반본질주의anti-essentialism입니다. 어떤 것이냐하면, 어떤 문장이 참이냐 거짓이냐고 묻는 것이 아니라, 그 문장을 믿을 때 우리의 무엇이 변하는가 하는 것만을 문제로 삼는 것입니다. 본질적으로 참이냐 거짓이냐를 고찰하지 않는다는 것입니다.

두 번째는 듀이를 다룰 때 좀 얘기했습니다만, 사실과 가치는 구별할 수 없다는 것입니다. 요컨대 원래는 삶의 실재가 있어서 마음이 그것을 투영하는 거울이 된다는 것이 인식의 모델이었습니다. 그러나 이제는 인식 활동이란 "이러저러한 것을 믿는다면 나(우리)는 무엇을 해야 하는가?"라는 사회적 실천의 형식을 갖습니다. 인식이 그대로 사회적 실천이기 때문에 사실과 가치의 구별은 불가능하게 됩니다.

세 번째는 간단하게 말하면 탐구에서 중요한 것은 대화뿐이라는 생각입니다. 이것은 이번 대담에서 몇 번이나 화제가 되었던 퍼스나 듀이의 탐구에 관한 이론을 부정하고 있습니다. 탐구는 궁극적인—그러나 도달할 수 없는—진리를 향해 끝없는 실험을 반복하는 것이라고 말한 것은 퍼스와 듀이였지만, 궁극적인 진리는 없다는 것입니다. 그러면 대화가 계속되고 있다는 것만이 중요하게 됩니다. 어떤 논의에 대해서도 이의를 제기할 수 있습니다. '그것은 동의할 수 없어요'라고 불평을 토로할 수 있습니다. 그러나 모든 이의 제기를 넘어선 견해, 즉 진리는 없습니다. 그러므로 이의 제기에 대해 열려 있는 대화를 계속하는 것만이 중요합니다.

다만 이 경우에 대화는, 사실상 궁극적으로는 동일한 세계관을 공유하고 있는 사람끼리의 대화이죠. 사람들은 몇 개의 집단으로 나뉘어서 다른 배에 타고 있기 때문에 배 안에서는 대화가 가능하지만 배와 배 사이의 대화는 어렵습니다. 어떤 배로부터도 독립된 객관적인 진리 같은 것은 없기 때문입니다. 다만 배와 배 사이에 서로 존중하는 것이 필요합니다. 저쪽에도 배가 있기 때문에 그것을 침몰시켜서는 안 됩니다. 어떤 배가 진리에 근접한다든가 어떤 배가 훌륭하다 같은 것은 없습니다. 어찌된 영문인지 나는 이 배에 타고 있습니다. 요컨대 나는 이 대화(탐구)의 공동체 속에 있습니다. 그것은 우연입니다. 사람들에게 합의를 강요하는 객관성은 없습니다. 배 안에 있다는 것은 강제가 없는 합의입니다. 이 합의에 의해 배 안의, 즉 공동체 안의 연대가 유지됩니다. 이런 것이 로티의 논의입니다.

앞서 말한 것과 같이 로티는 어떤 각도에서 보면 확실히 프래그머티즘의 조건을 적확하게 추출하고 있는 것으로도 보입니다. 그렇지만 다른 각도에서 보면 프래그머티즘이 갖고 있는 근본적인 부분을 전부 부정하고 있는 것처럼 보입니다.

프래그머티즘의 중요한 특징은, 한 마디로 말하면 가류주의可謬主義입니다. 우리의 인식은 늘 틀릴지도 모르기 때문에 경험에 의해 지금으로서는 잠정적으로 유효하다고 말하는 식이 됩니다. 그렇지만 그것은 영속적으로 유효성을 담보하고 있지는 않습니다. 늘 틀릴지도 모른다는 전제가 있기 때문에 탐구는 영원히 계속됩니다. 그러나 그것을 위해서는 가류성可謬性이라는 것이 적극적으로 언급되지 않으면 안 됩니다. 그렇게 되면 무엇이 진리인지를 말할 수 없다고 하더라도 진리의 존재 그 자체는 상정해두지 않으면 안 됩니다. 그것이 퍼스의 생각이었고, 논리적으로 그렇게 되는 것이라고 생각합니다. 그렇게 되면 어떤 이유도 없이 다만 대화를 한다는 것이 중요한 것처럼 보이는 로티의 견해는 생각하기에 따라서는 프래그머티즘의 정신을 근본적으로 부정하고 있습니다.

그러나 동시에 다른 각도에서 보면 프래그머티즘에는 확실히 앞서 말한 반본질주의적인 지향성이 있어서, 지금까지의 사실과 가치의 구별을 해체하는 것 같은 측면이 있기 때문에 확실히 로티가 말하고 있는 것과 같은 측면도 있습니다.

로티의 사고방식으로 괜찮은가?

하시즈메 오사와 선생은 어느쪽이라고 생각합니까? 로티는 프래그머티즘을 적확하게 정식화하고 있습니까, 그렇지 않습니까?

오사와 제 생각은 '그렇지 않다' 쪽에 기울어져 있습니다. 요컨대 프래그머티즘 속에 아주 조금밖에 얼굴을 내밀지 않은 것 같은 전제를 전부 배제하면 로티와 같은 표현 방식이 되죠. 그렇지만 그 아주 조금의 전제가 프래그머티즘의 가장 풍부한 측면을 가능하게 해왔습니다. 결론적으로 말하면, 로티는 프래그머티즘을 적확하고 올바르게 추출했다기보다는 가장 중요한 부분을 생략했다랄까 배제했다는 느낌입니다.

하시즈메 요컨대 프래그머티스트가 아니다?

오사와 그것은 정의의 문제이지만, 적어도 퍼스나 제임스가 프래그머티즘을 추동하기 시작했을 때의 가장 중요한 요점은 그래서 잃어버리고 있다고 생각합니다.

하시즈메 저도 완전히 같은 인상을 갖고 있습니다. 로티의 본질은 포스트모던적인 상대주의입니다. 그것에 그쳤다고 생각합니다. 이러니저러니 말하고 있지만, 자신의 적극적인 주장은 거의 없습니다.

오사와 적극적으로 주장하지 않는 것이 훌륭하다는 입장이기 때문이죠.

하시즈메 훌륭한지 어떤지는 모르겠지만 자신의 적극적인 주장은 거의 없기 때문에 포스트모던의 다양한 측면은 잘 알고 있는 그런 사람이죠.

포스트모던적 상대주의의 특징은 우선 복수의 철학 체계가 있다는 점입니다. 마르크스주의가 있고, 푸코가 있고, 구조주의가 있고, 데리다의 해체가 있고, 그리고 보니 현상학도 있고 논리실증주의도 있어서, 다양한 것을 전부 공부하고서는 각각 정말로 괜찮다고 봅니다. 그래서 그 중 어느 입장에 서더라도 다른 입장과의 사이에 굉장한 모순이나 대립이나 갈등이 생깁니다. 그렇다면 그 중 어떤 입장에 선다는 것은 이미 시대에 뒤진 것이겠지라고 합니다. 정말로 매우 촌스러운 그런 스타일을 취할 필요도 없겠지라고 합니다. 그런 것은 그만두고, 나란히 세워도 좋지 않을까라고 합니다. 그런 것을 말하고 있습니다. 그 다음에는, 누가 무엇을 하고 있는가에 관한 말을 계속 하는 것이 철학의 과제라고 합니다.

이것은 비관주의이고 무능력주의이고 철학을 방기한 것이지만, 여전히 철학을 하고 있습니다. 왜 아직도 철학을 하고 있는가 하면, 대학교에서 강의를 할 수 있기 때문입니다. 아메리카에서는 그러한 지식인이 대학교에 쌓여서 사회에 아무런 영향력도 주지 않는 그런 상황이지만 그 가운데서 가장 잘난 사람이 로티 같다는 느낌이 듭니다.

오사와 그렇군요. 로티의 명예를 위해서 얘기해두자면, 그는 그래도 비틀이 있는 상대주의자이죠.

하시즈메 양심적인 사람이라고 생각하죠. 게다가 뻔한 상대주의자였다면 금방 타도되어버리거나 했겠죠.

오사와 예를 들면 로티는 아이러니라는 단어를 사용하지요. 저의 조어造語 중에 '아이러니한 몰입'이라는 게 있지만, 그것은 로티의 말을 의식한 것입니다. 요컨대 '뭐라고'의 의식을 갖고 있다는 것이지요.

"나는 이것이 옳다고 생각하지만, 그리고 이것이 절대적인 진리라고 생각하지 않지만 나에게는 이것이지요"라고 자신을 상대화하고 있기도 하죠. 요컨대 "나는 이 배에 타고 있고 이 배가 가장 훌륭하다고 생각하지 않지만, 그렇다고 해서 다른 배로 가지 않고, 바다에 빠지면 죽을 뿐이기 때문에 이 배에 타고 있을 수밖에 없네"라고 하는 것처럼 냉정한 기분이죠. 그것은 아이러니라는 식으로 말할 수 있습니다. 결론적으로는 별로 변하지 않죠. 다만 로티에 관해 고찰한 것은, 로티가 중요한 점을 놓치고 있는 것은 사실이라고 생각하지만, 프래그머티즘이 그런 식으로 보여버린다는 것이 프래그머티즘의 특징이라고도 생각합니다.

좀 도식적으로 말하면, 이해하기 쉽다는 점을 우선시해서 단순화시켜 말하자면, 그리고 베버의 유명한 책을 염두에 두고 말하자면 '프로테스탄티즘의 윤리'와 '자본주의 정신'입니다. 어떤 의미에서는 이 두 개는 거의 동일한 것입니다. 그러나 '프로테스탄티즘' 쪽에서 보면, '신'이 참으로 또렷하게 보입니다. 그러나 '자본주의' 쪽에서 보면, 신은 통째로 보이지 않습니다. 속임수 그림 같은 것입니다.

프래그머티즘에 관해서도 비슷한 얘기를 할 수 있습니다. 로티는 어느 각도에서 프래그머티즘을 보는지 그 방식을 제시한 것이 아닐까요.

마지막으로 조금만 더 계속하면, 로티가 죽은 지 10년 이상이 지났지만 현대 사상의 측면에서 말하면, 로티적인 상대주의는 끝나가고 있습니다. 현재 아메리카에서 활약하고 있는 철학자로 존 맥도웰John McDowell이란 사람이 있습니다. 그는 로티에 대해 '객관성 공포증'이라고 말하고 있죠. 객관적인 것이 모조리 마음에 들지 않는 병에 걸렸다고.

그러나 현재는 예컨대 일군의 철학자가 사변적 실재론이라고 부르는 흥미로운 논의를 많이 제시하고 있습니다. 21세기의 철학과 사상은 어떤 의미에서는 객관적인 실재를 다시금 구원하려 하고 있습니다. 다만 그 구원은 그렇게 간단하게는 안 됩니다. 이미 콰인 같은 사람이 상당히 성가신 것을 제시해버리고 있기 때문입니다. 그래서 '해석학적 전환'의 철학보다 더 철저하게 실재를 부정하는 철학자도 있습니다. 구체적으로는 '세계는 존재하지 않는다'

고 주장하는 마르쿠스 가브리엘Markus Gabriel이 그렇습니다. 다분히 실재의 복권을 겨냥하는 추진력과, 역으로 세계 그 자체의 실재성조차 부정해버리는 추진력은 동일한 것의 두 측면입니다. 어쨌든 로티는 어느새 최신 모드가 아닙니다.

하시즈메 아메리카에서는 '자유주의적liberal'이라고 불리는, 나름대로 다수를 이루고 있는 그룹이 있지 않습니까. 민주당 좌파 같은. 또한 중도라고 불리고 있는, 민주당과도 공화당과도 연결되지 않은 보통의 사람들이 있지 않습니까. 그 다음에 종교 우파라든가 복음파 같은 사람들이 있지 않습니까. 복음파는 신앙이 깊고, '요즘 이런 생각을 하고 있어?' 싶은, 포스트모던적 상대주의의 정반대 같은 사람들이죠.

로티든 누구든 철학을 하는 사람들은 자유주의 쪽에 올망졸망 모여 있습니다. 그렇지만 아메리카를 움직이고 있는 것은 아무래도 자유주의가 아닙니다.

오사와 확실히 그렇죠.

하시즈메 자유주의의 시대는 끝나가고 있어서, 중도와 종교 우파의 연합체 같은 것이 지금 아메리카의 주역이 되는 흐름입니다.

프래그머티즘은 어디에 있냐면, '자유주의-중도-종교 우파'라는 배치 속에 있다고 생각합니다. 특히 중도의 사람들은 종교 우파와 달라서 특정 신앙에 듬뿍 빠져서 거기에 귀속되는 태도를 갖고 있지 않고, 아메리카다움의 최대 공약수를 만들어내려 하고 있습니다. 그것이 아메리카의 저류가 되고 있습니다.

'스폿'이라는 사고방식

하시즈메 로티와 프래그머티즘의 관계에 대해서 조금만 더 얘기하자면, 로티는 어디를 잘못 보고 있을까요?

『프래그머티즘』이란 제임스의 책에서 인상적인 표현은 '스폿spot'이란 단어입니다. 얼룩이랄까 반점이랄까. 우리가 알고 있는 지식은 스폿, 얼룩 같은 것입니다. 얼룩의 반대 개념은 체계이고 도그마이며 어떤 완결된 영역이라고 봅니다. 프래그머티즘은, 인간의 지식은 도그마도 아니고 완결되어 있지도 않고 불완전하고 부분적인 것에 지나지 않는다는 직관이 있어서, 이 전제 위에 성립합니다.

이것은 아메리카의 공동체 체험 같은 것입니다. 그들은 평소에 책을 읽는 사람들이 아닙니다. 순회 설교사가 와서 좋아 보이는 것을 얘기합니다. 가끔 책을 읽으면 좋아 보이는 것이 씌어 있습니다. 그렇지만 그것이 자신의 생활을 감쌀 정도로 전체적인 것인지 어떤지 잘 알지 못합니다. "전체는 무엇이냐면 숲에서 나무를 베고 밭을 일구고 장사를 하고 그 마을에서 사는 우리의 생활 경험이다. 이것이 전체이고, 지식이란 것은 거기에 찾아오는 에피소드 같은 것, 말하자면 스폿이라는 것이다. 마르크스주의도 스폿이고 논리실증주의도 스폿이고, 다양한 스폿이 있지만, 그 것은 생활 전체 속에서 비로소 의미를 갖는다. 스폿과 스 폿이 싸움을 하기도 하지만, 그 공통의 틀이 있는 것으로 하지 않겠소? 각각의 다양한 개념이 있지만, 그것은 나의 생활에 플러스가 되고 장애가 되지 않는 범위 내에서 그 존재 이유를 인정합시다." 이러한 얘기를 하고 있는 것입 니다.

따라서 프래그머티즘은 철학처럼 보여도 철학이 아닙니 다. 로티는 역시 프래그머티즘을 철학이라고 생각하고 있 습니다. 그리고 스폿이 아니라 여러 가지 시스템이 있는 경우에, 그 중 어느 것이 옳은지 논하고 있지만, 그것을 이 른바 포기하는 것이 자신의 입장이라는 식으로 선택하고 있습니다. 이것은 프래그머티즘과 상당히 다른 발상이라 고 생각합니다. 유럽 철학 공부를 너무 많이 했구나 싶죠.

오사와 그렇군요. 로티가 여기에 있다면 또 어떤 식으로 말할까요?

하시즈메 그거 재미있겠네요. 로티를 불러서 다 함께 생각 해봅시다.

제3부

우리에게
아메리카는
무엇인가?

제1장 왜 인종 차별이 없어지지 않을까?

왜 노예가 있는가?

오사와 아메리카는 어떤 의미에서는 전 세계가 동경하는 나라처럼 되었지만, 사실은 트라우마적인 원죄라고 해야 할 문제를 안고 있습니다. 두 개의 문제가 서로 얽혀 있지만, 하나는 아메리카 선주민 문제입니다. 오랫동안 아메리카 선주민이 존재하지 않는 것처럼 취급돼왔습니다. 다른 하나는 아프리카계 아메리카인에 대한 차별의 문제입니다. 오랜 시간에 걸쳐서 조금씩 개선돼오고 있지만, 현재까지도 매우 고생하고 있습니다.

유럽인이 북아메리카에 식민지를 개척할 무렵 유럽에는 노예가 없었습니다. 유럽이 식민지 경영에 나서면 본국의 방식이 식민지에 이식되어 새로운 관습이 되는 일이 자주 있지만, 흑인 노예에 관해서는 아메리카에서 새로 만들어졌습니다.

그러나 다른 한편, 아메리카는 유럽에 비해서 압도적으로 평등한 나라이죠. 토크빌이 1830년대에 아메리카에 건너가서 겪은 경험을 바탕으로 『아메리카의 민주주의』라는 책을 썼습니다. 토크빌은 아메리카에 관한 여러 가지에 감탄하기도 하고 감격하기도 하지만, 그 중에서 가장 큰 한 가지는, 유럽에서는 프랑스 혁명이 있었는데도 아직 실질적인 계급 차별이 사라지지 않고 있는 데 반해, 아메리카는 압도적으로 평등한 나라라는 것입니다.

그렇지만 그 그늘에 인종에 관해서는 지극히 확실한 차별이 있기도 했습니다. 그렇다면 세계에서 가장 평등한 나라에 왜 인종 차별만은 현저하게 계속 남아 있고 거기에서 벗어나기 위해 이렇게 고생하는가 하는 것이 의문으로 남습니다.

하시즈메 신분 때문에 불평등. 노예이기 때문에 불평등. 양쪽 다 불평등이지만, 완전히 의미가 다릅니다. 유럽에는 신분이 있지만 노예는 거의 없었습니다. 아메리카에는 신분이 없지만 노예제가 생겼습니다. 이 차이는 큽니다.

신분 쪽은 얘기하면 길지만, 신분제를 탈출한 사람들이 이민의 나라에 이주해왔습니다.

따라서 아메리카에는 신분이 없고, 신분이 없는 것이 나라의 이념인 것을 알 수 있습니다. 그러면 왜 인종 차별이 생겨버렸는가 하는 문제이죠.

우선 유럽에서도 노예 제도 자체가 전혀 없었던 것은 아닙니다.

오사와 그건 그렇지요.

하시즈메 노예는 고대에서는 합법적인 제도이고, 성서에도 그렇게 씌어 있습니다. 이슬람 세계도 그것을 전제로 하고 있습니다. 다만 기독교는 기독교인을 노예로 삼지 않는 관습이 생기고 이슬람 세계도 이슬람교인을 노예로 삼지 않았습니다. 그 결과 기독교, 이슬람교가 널리 퍼지면서 고대의 노예 사회는 사라져갔지만, 노예가 조금은 남아 있었습니다. 노예 이외에도 봉공인奉公人, 사용인使用人 같이 완전한 권리를 갖고 있지 않은 사람들이 있습니다. 그것도 합법이라는 것이 기독교인의 생각이었습니다.

게다가 왜 아메리카에 노예제가 남았는가 하면, 가톨릭이 아니라 프로테스탄트였다는 것이 큰 요인이라고 생각합니다. 가톨릭은 교회가 하나밖에 없기 때문에 교회의 성원은 인종이나 사회 계층을 불문하고서 동렬로 취급됩니다. 혼혈도 생기기 쉽습니다. 그에 비해 프로테스탄트에서는 교회가 여러 개 있기 때문에 인종이나 사회 계층에 따라서 다른 교회에 가게 됩니다. 보편 교회의 관념이 없습니다.

가장 전형적인 것은 남아프리카죠. 남아프리카에서 확산된 종파는 태생적인 노예가 있다는 성서 해석을 했습니다. 노예는 노예가 되기 위해 신이 창조한 것이다 비슷한 것이지요. 상당히 엉망진창이고 성서의 어디에도 그런 것은 씌어 있지 않지만, 프로테스탄트로부터는 그런 교회도 생겨나옵니다.

오사와 그렇군요.

하시즈메 아메리카는 그렇게까지는 아니지만 가톨릭이 아닙니다. 아프리카계 사람들은 처음에는 교회에 가지 않았고, 나중에는 대체로 백인과는 다른 교회에 다니게 되었습니다.

아프리카계라는 것을 숨기다

오사와 아메리카에서는 노예 자체가 19세기 중반 무렵을 지났을 때 해방되었지만, 그것이 끝난 뒤에도 오랫동안 인종 차별에 시달리고 있습니다. 이것은 어떤 교과서에도 다 씌어 있어서 모두가 알고 있지만, 제가 이것에 더 신경을 쓰게 된 계기 중 하나가 아메리카의 작가 필립 로스Philip Roth가 쓴 『휴먼 스테인』이라는 소설입니다. 영화로도 만들어져 일본에서는 『흰 까마귀』라는 제목으로 상영되었는데, 원제는 '인간의 오점'이나 '인간의 더러움'이란 의미죠.

얘기의 배경은 클린턴 정권 시대, 모니카 르윈스키 재판이 벌어질 무렵의 일로서, 작품에는 그 시대의 아메리카가 갖고 있던 '정치적 정당성'에 대한 비판적인 시각도 담겨 있습니다. 주인공은 고전어古典語인가 뭔가를 가르치고 있는 대학 교수입니다. 간단하게 말하면 그가 학내 괴롭힘으로 해임당하는 얘기인데, 그 발단은 이렇습니다. 수업에 전혀 출석하지 않는 학생이 두 명 있는데, 교수는 "놈들은 스푸크spook 같다"라고 말합니다. 스푸크란 단어에는 여러 의미가 있지만 우선 유령이라는 의미가 있죠. 교수는 물론 그런 의도로 사용했습니다. 그런데 스푸크는 흑인을 가리키는 차별어이기도 합니다. 우연히 그 두 명은 흑인이었습니다. 그 학생들은 한 번도 출석하지 않았기 때문에 교수는 그들이 흑인인 줄도 몰랐지만 그들은 자신들을 바보 취급하는 발언을 교수가 했다고 다른 학생으로부터 듣고서 대학 당국에 호소합니다. 교수는 대학의 심사위원회에서 "스푸크는 유령이라고 사전에 씌어 있지 않습니까. 그런 의도로 말했습니다"라고 반론하지만, 언급된 쪽이 흑인이고 차별어로 받아들였기 때문에 부적절하다는 이유로 결국 그 교수는 대학을 그만두게 되어버립니다. 그 충격으로 아내가 심장발작으로 쓰러져서 사망해버리는 등 매우 비참하게 됩니다. 여기까지는 직설적인 얘기이지만, 이 얘기에는 어려운 이면이 있다는 것을 곧 알게 됩니다.

그 교수에게는 커다란 비밀이 하나 있었습니다. 사실은 그 자신이 아프리카계이죠. 다만 우연히 피부가 비교적 하얗게 태어났습니다. 그의 부모와 형제는 몹시 까맸지만 그만은 피부색이 비교적 백인에 가까웠습니다. 자신이 사실은 아프리카계라는 것을 주위에 비밀로 하고 있었던 것입니다. 그 대신에 실제로는 그렇지 않은데도 자신이 유대인인 것처럼 행세하고 있습니다. 그는 아프리카계라는 것을 아내한테조차 비밀로 해두고, 결혼할 때도 아내를 부모와 만나게 하지 않았습니다. 그 심사위원회에서 자신도 아프리카계라고 말하면 인종 차별 발언이라는 혐의는 일거에 풀릴 수 있는데도 그는 그것을 결코 고백하지 않습니다.

직장과 명예를 모두 잃는 불이익을 당하면서까지 그는 자신이 아프리카계라는 것을 비밀로 했습니다.

1990년대 말인데도 아프리카계라는 것이 아직도 그렇게까지 수치스러운 의미를 갖고 있습니다. 그렇게까지 비밀로 해두고 싶은 상황이 되고 있는 아메리카란 도대체 무엇인가 하는 생각이 그때 강렬하게 들었습니다.

개인이 짊어진 부정적인 유산

하시즈메 자신이 올바른 아메리카 사회의 성원이라고 느껴지는지 어떤지의 문제이죠.

차별을 받아들이면 차별로 인한 피해 이외에 자신이 자신을 긍정하기 어려운 정신 구조가 생겨버립니다. 차별로 인한 피해는 환경이 변하거나 시간이 흐르면 해결될 수 있지만, 정신 구조 쪽은 더 길게 꼬리를 끌지도 모릅니다.

왜 그렇게 될까요?

아메리카는 자발적으로 아메리카를 만들겠다고 결의한 사람들이 나라를 만들고, 이민도 거기에 가세했습니다. 이 스토리에서 벗어난 사람들은 아메리카 선주민과 아프리카계 사람들입니다. 모두 본의가 아님은 분명합니다. 본의가 아니라면 다시 선택하라고 하면 좋겠지만, 다시 선택하는 스토리를 만드는 것이 매우 어렵습니다. 아메리카에는 이 트라우마가 있어서 이를 극복할 수 없을 정도 아닙니까. 이것이야말로 역사 문제이죠. 사실은 아메리카와 아프리카의 역사 문제이지만, 그것이 아프리카계의 한 사람 한 사람이 짊어진 부정적인 유산으로서 덮쳐 누르고 있는 것입니다. 그렇지만 이것을 정체성의 핵으로 삼을 수밖에 없습니다.

오사와 그렇군요. 그래서 아프리카계라는 것이 그렇게까지 부정적인 정체성이 되어버리는군요. 이 소설의 경우에는 주인공의 아버지는 매우 유능한 사람이지만 아프리카계라는 이유로 대단한 일에 종사할 수 없습니다. 주인공은 어릴 때 자신의 아버지가 어디로 일하러 가서 무슨 일을 하고 있는지를 알지 못하지요. 언젠가 그 아버지가 직장에서 쓰러져버립니다. 그 사람은 지적이고 고전에 관한 지식도 있는 듯한 사람이었지만, 하고 있는 일은 열차 식당차의 웨이터였습니다. 주인공은 아버지가 그런 일을 하고 있었다는 것을 그가 쓰러졌을 때 처음 알고 나서 몹시 충격을 받고는 자신은 절대로 흑인으로서는 살지 않겠다고 결심한다는 얘기입니다.

20세기 말에 차차로 아프리카계 대통령이 나오는 상황이지만 그 단계에서도 아프리카계라는 것을 고백할 수 없습니다. 아프리카계에게 블랙에 대한 독특한 감각이 이 정도까지 뿌리 깊은 것은 일본인이 이해하기 어려운 점으로 확인해두고 싶지요.

왜 노예제였는가?

오사와 아메리카인은 역사적 사실로서 아프리카계 사람을 노예로 삼는 것에 대해, 노예 해방이 있기 전까지 상당한 갈등이랄까 자기 자신 속에 모순감을 갖고 있었다고 생각합니다. 건국의 아버지들도 많은 노예를 갖고 있기도 했지만, 그것에 대해 미묘한 꺼림찍함 같은 것을 갖고 있었다고 생각합니다. 따라서 아프리카계에 대한 차별은 아메리카에 있어서 내적인 모순 같은 것으로서 존재합니다.

제가 가장 중요한 포인트라고 생각하고 있는 것은 아메리카의 이민, 특히 아프리카계에 대한 차별만이 좀처럼 사라지지 않는 문제의 원점에 기독교가 갖고 있는 선민 사상이 있기 때문은 아닐까 하는 것입니다.

예컨대 유대교에서는 유대인이 구원을 받습니다. 기독교는 그것과 달라서 일종의 보편주의이기 때문에 그러한 관점에서 보면 반차별적인 종교입니다. 누구나 구원받을 가능성이 있는 것입니다. 그러나 다른 한편으로 구원받도록 선택된 사람과 선택되지 못한 사람이 있습니다. 요컨대 선민이라는 관념이 있는 것입니다. 선택된 사람은 원칙적으로는 개인 단위이지만, 선택받은 사람에게는 연대가 있습니다. 그것이 아메리카의 프로테스탄트에게 있어서는 교회나 종파가 잘게 나눠져 있다는 사실과 관계가 있는 것으로 생각합니다. 가톨릭은 하나의 교회밖에 없습니다. 아메리카에서는 종파가 많이 생깁니다. 종파가 잘게 나눠져 내적인 결속력이 높아지는 것도 그것이 '선민'이라는 이미지와 결부돼 있기 때문이 아닐까요. 구원받도록 정해져 있는 사람들 사이의 연대가 종파의 연대의 근거가 되고 있습니다. 그 문제가 머지않아 인종적인ethnic 집단에—사실은 인종 단위로 구원받는 것은 아니지만—투영되어갑니다.

따라서 선민 사상 속에 보편성을 향한 추진력과, 구원받는 자와 구원받지 못하는 자 사이에 엄연한 구별을 두지 않으면 안 된다는 추진력이라는 두 종류의 추진력이 작동하고 있죠.

그 갈등의 사회적 발로가 궁극적으로는 인종 문제에 그림자를 드리우고 있다는 것이 제 해석입니다. 그 밖에도 여러 가지 이유가 있지만, 하나의 요점으로서 그런 느낌이 있습니다.

하시즈메 아메리카의 노예제는 만들어진 측면이 강합니다. 아메리카의 허약한 산업이 국제 경쟁에 노출된 결과입니다.

북부의 뉴잉글랜드는 공업으로 살아갈 수 있을 것 같았습니다. 남부는 대농장 경영이어서 노예의 노동력이 필요했습니다. 북과 남은 무역 구조도, 국가 경영 전략도 달랐습니다.

노예를 어떻게 생산했을까요?

노예 상인은 아프리카에서 부족과 부족을 서로 싸우게 했습니다. 진 부족은 포로가 되어 노예가 됩니다. 그들을 아메리카에 상품으로 수출했습니다. 노예는 소유물입니다. 아메리카에서는 소유물은 신성하기 때문에 그것을 부정할 수 없습니다. 그 결과 노예가 계속 증가해갑니다.

이러한 남북의 모순이 막바지에 이르렀을 때 전쟁이 일어났습니다.

북부 사람들은 노예를 반대하고 전쟁에도 이겼기 때문에 기분이 풀렸냐 하면, 그것이 아니라 역시 상처가 남았습니다. 우선 피해가 너무나도 컸습니다. 남북 전쟁에서는 양쪽 군대를 합쳐서 50만 명의 희생자가 나왔습니다. 철도로 병사를 수송했기 때문에 전방에 병사를 보내주는 일이 가능해서 전사자가 많이 나왔습니다. 19세기 최대의 전쟁이라고 해도 좋습니다. 링컨은 연설합니다. 왜 이런 큰 전쟁이 되었는가? 그것은 인간을 노예로 삼고 있던 남부의 사람들과 그것을 방치하고 있는 북부의 사람들이 범한 죄에 대해 신이 내린 벌이라고. 전쟁에 진 남부 사람들은 북부 사람들보다 한층 더 울적한 감정을 품게 되었습니다.

노예였던 사람들이 해방되어서 문제를 해결했냐면 그것이 아니라 새로운 고난이 기다리고 있었습니다. 대농장에서 북부의 도시로 이주해도 일거리가 없고 공동체도 없습니다. 대농장에서는 백인도 흑인도 면식이 있었지만 도회지에서는 반대로 교류가 없습니다. 차별이 오히려 혹독해진 면조차 있었습니다.

노예제의 계급적 측면

하시즈메 아메리카에서 택시를 타고는 운전사에게 출신지를 물으면 카리브해입니다, 아프리카입니다라고 대답합니다. 같은 흑인이라도 노예 출신이 아니라는 자랑스러운 뉘앙스를 어렴풋이 느낍니다. 역으로 말하면 노예의 자손이 되어버리는 아프리카계 아메리카인의 고뇌가 느껴집니다.

오사와 확실히 아메리카의 노예 문제는 곧바로 산업화라든지 자본주의화의 흐름으로 생각할 수 있는 부분이 있다고 생각합니다. 몹시 지체되었기 때문에, 전근대적이기 때문에, 자본주의 밖에 있기 때문에 노예가 있는 것이 아닙니다. 아메리카 남부가 당시의 글로벌한 자본주의 속에 오히려 꼭 짜맞춰져 있었다는 것이 노예 제도가 생겨난 원인의 하나라고 생각합니다.

자본주의는 언제나 그렇지만, 어떻게 저렴한 노동력을 조달할 것인지가 문제가 됩니다. 노예는 임금 노동자가 아니지만, 여하튼 살 때는 조금 비쌀지도 모르지만, 전체적으로 노동력으로서 계산하면 압도적으로 싸게 먹힙니다. 요컨대 싼 노동력을 꼭 필요로 하는 경제 시스템 안에 들어감으로써 노예제가 요청되었던 것입니다.

따라서 흑인 문제는 어떤 면에서는 우선 계급 문제, 즉 프롤레타리아 밑의 프롤레타리아라는 점이 있다고 생각합니다.

죄책감의 정체

오사와 단지 그것뿐이라면 그 뒤에도 계속되고 있는 흑인의 정체성 위기에 관해 잘 설명할 수 없는 부분이 있습니다. 그래서 링컨의 얘기가 대단히 중요하다고 생각합니다. 우리는 왠지 모르게 링컨이 훌륭한 사람이라고 대충 생각해버리지만, 링컨이 한 일 중에서 제가 중요하다고 생각하는 것은 이런 것입니다.

남북 전쟁에서 끔찍한 희생이 발생했지만 생각해보면 희생자를 줄여서 단순하게 해결하는 편을 우선시할 경우에는 전쟁을 하지 않는 방법, 즉 두 개의 나라로 나눠버리는 방법이 있었다는 것이죠. 여기에는 흑인 노예 따위는 쓰고 싶지 않은 나라가 있고, 저쪽에는 노예를 합법적으로 사용할 수 있는 나라가 있습니다. 그런 모습으로 두 나라로 나누면 간단하지만, 링컨은 매우 커다란 희생을 겪으면서도 노예 해방을 실행하고 하나의 나라를 계속 고집했습니다.

그것은 왜일까요? 분명히 흑인 노예를 사용하는 것에 대한 깊은 죄책감이 있었기 때문입니다. 그것을 방치해두는 것 자체가 허용되지 않는 쪽으로 나아간 것이죠.

아메리카에 노예가 있다는 것에 대해 아메리카인은 모순된 감각을 가져왔습니다. 그 모순이 극에 달한 것이 링컨 때이고, 그래서 노예 해방까지 나아갑니다. 그래도 여러 가지 문제가 계속 남아서 나중에는 민권 운동 등도 나옵니다. 그렇게 해도 여전히 문제가 계속됩니다. 노예가 있었다는 과거가 해소될 수 없는 모순처럼 아메리카 사회 속에 박혀 있어서, 그것이 주관적으로는 몹시 무거운 죄의식으로 나타납니다.

일본인은 그것을 잘 이해하지 못하고 있습니다. 링컨은 단순하게 그저 나쁜 제도를 바로잡은 것처럼 언급되지만, 중요한 것은 지극히 큰 희생을 겪는데도 나라를 분할하지 않았다는 것입니다. 그 배경에는 종교적 의미에서의 죄의식이 있지 않을까 생각합니다.

배타적인 공동체

하시즈메 하나 더, 아메리카의 이념이란 것도 고려하지 않으면 안 됩니다.

남북 전쟁은 희생은 컸지만 합리성이 있었습니다. 오늘날의 아메리카인은 모두 그렇게 생각하고 있고, 남북 전쟁의 희생자를 기억하면서 자랑스럽게 생각하고 있습니다.

노예가 해방되었는데도 왜 간단하게 차별이 없어지지 않았냐면, 아메리카에서 공동체community를 만드는 방식과 관계가 있습니다.

이민은 모두 안전을 위해 출신지가 같은 사람들이 가능한 한 모여서 살았습니다. 뭉쳐서 사는 것에는 외부자를 배제한다는 작용도 있습니다.

얼마 전에 『서버비콘Suburbicon』(2017년, 조지 클루니 감독)이란 아메리카 영화가 개봉되었습니다. 역사적 사실에 의거한 서스펜스 영화인데, 1950년대에 그림으로 그린 듯한 교외의 주택지에 흑인 일가가 불쑥 이사를 옵니다. 한 시간 뒤에는 근처 일대에 이 사실이 널리 알려집니다. 집 주위에 많은 사람이 몰려와서 입에 침이 마르도록 욕을 퍼붓고 소리를 지르고 주위를 담처럼 둘러쌉니다. 최후에는 집을 불태우고 폭동으로 이어지지만, 실제로 그런 사건이 일어난 듯합니다.

보통은 그렇게까지 하지 않는데, 타지 사람이 들어오면 원래 살던 주민은 어딘가로 이사를 가버립니다. 땅값도 내려갑니다. 땅값이 내려가면 점점 많은 새로운 주민이 찾아옵니다. 얼마 뒤면 완전히 주민이 바뀌어버립니다.

이것이 차별을 재생산합니다. 아메리카의 공동체는 그 지방의 세금으로 학교나 공공 시설을 유지하고 있죠. 연방의 보조금은 별로 없습니다. 도심의 빈민가는 소득이 낮은 사람들이 많기 때문에 세금 수입이 많지 않아서 학교는 허술하고 교원의 대우도 나쁩니다. 교외의 주택지는 풍족한 사람들이 살고 있어서 세금 수입이 많기 때문에 학교에 돈을 들입니다. 그러면 살고 싶은 사람이 늘고 땅값이 올라가서 자산 가치가 보전될 수 있습니다. 좋은 투자입니다. 집세도 올라가기 때문에 소득이 적은 사람들이 들어올 수 없습니다. 아메리카의 공동체는 차별의 재생산으로 생겨나고 있다고 해도 좋을 정도입니다.

이와 같은 현상에 대한 대책이 적극적 차별 시정 조치 affirmative action입니다. 소수 집단 출신의 대학 합격점을 좀 낮게 해줍니다. 저소득 집단의 공동체에 보조금을 주어서 교육을 지원합니다. 정말로 그렇습니다. 옛날에는 백흑白黑 버스 통학이라는 방편까지 있었습니다. 민주당은 이런 정책에 열심입니다.

공동체가 이렇게 나뉘는 것의 근원은 분리separation입니다.

모두가 비슷한 사람과 함께 살고 싶다고 잠재적으로 생각하고 있습니다. 기독교 신앙으로부터 온다고 말할 수도 있고, 안전을 고려해서 그렇게 되었다고 말할 수도 있습니다. 이것이 아메리카입니다.

선택받았다는 자부심

오사와 그렇군요. 특별히 반론해야 할 것은 없지만, 저로서는 앞서 말했던 아메리카의 선민 의식이 갖고 있는 역설을 강조해두고 싶다고 생각합니다.

원칙적으로 말하면 기독교 전반의 문제이지만, 일부러 신대륙에 온 사람들은 자신들이 마땅히 구원받아야 할 특별한 운명이라는 강한 느낌을 갖고 있었다고 생각하죠. 그것은 여러 곳에 쓰어 있습니다. 그러나 아메리카가 커지지 않았을 때 상황이 변해갑니다. 처음에는 이민자들 전원이 특별한 운명으로 온 것 같은 기분이었겠지만, 나중에 계속

들어오는 사람들이 있습니다. 그렇게 되면 그런 사람들까지 정말로 선민의 운명 공동체 속에 있다고 생각할 수 있을까 어떨까, 그것은 매우 어려운 문제입니다.

예컨대 독립 이전의 영국 식민지에 관해서조차 '병들어 의지할 곳 없는 사람'이 안심과 건강을 회복하는 '고향'이라고 칭송하던 프랭클린은 이민을 비판한 최초의 사람들 중 한 사람이기도 합니다. 프랭클린은 독일계 이민이 괘씸하다고 말하고 있습니다. 당시의 독일계 이민자는 가난하고 수준이 낮은 생활을 영위하고 있었습니다. 그들이 그 자포자기한 생활이나 저임금의 노동을 그만두고서 '아메리카화'할 수 없다면 구원받도록 운명지어진 공동체의 일원으로 볼 수 없다고 프랭클린은 생각하고 있었습니다.

아메리카 정신의 근본에 있는 것 같은 사람조차도 그렇습니다.

여기에 온 사람들 중에 누가 진정으로 선택받고 있는가라는 것이 문제이죠.

아메리카에서 교회가 세분된다든가, 또는 종파라는 것이 발달한 것도 거기에 있는 것 같은 느낌이 듭니다. 사실은 가톨릭에도 그 문제는 남지만, 신자 전원이 교회라는 전체에 포함되어 있고 자신이 정말로 구원받는 집단에 소속되어 있는가라는 첨예한 자각화가 일어나기 어렵습니다. 그러나 일부러 아메리카에 온 사람들은 자신들은 역시 특별히 구원받을 것이라는 생각이 강합니다. 그러면 나중에 그렇지 않은 사람들이 오면 그 사람들과 자신을 구별하고 싶어집니다. 그런 구별의 최후의 뿌리 같은 것으로서 아프리카계 사람이 남아 있다는 느낌입니다.

따라서 아메리카의 차별을 보고 있자면, 물론 우리 인간은 자신과 닮은 유형과 함께 있는 편이 안심되는 것 같은 측면이 있지만, 그런 문제보다 좀 더 뿌리가 깊은 느낌이 듭니다. 인종 차별에 대항하는 평등의 이데올로기 중에서 가장 중요한 요소도 기독교로부터 조달하고 있지만, 기독교의 선민 사상이라는 것이 굴절되면 차별과 연계될 수 있다는 어려움도 갖고 있습니다. 저는 그런 식으로 생각하고 있습니다.

하시즈메 대부분의 아메리카인에게는 모국home country이라고 말할 수 있는 것이 있고, 거기에 자신의 처소가 있다고 여기고 안심할 수 있지만, 아프리카계 아메리카인의 경우에는 모국에 해당하는 것이 분명하지 않습니다. 추적하는 것도 어렵습니다.

꽤 오래전에 알렉스 헤일리Alex Haley의 『뿌리Roots』라는 소설과 TV 드라마가 크게 히트를 쳤습니다. 그것이 히트한 것은 아프리카계 아메리카인의 뿌리를 더듬어 찾는 것이 가능하다는 얘기였기 때문이죠. 그렇지만 주인공인 쿤타 킨테가 아프리카에서 자유민이었다가 포로로 잡혀 노예가 되어버렸다는 얘기가 묘사되었지만, 자유민이었던 쿤타 킨테가 어떤 문화나 전통을 갖고 있고, 그것이 지금의 아메리카 자손과 어떤 관계가 있는가는 묘사되지 않았습니다. 그 부분이 애매모호한 채로 남아 있는 것이 이 문제의 어려움입니다.

스파이크 리Spike Lee 감독의 『말콤 X』(1992년, 아메리카) 역시 정체성 확립에 고뇌하는 아프리카계 아메리카인의 얘기입니다. 주인공인 말콤 X는 진학의 꿈을 포기하고서 불량 소년이 되어 백인 흉내를 내며 머리카락을 스트레이트로 편다든지 화려한 셔츠를 입는다든지 하지만, 형무소에서 무슬림으로 개종하고서 흑인 무슬림 운동의 간부가 됩니다. 그러나 백인을 악마라고 가르치는 교의에 의문을 품고서 조직을 이탈해 백인과의 융화를 주창하는 새로운 조직을 일으킬 즈음에 암살당해버린다는 비극을 묘사하고 있습니다.

아프리카계 아메리카인의 영웅은 역시 마틴 루터 킹 목사이죠. 민권 운동의 지도자로서 활약하지만 암살되어버렸습니다. 흑인이라는 것을 그대로 긍정하는 자세, 비폭력에 투철한 자세는 많은 아프리카계 아메리카에게 희망을 주고 흑인 이외의 아메리카인에게도 감명을 주었습니다.

오사와 그렇군요. 아메리카는 이민의 나라가 되었지만, 이민은 모두 아메리카 밖에 고향이나 뿌리를 갖고 있습니다. 아프리카계 사람들만 사실상 그런 고향을 가질 수 없습니다. 말콤 X의 'X'라는 성, 뜻이 정해지지 않은 성은 고향의 부재를 상징하고 있죠.

제2장 왜 사회주의가 확산되지 않는가?

마르크스주의 알레르기

오사와 왜 아메리카에서는 공산주의나 사회주의가 확산되지 않았을까요? 아메리카공산당이라는 것이 지금도 어쨌든 형식적으로는 존재하고 사회주의 세력도 엄밀히 말하면 여럿 있다고 생각하지만, 현실로서는 약하죠. 모든 자본주의 국가는, 사회주의 체제가 되지 않은 국가도 포함해서 꽤 유력한 사회주의 이데올로기가 발달합니다. 물론 일본도 그렇습니다. 사회주의자, 무산주의자, 무정부주의자들이 탄압당한 시기가 있습니다. 그것에 비하면 아메리카에서는 합법적인 탄압은 없었습니다. 전후에 매카시 선풍이 있었지만 지금은 나쁜 역사로서만 언급됩니다. 따라서 극단적으로 사회주의가 비합법화되어 있는 것도 아닙니다.

그렇다면 아메리카는 사회주의가 나오지 않을 정도로 자본주의가 잘 되고 있던 것일까요? 물론 아메리카 자본주의는 어떤 의미에서 잘 되고 있는지도 모르겠지만, 잘 되고 있는 만큼 계급 문제 등 자본주의가 낳는 문제는 확실히 있습니다. 요컨대 사회주의가 탄생할 수 있는 토양이 사실상 존재하는데도 이상할 정도로 사회주의가 발달하지 않았다는 것은 어째서일까요? 그것을 생각하면 아메리카적인 것의 에토스의 핵이 보이게 되지 않을까요? 이것이 제 제안입니다.

하시즈메 매우 중요한 제안이군요.

일본인은 누구라도 대부분 복지는 좋은 것이라고 일단 생각합니다. 자민당도 하고 있는 것은 대체로 그렇습니다.

그렇지만 그런 감각이 아메리카에는 없습니다. 왜냐하면 역시 사람들의 사고방식의 근저에 기독교가 있기 때문입니다. 그것도 아메리카적인 기독교이죠.

기독교의 기본은 신과 인간을 확실하게 구별하는 것입니다. 신의 일과 인간의 일을 구별하는 것입니다. 신의 일은 올바릅니다. 인간의 일은 자주 올바르지 않습니다. 인간의 일은 신이 명령한 것을 수행하는 경우에만 올바릅니다. 인간의 일이지만 거기에 신의 의사가 작동하기 때문입니다.

그러면 정부는? 정부는 사람의 모임입니다. 정부가 하는 일은 사람의 일입니다. 따라서 옳다고 단정할 수는 없습니다. 아니, 오히려 대부분의 경우에 틀렸다고 생각하는 편이 좋습니다.

정부는 신용할 수 없습니다. 정부보다 신 쪽이 신뢰할 수 있다는 것은 명백합니다. 사회주의라든가 복지는 무엇을 하는 것이냐 하면, 우선 정부가 세금을 거둡니다. 모든 사람으로부터 세금을 거둬서 그것을 재원으로 사람들의 생활에 필요한 여러 가지 서비스를 실행합니다. 애초에 정부는 그런 일을 실행할 필요가 없습니다. 게다가 사람들이 정부에 의존하게 되는 것도 바람직하지 않습니다. 정부가 하지 않아도 자신들끼리 재단을 만들어서 하기 때문에 그것으로 충분합니다. 이런 식으로 생각하는 것이죠.

아메리카인은 복지보다 기부를 좋아합니다. 기부는 개인이 합니다. 개인은 신앙을 갖고 있어서 신의 음성을 들을 수 있습니다. 복지는 정부가 합니다. 정부는 신앙을 갖고 있지 않기 때문에 신의 음성을 들을 수 없습니다.

사회주의는 주체성을 빼앗는다?

오사와 사회주의라는 단어가 어느 무렵에 아메리카로 건너왔을까요? 이 단어가 발명된 곳은 프랑스입니다. 얼마 지나지 않아 아메리카로 건너옵니다. 물론 19세기의 일입니다. 거의 동시에 개인주의individualism란 단어도 유럽에서 아메리카로 건너옵니다. 프랑스 등 유럽의 맥락에서 사회주의는 기본적으로 긍정적인 사상이죠. 역으로 개인주의에는 부정적인 함의가 있었습니다. 그렇지만 아메리카로 건너오면 반대로 사회주의는 나쁜 의미가 되고 개인주의야말로 좋은 것으로 됩니다. 개인주의는 아메리카의 분위기에 너무나도 잘 맞는 느낌으로 정착했습니다. 로버트 벨라Robert Bellah가 『깨어진 언약*The Broken Covenant*』에서 그렇게 논하고 있습니다.

아메리카인의 행동을 보면서 생각하는 것은 다음과 같은 것입니다. 예컨대 사회주의 혹은 그것과 가까운 아이디어나 체제에 기반해서 사회 복지 정책을 행하는 것은 '남에게 시키는' 성격의 것이죠. 자신의 주체성을 다른 사람에게 맡기는 것을 극히 싫어한달까 극구 피하고 싶은 의식 구조가 아메리카인에게 있다고 생각합니다. 따라서 정부의 신세를 지는 것도 극구 피하고 싶어합니다. 20세기가 되면 뉴딜 정책 같은 것도 나오기 때문에 정부의 개입을 받아들이는 것처럼 되지만, 아메리카인은 거기에 몹시 저항감을 갖고 있었다고 생각합니다.

개인의 사적 소유라든가 주체성을 빼앗기는 것은 객관적으로는 특별히 정부에 의한 것만 있는 것은 아닙니다. 근대 사회의 시스템을 보면, 예컨대 마르크스주의적으로 말하면 자유로워 보이는 노동자도 사실은 자유롭지 않고, 실질적으로는 자본가에게 사적 소유권을 빼앗기고 있다고 말할 수 있습니다. 그렇지만 아메리카인은 기업이나 자본 등 그런 사적인 주체에게 '착취'당하고 있는 것은 그다지 신경 쓰지 않죠. 그러나 아메리카인은 제도화된 공권력에 자신의 주체성을 빼앗겨서 의존하는 방식에는 대단히 부정적인 감각을 갖고 있습니다.

어쩌면 말씀하신 것처럼 뿌리를 찾아보면 아메리카의 기독교가 있을지도 모르겠습니다. 누군가에게 도움을 받아서 구원받았다. 그 누군가가 옳은지 어떤지 알지 못한다. 그런 것에 관해서는 몹시 저항감을 갖는다고 생각합니다.

하시즈메 누군가 다른 사람이 아니라 정부이기 때문에 더욱 안 된다는 것이 아닐까요. 조직이기 때문에 안 된다. 조직인데도 예외적으로 허용되는 것이 교회이죠.

오사와 신에 연결되어 있기 때문이지요.

하시즈메 네. 정부는 어디까지나 인간의 모임이기 때문에 이 정도로 나쁜 것은 없죠. 혼이 없기도 하고.

오사와 기업의 경우는 일단 개인과 개인의 계약이기 때문이죠.

하시즈메 네.

오사와 빼앗겨도 자기 책임을 지고 빼앗기는 것일 뿐입니다. 공권력은 위에서 와버리기 때문에 괘씸한 것이 됩니다. 객관적으로 보면 그것이 아닌가 하는 기분이 들지만 말입니다.

하시즈메 그것은 일본인의 감각입니다.

오사와 그렇군요. 아메리카와 일본은 근본적으로 다르군요.

하시즈메 네. 근본적으로 다릅니다.

오사와 따라서 대기업에 실컷 착취당해도 그렇게 신경 쓰지 않지만, 세금을 좀 납부당하면 그것은 뭔가 하게 되는군요.

하시즈메 그렇습니다.

유럽은 왜 복지 사회인가?

하시즈메 그러나 유럽 역시 기독교인데도 왜 저토록 복지 사회가 되었고, 아메리카는 역시 기독교인데도 왜 저토록 자유주의적이고 신자유주의적일까요?

유럽은 베스트팔렌 조약 체제 밑에 있기 때문에 군주마다, 정부마다 신앙이 할당되어 있다는 감각이 어딘가에 있습니다. 영국이라면 영국 국교회라는 식으로. 프랑스는 가톨릭이지만 교회의 영향이 희박하고 오히려 철학의 나라이죠. 그리고 독일은 루터파입니다. 실제로는 1/3 정도 가톨릭이 있지만 루터파가 주류입니다. 핀란드나 스웨덴도 대체로 루터파여서 칼뱅파의 색채는 엷습니다. 칼뱅파는 영국이나 아메리카에 남아 있죠. 그리고 폴란드는 가톨릭이고, 러시아는 러시아정교라는 식으로 나라마다 종파의 색깔 구분이 명확하게 돼 있습니다. 여러 가지 종파가 혼재되어 있는 식으로 돼 있지 않습니다.

그래서 공정 교회라는 사고방식이 있어서 정부가 세금을 거두고 교회의 비용을 지불하는 구조로 되어 있습니다. 제1부에서 말한 대로입니다. 독일에서도 정부로부터 루터파 교회의 운영비가 나오고 있습니다.

오사와 확실히 독일에서는 논쟁이 되고 있죠. 루터파만 특별 대우를 받는 것은 이상하지 않느냐고.

하시즈메 목사의 급여가 나오면 공무원처럼 되어버리죠.

공정 교회라는 사고방식이 있으면 교회는 직무로서 복

지를 행하게 됩니다. 피난처를 만들어서 남편의 폭력 때문에 도망오는 여성을 받아들인다든가 혜택을 받지 못하는 사람들에게 다양한 서비스를 제공한다든가. 이것은 세금이지만 신의 의사에 의해 이웃 사랑을 실현하는 것이기 때문에 하고 있는 것입니다. 가톨릭에서는 카리타스caritas [자선]라고 부르고 프로테스탄트에서는 디아코니아diakonia [섬김]라고 부르지만, 요컨대 교회가 행하는 복지이죠.

그런데 정부도 복지를 하고 있습니다. 정부가 하는 복지와 교회가 하는 복지가 어떤 관계에 있는지 잘 알 수 없게 됩니다. 나란히 대체로 동일한 것을 하고 있습니다. 일전에 그쪽 일을 하고 있는 사람의 얘기를 들을 기회가 있었습니다. 어떻게 하고 있는가 들었더니 제휴해서 하고 있다는 대답이었습니다.

이런 방식으로 '세금으로 복지를 하는 것은 당연하다'는 감각이 생긴다고 생각합니다. 그래서 자상한 건강보험이라든가 후한 연금을 조성하는 방향으로 되었을 때 어디에서도 반대가 나오지 않습니다. 그래서 납세자도 좋은 복지라면 부담이 커도 괜찮지 않은가 하는 식으로 됩니다.

오사와 그렇군요.

하시즈메 그런데 아메리카에서는 이것이 금지 사항입니다.

우선 모두 공정 교회가 존재해서는 안 된다고 생각하고 있습니다. 연방 정부는 어떤 교회에도 세금을 사용해서는 안 됩니다. 교회도 연방 정부와 연계를 갖지 않습니다. 교회는 각각 신도에게 거둔 모금으로 다양한 사업을 합니다. 그러면 사람들은 "세금으로 복지를 한다? 그게 뭐야?"라는 식으로 생각합니다. 정부가 복지를 하는 것을 교회가 정당화해준다는 논리가 전혀 없습니다.

이것이 독일이나 북유럽 등과 같이 어느 하나의 교회가 정부와 연계를 갖고서 공정 교회의 지위를 얻는 시스템과 아메리카의 차이라고 생각합니다.

오사와 전적으로 옳다고 생각합니다.

'사회'를 신뢰하지 않는다

오사와 이치노카와 야스타카市野川容孝 선생이 『사회』(岩波書店, 2006)라는 책을 썼습니다. 상당히 좋은 책인데, '사회'라는 단어(society, société, Gesellschaft)의 함의를 연구하고 있습니다. 일본어의 '사회社會'는 그러한 서구어의 번역어로 만들어져서 '인간의 모임'이라는 정도로 매우 중립적으로 사용되지만, 유럽의 맥락에서 '사회'라는 단어가 어떻게 독특한 윤리적 함의를 갖게 되었는지를 증명해주고 있습니다.

그러나 아메리카에서는 '사회적social'은 어느쪽이냐 하면, 부정적인 의미가 되어버립니다. 하시즈메 선생이 말씀하신 대로, 유럽에서는 신앙의 자유라고 해도 국가마다의 문제여서, 엄밀히 말하면 원래 개인 수준의 자유가 아니었습니다. 신앙의 연계도 바로 '사회'를 기초로 존재하는 것입니다. 그러나 아메리카로 이주한 프로테스탄트의 경우에 신앙은 엄밀한 의미에서 개인적인 선택이기 때문에 "이 영역에 살고 있기 때문에 당신은 강제적으로 칼뱅파야"같은 것은 당치도 않습니다. 신앙이 사실은 영역마다에서 사회적으로 선택되고 그 가운데 복지 정책과 일체화된 경우와, 진정한 의미에서 개인의 선택이 가능한 수준에 있는 사람들 사이의 차이는 대단히 크다고 생각합니다.

그리고 나라마다 GDP 중 얼마가 재분배되고 있는가(재분배율)에 차이가 있지만, 그 차이를 규정하는 요인이 무엇인가를 조사한 연구가 많이 있습니다. 예컨대 고령자가 증가하면 재분배율도 증가하는 것이 아닌가, 남녀 차별이 있는 곳에서는 재분배율이 낮은 것이 아닌가, 국회의원 중 여성의 비율과 재분배율의 상관관계가 있는 것이 아닌가 등 관계가 있을 법한 변수는 많이 있습니다. 그렇지만 대부분의 변수는 재분배율과 그다지 강한 상관관계가 없습니다.

그런데 시그룬 칼Sigrun Karl이라는 학자가 재분배율과 지극히 강한 상관관계가 있는 변수를 발견했습니다. 그것은 기독교의 차이입니다. 가톨릭과 프로테스탄트, 프로테스탄트 중에서도 루터파와 칼뱅파. 결론적으로 말하면, 루터파 계통의 지역이 재분배율이 가장 높습니다. 요컨대 세금이 높아도 불평을 하지 않는다는 것이죠. 재분배율이 가장 낮은 것은 예상한 대로 칼뱅파가 강한 지역입니다. 양자의 중간이 가톨릭입니다. 같은 프로테스탄트라도 루터파와 칼뱅파는 대조적입니다. 정부에 강제로 세금을 징수당해서 그것이 복지에 충당되는 시스템을 허용할 수 있는가 어떤가는, 세금을 납부하는 사람이 기독교의 어느 종파에 속해 있는지가 매우 크게 작용하고 있습니다. 그것이 착실한 실증 연구에 의해서도 확인되고 있습니다.

하시즈메 그렇군요.

그런 차이가 생긴 이유는 유럽이나 아메리카 사람들에게는 명명백백하겠지만, 일본인은 전혀 감이 오지 않습니다. 루터파와 칼뱅파는 많이 닮았다고 생각해버리죠. 어디가 다를까요?

닮은 점도 있습니다. 가톨릭도, 루터파와 칼뱅파도 유아세례가 있습니다.

유아 세례가 있으면 가족이 함께 교회에 소속될 수 있습니다. 유아는 신앙이 불확실하기 때문에 신앙을 자각한 성인이 세례를 받아야 한다는 견해도 있지만, 그러면 재세례파가 되어버립니다. 독일에서는 탄압을 받고 거의 근절되었습니다. 한편 상당히 시간이 흐른 뒤에 침례파라는 종파가 생기고 아메리카에서 대단히 큰 교회가 되었습니다. 유아 세례를 인정하지 않고 타 종파의 세례도 세례로 인정하지 않습니다. 제1부에서 말한 대로입니다.

그런데 칼뱅파가 루터파와 가장 다른 점은 역시 구원 예정설입니다. 죄가 있는 인간을 구원할까 말까는 신이 결정합니다. 인간은 참견할 수 없습니다. 인간의 일은 전혀 관계가 없습니다. 루터파는 그 부분이 어쩐지 애매하지만, 칼뱅파는 이론에 맞춰 엄격합니다. 이 칼뱅파가 아메리카 프로테스탄트의 저변에 있습니다.

아메리카의 프로테스탄트는 칼뱅파가 기초이기 때문에 엄격하고, 의견이 좀 다르면 다른 교회로 분열되어버립니다. 그렇기 때문에 모든 교회는 대등하고 정부와 관계를 맺으면 안 됩니다. 공정 교회 등은 당치도 않습니다. 아메리카에서 복지나 사회주의가 인기가 없는 데는 이런 전제가 있다고 생각합니다.

사회주의의 싹

오사와 독자를 위해 좀 덧붙이겠습니다. 아메리카 사상사를 보면, 객관적으로 말해서 사회주의적인 사상이 상당히 유력한 때도 있기는 합니다. 19세기 전반에 그런 시기가 한 번 있었지만, 그후에 남북 전쟁이 일어나는 바람에 그쪽이 중요하게 되어 사회주의는 사라져버립니다. 그 뒤에 아메리카사회당이라는 것이 20세기 초엽에 출현합니다. 대략 제1차 세계대전이 끝날 무렵까지 존속하면서 나름대로 영향력을 발휘하기도 했다고 생각합니다.

특히 19세기 전반에 중요한 사람이 사회주의적인 것을 말하고 있는데, 윌리엄 제임스의 아버지인 헨리 제임스 주니어입니다. 그는 간단하게 말하면 재산의 공유제, 즉 부의 축적은 개인 단위로 이루어져야 하는 것이 아니라 공동체에 귀속되는 형태로 해야 한다는 사상을 갖고 있었습니다. 제2부에서 나온 에머슨도 그랬습니다. 생각해보면 에머슨이나 소로는 시장 경제 자체를 부정하고 있는 점도 있기 때문에 당연하지만, 그런 식으로 사회주의의 싹이 아메리카에도 나오죠. 그러나 결국은 뿌리내리지 못하고, 사회주의적인 사상이 나왔을 때도 우리를 '사회주의자'라고 부르지 말아 달라고 한 것 같은 느낌이 있습니다. 그 궁극적인 원천을 추적하면 하시즈메 선생이 말한 종교적인 문제가 얽혀 있다고 생각합니다.

좀 더 덧붙이자면, 특히 마르크스주의자의 경우에 상당히 명백하게 무신론 같은 것을 말하고 있지 않습니까. 그리고 유럽 지식인의 경우에 기독교에 대해서 비교적 냉소적으로 되거나 기독교를 다소 바보 취급하는 편이 전위적이야, 멋있어라고 보는 면이 있어서 사회주의가 도덕화하는 것을 거부하는 흐름이 있습니다. 그에 반해 아메리카에서는 그런 풍조가 없죠. 오히려 종교적인 함의랄까 종교와 연결된 도덕적인 함의가 없는 것은 몹시 모독적으로 보이고 기피합니다. 동일한 기독교를 기초로 한 문명이면서도 여러 가지 의미에서 정반대가 된 것이지요. 유럽과 신대륙에서는.

칼뱅파가 원인인가?

하시즈메 사회주의나 마르크스주의를 받아들인 나라를 살펴보면, 우선 프랑스가 있죠. 프랑스는 가톨릭이지만 철학의 나라입니다. 철학은 사회주의나 마르크스주의와 친화성이 높습니다. 철학은 말하자면 무신론입니다.

그리고 독일. 독일은 루터파가 기본입니다. 유대인 중에는 마르크스주의자가 많았습니다. 다음은 러시아. 이탈리아. 정교도 가톨릭도 마르크스주의나 공산주의에 친화성이 높습니다.

한편 영국은 마르크스주의와 친화성이 낮지 않습니까. 영국은 국교회이지만, 국교회는 교의의 측면에서 말하면 칼뱅파와 가깝습니다.

이렇게 생각해보면 아메리카가 사회주의나 공산주의 자체를 거절하는 것이 아니라, 아메리카가 칼뱅파이기 때문에 그런 것들을 거절하는 것이 아닐까 하는 것이 제 생각입니다.

오사와 좀 세밀한 얘기를 하면, 프랑스가 철학의 나라가 되기 쉬운 것은 프로테스탄트가 없기 때문이죠. 프로테스탄트 대신에 어쩔 수 없이 계몽 사상이 들어온 느낌입니다. 다른 나라라면 프로테스탄트가 완수하고 칼뱅파가 역할을 맡았을지도 모를 것 같은 일을 계몽 사상 이래의 철학자가 담당하는 구조가 됩니다.

영국과 아메리카의 차이에 관해 말하면, 칼뱅파적인 것

의 잠재력을 아메리카에 갖고 가면 굴레 같은 것이 없기 때문에 그대로 칼뱅파가 됩니다. 영국은 거의 칼뱅파처럼 되어 있어도 영국 국교회의 맥락에서 일이 이루어지기 때문에 잠재력이 있어도 완전히 현실화되지 않는 것이 아닌가 생각합니다. 따라서 아메리카의 특징은 확실히 칼뱅파의 특징이죠.

작은 정부가 좋다

하시즈메 칼뱅파 중에도 복지라는 관념이 있어서 모두 열심히 합니다.

감리파 계열에서 복지에 특화된 단체로는 구세군이 유명하다는 얘기를 제1부에서 했습니다. 아메리카에서는 그 밖에도 복지를 수행하는 많은 단체나 법인이 있다고 생각합니다. 요컨대 이것들은 정부가 아니라는 점이 중요합니다.

오사와 그렇군요. 정부와 함께 하거나 하지 않는군요.

하시즈메 정부와 재단의 차이는 무엇이냐면 정부는 세금을 걷습니다. 재단은 기부금을 모읍니다. 칼뱅파는 세금을 거두는 것에는 긍정적이지 않지만 기부는 권장합니다. 그 점이 대조적입니다. 그러나 정부는 세금을 걷고, 세금으로 조직하지 않을 수 없습니다. 그러면 정부에 대해 복지는 하지 마라, 군사나 외교 그 밖에 정부가 아니면 할 수 없는 행정 서비스만 해라 하는 입장이 된다고 생각합니다.

오사와 바로 그렇습니다.

제3장 왜 우리는 아메리카-일본 관계에
속박되는가?

트럼프 현상이란 무엇인가?

하시즈메 2017년 1월 트럼프 대통령이 탄생했습니다.

이 사람은 독특한 캐릭터로 화제가 되고 있지만, 애당초 사람들이 지지하지 않았으면 트럼프 대통령은 등장하지 않았을 것입니다. 트럼프 자신은 공화당의 지명을 받을 것이라고도 생각하지 않았던 것 같고, 대통령이 되리라고도 생각하지 않았던 것 같습니다. 시대가 트럼프를 요구했다는 것이죠.

트럼프의 지지자로서 주목해야 할 것은 우선 하층 계급(저소득층), 그리고 복음파입니다. 그리고 보수적인 공화당 지지자와 연방 정부 반대파. 그런 사람들의 연합군이 민주당을 지지하는 사람들보다 많았다는 것이죠. 유권자의 총 득표(일반 투표)에서는 힐러리 후보 쪽이 조금 더 많았던 것으로 보이지만, 평소에는 투표소에 발을 들이지 않는 사람들이 투표하러 갔습니다. 그리고 평소에 투표하러 가는 사람들이 투표하지 않았습니다. 지지자 측면에서 말하면 그런 느낌이라고 생각합니다.

오사와 저는 마르크스의 『루이 보나파르트의 브뤼메르 18일』을 떠올립니다. 나폴레옹 보나파르트의 조카인 루이 나폴레옹이 어떻게 황제(나폴레옹 3세)가 될 수 있었는지를 분석하고 있습니다. 1852년에 루이 나폴레옹은 국민 투표를 거쳐 황제가 되었지만, 누가 지지자였을까요? 간단히 말하면 빈농이죠. 프랑스 혁명 뒤에 모두에게 작은 토지가 분배되었지만, 너무 작은 토지만으로는 먹고 살 수 없는 많은 빈농이 생기는데 그들이 루이 나폴레옹을 지지합니다. 그러나 루이 나폴레옹이 빈농들의 올바른 대변자였는가 하면 그렇지 않습니다. 빈농들이 그에게서 대변자를 찾아내려고 했지만, 그들이 꺼낸 것은 틀린 카드였다는 것이 마르크스의 분석입니다. 그렇다면 따로 올바른 카드가 있었는가 하면 그것은 아니죠. 루이 나폴레옹은 빈농에게는 어떤 카드로도 틀리다는 것, 요컨대 올바른 카드가 아니라는 것, 그것을 대표한 것입니다. 빈농에게 있어서는 그들의 대표자의 부재 자체를 대표하고 있는 것입니다.

저는 트럼프에 대해 그것과 동일한 면이 있다고 생각합니다. 예컨대 백인 중에서 그다지 유복하지 않은 사람들이 중요한 지지 기반이 됩니다. 물론 그들은 힐러리 클린턴을 밀어야 했던 것이 아닐까요. 클린턴은 분명히 그들의 대표자는 아닙니다. 그것이 좋았던 것도 아니었다고 생각합니다. 그렇지만 트럼프가 정확히 백인 저소득층의 생각과 이해를 대표하고 있느냐면 물론 그렇지 않습니다. 그런 의미에서는 그들의 선택이 틀린 것입니다. 다만 트럼프는 백인 저소득층의 곤경을 누구도 대표할 수 없다는 것, 그것을 대표했다고 생각합니다. 말하자면 정답의 부재에 대한 대표입니다.

왜 사전 예측이 빗나갔는가?

오사와 헌법학자인 키무라 소타木村草太 선생한테 들은 얘기입니다. 가르쳐줘서 확인해보았는데, 역시 맞는 얘기입니다. 아메리카 대통령 선거는 11월에 치러지지 않습니까. 한 달 정도 전에 아직 선거권을 갖고 있지 않은 아이들의 모의 투표가 있다고 합니다. 물론 엄밀하게 표집해서 하는 것은 아니지만, 여하튼 아이들에 의한 모의 대통령 선거가 있습니다. 그 결과는 지금까지를 보면 거의 실제 선거 결과와 일치합니다. 요컨대 아이들이 뽑은 사람이 실제로 대통령이 되는 확률이 매우 높습니다. 어떻게 해서 그렇게 되냐면 아이들도 어른과 똑같은 것을 고려하는구나와 같은 단순한 얘기가 아닙니다. 아이들이 가정에서 어른의 대화를 듣고 있기 때문이죠. 아버지는 힐러리를 지지하고 있는 것 같아, 어머니는 트럼프가 좋다고 얘기했어 등 부모가 가정에서 어떤 얘기를 하고 있는가? 아이들의 투표는 부모의 판단을 반영하고 있습니다. 따라서 아이들의 모의 선거는 어른이 가정에서 어떤 후보를 밀고 있는지를 반영하고 있습니다. 모의 선거의 결과와 실제 선거의 결과가 일치하는 것에는 확실한 이유가 있습니다.

그런데 이번에는 예외적으로 결과가 일치하지 않았습니다. 아이들의 모의 선거에서는 힐러리가 확실히 승리했습니다. 그런데 두껑을 열어보니 트럼프가 승리했습니다. 이것이 무엇을 의미하고 있는가 하면, 트럼프를 지지하는 어른은 가정에서 아이들이 들을 수 있는 곳에서 트럼프 지지를 분명하게 말하지 않는다는 것입니다. 어쩌면 일부 트럼프 지지자는 아이들 앞에서는 힐러리를 밀고 있는 것처럼 행동했는지도 모릅니다. 트럼프를 지지하는 것은, 말하자면 교육상 좋지 않은 것입니다.

그렇다는 것은 많은 사람이 '정치적으로 옳은' 선택은 힐러리 클린턴이었다고 알고 있었다는 것입니다. 그러나 그 '정치적 옳음' 자체에 수상쩍음을 느낀 사람이 많이 있었습니다. 힐러리 류의 '옳음'은 그들을 곤경으로부터 조금이라도 구해줄 수 있는 것으로 생각되지 않습니다. 오히려 곤경이 심각하게 될 것처럼 느껴지는 것이 있기 때문이라고 생각합니다. 그러나 그들은 '정치적 옳음'에 대해 느끼는 그 수상쩍음을 아이들이 들어도, 그리고 자기 자신으로서도 납득할 수 있게, 대의에 호소하는 모습으로 '옳게' 설명할 수 없습니다. 어쨌든 그 힐러리에 대해 더러운 말을 입에 올리는 자가 있습니다. 보통의 공화당 후보자였다면 도저히 할 수 없는 수준으로 노골적으로 '정치적 옳음'을 유린하는 자가 있습니다. 물론 트럼프입니다. '정치적 옳음'에 수상쩍음과 기만을 느끼고, 불우하다는 느낌에 괴로워하고 있던 사람들은 일단 트럼프에게서 자신들의 '대표자'를 보았다고 생각합니다.

트럼프가 대통령이 됨으로써 생긴 이득은, 우리에게 제대로 이치에 맞게 설명할 수 있는 옳은 선택지는 어디에도 없다는 것을 잘 알았다는 것입니다. 만일 힐러리가 승리했다면 우리는 이것을 눈치채지 못했을 것이기 때문에 상황이 더 심각하게 되었을 겁니다. 트럼프가 승리한 덕분에 오늘의 정치 사상과 정책 속에 있는 근본적인 맹점이 보이게 된 것입니다.

신의 의사가 작용하다

하시즈메 선거는 인간이 투표하는 것이죠. 그럼 선거는 인간의 일인가요 신의 일인가요? 아메리카인들은 신의 일이라고 생각하는 면이 있습니다.

민주주의는 개개인 제각각의 투표에 의한 결정입니다. 투표 이전에 결과를 알고 있는 사람은 아무도 없습니다. 이러한 상황에서 다수를 얻은 자가 선출됩니다. 이것은 신의 일이라고 말할 수 있습니다.

아메리카의 경우에 누군가 혼자서 결정해버리는 독재가 제일 나쁩니다. 독재는 분명히 인간의 일입니다. 독재는 나쁘지만 왕은 겨우 허용됩니다. 그렇지만 왕정보다는 민주정 쪽이 좋습니다. 그때그때 최적이라고 생각되는 후보자가 소신을 밝히고 사람들은 양심에 따라 최적임자라고 생각되는 사람에게 투표를 하고 당선자가 결정됩니다. 거기에 신의 의사가 드러난다고 봅니다. 링컨이라 할지라도, 트럼프라고 할지라도 신이 대통령으로 어울린다고 생각해서 선택한 것입니다. 아메리카에서는 이거 말고는 생각할 수가 없고, 사람들은 그렇게 납득합니다. 당선되고 나서는, 어떤 임무를 달성하기 위해서 신이 트럼프를 선택했을 것이라고 생각합니다.

오사와 공식 견해로서는 그렇게 된다고 생각하지만, 그렇게까지 정색하고 말할 수 있는 사람은 그리 많지 않다고 생각합니다만.

하시즈메 아닙니다. 아메리카는 충분히 그렇습니다.

덧붙여 말하자면, 당선되면 "지금부터는 공화당도 민주당도 없고 우리는 아메리카합중국이다!"라고 연설하게 됩니다. 의식儀式이긴 하지만.

오사와 그렇군요. 선거에는 확실히 다수결로 그렇게 되었다는 것 이상의 플러스 알파의 의미가…….

하시즈메 과도한 의미 부여가 있습니다.

오사와 확실히 신이 선택하지만 신이 무엇을 선택하는지 알 수 없기 때문에, 선거를 해서 확인해보자는 것이라고 생각합니다. 선거를 하고서 확인해보면 신이 선택한 사람이 누구였는지 알게 되죠. 그런 의미에서 말하면 선거는 신의 의사를 알기 위한 2차적인 방법입니다. 따라서 선거에는 인간에 의한 선택을 초월하는 플러스 알파의 무게가 있고, 그렇기 때문에 아메리카 대통령 선거가 다소 종교적인 제사와 가까워지고 있습니다.

아메리카의 외교를 되돌아보다

오사와 그렇다 하더라도 일본의 총리의 아메리카 대통령에 대한 저자세는 과도한 느낌이 듭니다. 아메리카-일본 관계는 도대체 어떻게 그런 모습이 되어버렸을까, 그것을 생각해보고 싶습니다.

하시즈메 옛날에 아메리카는 먼로주의를 주창하고 있었습니다. 아메리카는 외부 세계(유럽)로부터 간섭을 받지 않는다고. 아메리카는 작은 나라였죠. 그리고 분열되지 않는 것도 중요합니다. 아메리카는 확장해갔지만, 캐나다를 합병하지는 않았습니다. 멕시코를 합병하지 않았습니다. 그렇지만 알래스카 같은 빈 땅은 매입해서 현재의 모습이 되었습니다.

그런데 아메리카가 점점 강해지면 얘기가 달라집니다. 외국을 향한 적극적인 이해관계에 대한 관심을 숨기지 않게 되었습니다. 예를 들면 파나마 운하에 대한 태도. 그리고 쿠바와 카리브해 제도諸島에 대한 태도. 라틴 아메리카에 대한 태도. 하와이에 대한 태도. 필리핀에 대한 태도. 이해관계에 대한 관심의 범위가 계속 확대되어갑니다. 확장되어서 최종적으로 주州로 만들어버린 것이 하와이입니다. 필리핀은 주로 만들지 않았습니다. 그렇지만 아메리카는 필리핀을 자신의 세력 범위라고 생각하고 있습니다.

오사와 그렇군요.

전후의 '아메리카 대권'

하시즈메 아메리카는 일본과 전쟁을 해서 4년이나 걸려서 무조건 항복을 받고, 6년 동안이나 점령했습니다. 아메리카에게는 첫 경험입니다.

우선 무조건 항복을 받고 점령하고 헌법까지 다시 만들었다는 것은 아메리카에게는 처음 있는 일이고, 세계적으로 보아도 대단히 진기한 일입니다. 자유와 민주주의를 패전국에 강요하고 있습니다.

여하튼 아메리카는 전후 일본의 주재자主宰者입니다. 이것을 '아메리카 대권'이라고 부르고 싶습니다. 아메리카가 '헌법 제정 권력'으로서 전후 사회의 기본적 성격을 결정하고, 점령을 한 뒤에 군대를 해체했습니다. 독립 후에도 군대는 재건되지 못했습니다.

그렇다면 일본의 국제 사회에서의 지위와 안전 보장을 어떻게 할 것인가라는 문제가 생기는데, 내버려두면 권력의 진공 지대가 되죠. 그래서 아메리카가 안전 보장을 제공하고 그리고 '체제 보장'에 해당하는 약속도 했습니다.

일본인은 그 원점을 직시하는 것을 피하고 있습니다.

오사와 맞습니다. 아메리카가 객관적으로 어떠한가 하는 것과, 일본인에게 아메리카가 어떠한가 하는 것이 별개의 문제가 되어버리고 있습니다. 일본인은 이 정도로까지 아메리카에 종속돼 있는데도 아메리카에 대해 그다지 이해하지 못하고 있는 상태입니다. 따라서 우리가 이 책을 만드는 것에도 의미가 있는 것입니다. 그렇지만 전후 70년 이상이나 지났는데도 객관적으로 보면 일본은 아무래도 철저히 아메리카에 종속되어 있는 상태에 있습니다. 정신적으로도 정치적으로도 경제적으로도. 아메리카가 결정한 것밖에 따르지 않습니다. 간단하게 말하면, 아메리카를 헤아려 움직이고 있습니다. 그 헤아림도, 객관적으로 보면 도가 넘칩니다.

무언가를 요구할 때 100%는 통하지 않을 것이야 하면서도 일단 요구해보자고 생각하는 경우가 있죠. 아메리카의 일본에 대한 요구는 그런 종류의 것이라고 생각합니다. 일본은 아메리카의 요구를 받으면 그 100%(이상)를 받아들여버립니다. 아메리카 입장에서 보면 "앗, 정말로 100% 받아줄리가?!" 같은 느낌이겠죠. 아메리카에 대한 그런 극단적인 종속이 생겨버렸습니다.

아메리카는 해방자인가?

오사와 올해(2018년)가 정확히 메이지明治 150년에 해당하지만, 매우 이해하기 쉽게 말하자면, 일본은 메이지 이후 어디까지 서양을 따라잡았는지, 어디까지 서양의 일원이 되었는지, 그것을 목표로 해왔습니다. 청일 전쟁과 러일 전쟁이 있었고, 불평등 조약을 개정하고 다이쇼大正와 쇼와昭和 시대를 지나왔을 때, "아직 서양 선진국에 조금 뒤져 있을지도 모르지만 대충 비슷해졌나" 같은 느낌이 되었습니다. 배포가 더 큰 사람은 '근대의 극복' 같은 것을 얘기합니다.

근대는 요컨대 서양이기 때문에 자신들이 그런 것을 말해도 이상하지 않은 수준에 있다는 기분이 들었습니다. 그런 흐름 속에 서양을 모방해서 제국주의적인 행태를 보이기도 했지만, 혹독한 패배를 당했습니다. 싹둑 잘라 말하면, 서양화가 대강 성공했다고 생각하고 드디어 본 시험에 임했는데 합격은커녕 0점이었다는 그런 느낌입니다. 그것이 패전입니다. 그때 철저하게 파괴된 자존심, 정체성 위기를 어떻게 극복할까 하는 것이 커다란 과제였습니다. 그 과제의 극복에 관해서 일본은 어떤 의미에서는 아주 잘했습니다.

그렇지만 대국적인 견지에서 말하면, 그 성공에조차 커다란 실패가 있었습니다.

일본은 패전으로 주권을 상실하고 아메리카의 점령 아래 들어가지만, 그때 일본인은 간단히 말하면 아메리카는 우리의 구세주, 해방자라는 틀로 이 상황을 해석했다고 생각합니다. 사실은 아메리카가 누구로부터 일본인을 해방시켰는지 잘 모르지만, 아메리카라는 적에 의해 점령당했다고 해석하기보다도, 아메리카에 의해 해방되었다는 것은 일본인이 아메리카에 의해 해방되는 것을 쭉 기다리고 있었던 국민이라고 해석한 것입니다. 그때 괘씸한 자는 군부인지 정치가인지 천황인지가 대단히 애매해지지만, 여하튼 일본인은 아메리카에 의해 해방되었다는 도식을 적용했습니다.

시라이 사토시白井聰 선생이 『국체론國體論』(集英社新書, 2018년)이라는 책에서 논의하고 있듯이 여기에서 중요한 것은, 이런 도식에 현실성을 주기 위해서는, 간단히 말하면 아메리카가 왜 일본을 해방시키는가에 대해 답하지 않으면 안 된다는 것입니다. 그 도식이 성립하기 위해서는 일본이 아메리카의 사랑을 받고 있다고, 아메리카도 일본에 선의와 호의를 갖고 있다고 생각하지 않으면 안 됩니다. 사실은 적이었던 아메리카를 해방자와 구원자로 보기 위해서는 아메리카가 우리의 잠재적인 아군이 아니면 안 되는 것이죠. 어제 원자폭탄을 떨어뜨린 나라가 자신들을 구한 것으로 되고 있기 때문입니다. 따라서 아메리카는 자신들에 대해 호의를 갖고 있다는 도식으로 생각해버립니다. 이 상태가 쭉 계속되어버렸습니다.

이것이 최근에는 시라이 선생, 그 전에는 카토 노리히로加藤典洋 선생이 거듭해온 논의가 축적되면서 함축되어 있던 것이라고 생각합니다. 상당히 설득력도 있습니다. 전쟁이 끝났을 때 일본인의 정신 속에 생긴 것에 관한 논의는 매우 옳습니다. 그렇지만 문제는 이제부터입니다. 우리는 이미 전후 세대이잖습니까. 하시즈메 선생이 태어난 것은 전쟁이 끝나고 얼마 안 되었을 때이기 때문에 다소 패전의 색조가 남아 있던 가운데 자랐겠습니다. 저의 경우는 패전한 지 13년 뒤에 태어났지만, 부모님 세대는 젊은 시절에 전쟁을 경험했습니다. 그러나 새로운 세대는 계속 전쟁으로부터 멀어져갑니다. 부모와 조부모도 전후 세대가 됩니다. 그럼에도 불구하고 패전 시기에 설정되어버린 도식, 아메리카에 대한 정신의 구조 같은 것이 몇십 년 동안이나 어떻게 계속되는 걸까요? 그 이유야말로 설명해야 할 문제가 되어가고 있습니다.

패전이 감이 안 오다

오사와 시라이 선생과 카토 선생의 책을 대학생에게 읽힌 적이 있습니다만, 솔직하게 말하면 '뭔지 감이 안 온다', '나는 패전하지 않았어' 같은 반응을 보입니다. 패전 시기에 행했던 심리적 속임수에 자신들은 가담하지 않기 때문에 대對 아메리카 종속에 대한 갈등이 좀 더 감이 오지 않습니다. 그렇다고 시라이 선생이 말한 '영속永續 패전'의 심리 상태로부터 해방되는가 하면 전혀 그렇지 않습니다. 오히려 자연스러운 전제 같은 것이 되어버리고 있습니다.

하시즈메 그렇군요. 보조선을 좀 그어보면, 일본의 패전부터 점령에 이르는 과정과 비슷한 사례가 있다면 나폴레옹 전쟁인지도 모르겠습니다. 나폴레옹은 유럽 여러 나라를 침략해서 정부를 무너뜨리고 자신들은 해방자라고 말했습니다. 자유, 평등, 박애의 이념을 내걸고서 "당신들은 구체제(앙시앵 레짐)로부터 해방돼야 하는데도 그 능력이 없지 않느냐. 그래서 해치워준 것이다"라고. 그리고 구세력의 군대를 쳐부수고서 군사 점령을 하거나 괴뢰 정권을 세우거나 했습니다.

그러자 이중이 감정이 생깁니다. "확실히 그렇다, 자신들은 새로운 이념을 자각했고, 구체제는 붕괴되고, 해방되었어"라고. "그렇지만 이것은 자신들이 실행한 것이 아니고 프랑스가 마음대로 하고 있다. 프랑스는 외국의 침략군으로 가증스러운 적국이 아닌가"라고.

이 울적함은 일본의 패전과 비슷한 면이 있지만, 타격으로 남아 있지 않습니다. 왜냐하면 반反나폴레옹 전쟁이 일어나서, 재편된 각국의 국민군이 나폴레옹을 몰아쳐서 해치우고 독립을 회복했기 때문입니다. 빈Wien 조약으로 나폴레옹 문제를 정리해버렸습니다.

일본의 경우에는 반나폴레옹 전쟁에 해당하는 것이 없고 패배한 채로 끝납니다. 이것이 만일 아메리카가 지나친 것이 아닐까 하고, 이슬람 세계가 일어서고, 인도가 일어서고, 중국이 일어서고, 러시아도 일어서서 아메리카를 해치우고 일본군도 가세해서 히로시마와 나가사키의 굴욕을 씻었다라는 식으로 되었다면, 얘기가 달라졌을 겁니다. 그렇지만 전혀 그렇게 되지 않았죠. 그러자 해방되었다는 긍정적인 측면과, 민족주의가 좌절되고 패전과 점령으로 자존심이 갈기갈기 찢어졌다는 부정적인 측면, 이 두 가지가 혼재된 채로 저변으로 흘러서 현재로 이어지고 있습니다. 이런 예는 별로 없다고 생각합니다.

오사와 그렇군요.

이슬람의 우울

하시즈메 만일 비슷한 예가 있다면 우선 이슬람입니다.

이슬람은 식민지가 되었다가 독립했지만 '반유럽 독립 전쟁'을 벌여서 독립한 것이 아닙니다. 중국은 분명히 전쟁을 했습니다. 인도도 독립했지만 인도·파키스탄 전쟁이 있었고, 자력으로 지금의 나라를 만들었다는 자부심을 가질 수 있는 흐름이 되었습니다. 이슬람은 튀르키예와 이란 등 몇 개의 예외는 있지만, 민족주의를 육성하기 어렵습니다.

하나 더 비슷한 경우가 폴란드인지도 모르겠습니다. 폴란드는 나치와 소련 사이에 끼여 있어서 나라가 없어져버렸습니다. 해방을 목표로 한 바르샤바 폭동도 소련이 방치했습니다. 이처럼 소련에 원한이 있는데도 그 소련이 폴란드를 해방시키고 독립시켰다는 얘기가 되고, 소련의 괴뢰 정권에게 대략 반세기나 지배를 당했습니다. 소련에 밀착하도록 강요받았다는 점에서 아메리카에 밀착된 일본과 닮았습니다. 그렇지만 연대를 열심히 해서 그 지배를 끊어

냈기 때문에 이 문제는 일단 정리되었습니다.

　일본의 경우는 아무리 생각해도 어느 예와도 들어맞지 않습니다.

오사와　폴란드의 예에서는 폭동군이 일단은 패배하지만, 소련의 도움이 있어서 해방된다는 도식이 됩니다. 그러나 일본의 경우에 국내에서 일찍부터 민주화 혁명이 일어나려고 했는데 정부와 군부에 의해 탄압된 지점에 아메리카가 온 덕분에 민주화에 성공한 상황이 아니죠. 도식이 전혀 다릅니다.

그것은 해방이었는가?

오사와　다른 책에서도 인용한 적이 있지만, 전쟁이 끝나고 점령 1년째가 되던 해에 그려진 카토 에츠로加藤悅郎라는 사람의 만화가 있습니다. 이 1년 동안 무엇이 일어났는지가 몇 장의 한 컷 만화로 그려졌는데 매우 재미있습니다. 그 가운데 이런 것이 하나 있습니다. 노동자 풍의 사람이 족쇄 같은 것이 끼워져 있었던 것 같은데, 쇠사슬이 달려 있지만 그것이 싹둑 잘려 있습니다. 그는 일본인인데 "우와! 해방되었다!"라고 말하고 있습니다. 옆에 커다란 가위가 그려져 있고 그 한가운데에 별 마크가 들어가 있습니다. 아메리카의 상징이죠. 훨씬 뒤쪽에 허둥지둥 달아나고 있는 두 사람이 있는데 아무래도 한 사람은 군인이고 또 한 사람은 정치가인 것 같습니다. 자신들은 쇠사슬에 묶여

카토 에츠로 "쇠사슬은 절단되었다"

있어서 빨리 해방시켜주면 좋겠다고 기다리고 있었습니다. 그랬더니 아메리카가 와서 쇠사슬을 탁 하고 끊어주어서 살아났습니다.

그런 만화인데, 과거가 이것이라고 날조되는 것이죠. 요컨대 자신들은 쭉 해방될 만한 존재였다는 것으로 됩니다. 그러나 아메리카가 찾아올 때까지 한 번도 그런 식으로 해방되고 싶다고 생각하지는 않았다는 사실을 인정하지 않으면 안 된다고 생각합니다. 자신들은 단지 전쟁에 졌을 뿐만 아니라 거의 무가치에 가까운 존재였다는 지점에서부터 출발하지 않으면 안 되는데도 미리 아메리카의 사랑을 받아 해방될 가치가 있는 존재였다는 도식이죠.

전후 일본인의 정체성은 어떤 관점에서 보이고 있을까요? 확실히 말하면 아메리카의 관점이죠. 사실은 아메리카에 대해 잘 알지도 못하는 주제에 자신들이 날조한 환상적인 아메리카의 관점을 매개로 하고 있습니다. 그런 아메리카의 관점으로 볼 때 바람직한 나라이고 바람직한 사람인지 어떤지가 전후에 계속해서 일본인에게 매우 중요하게 됩니다.

왜 중국을 싫어하는가?

오사와   현대의 얘기지만 2013년에 퓨 리서치 센터Pew Research Center라는 아메리카의 싱크 탱크가 재미있는 조사를 했습니다. 37개국을 대상으로 아메리카와 중국의 호감도를 조사했습니다. 중국이 대두했기 때문에 아메리카도 좀 위협을 느꼈을 것이고, 전 세계에서 자신들과 중국 중 어느 쪽이 호감을 더 얻고 있는지 비교한 것이죠. 아메리카 쪽에 답을 한 사람의 비율에서 중국 쪽에 답을 한 사람의 비율을 뺄셈해서 아메리카 쪽이 어느 정도 많은지를 본 것입니다. 물론 아메리카 쪽이 호감을 얻고 있는 나라도 있고, 중국 쪽이 호감을 얻고 있는 나라도 있습니다. 세계 평균으로 보자면 아직 아메리카 쪽이 호감을 더 얻고 있지만, 나라에 따라서는 단연 중국 쪽이 더 호감을 얻기도 합니다. 꽤 팽팽합니다.

그 중에서 아메리카와 중국에 대한 호감도의 차이가 세계에서 가장 큰 것이 일본입니다. 아메리카에 대한 호감도가 압도적으로 높습니다. 그리고 일본에서는 중국에 대한 호감도가 대단히 낮습니다. 뭐랄까, 혐중도嫌中度가 높겠죠. 세계 표준으로 중국에 호감을 느끼는 사람은 50% 정도는 됩니다. 그렇지만 일본만 5%밖에 안 되죠. 여기에 놀랐습니다.

일본인이 왜 그렇게까지 중국을 싫어할까요? 이것도 아메리카와 관계가 있다고 생각합니다.

요컨대 아메리카의 관점에서 볼 때 일본과 중국 중 어느 쪽이 중요한가? 어떤 시기까지는 아메리카에게 일본 쪽이 중국보다 더 긍정적이라는 것은 일본인에게는 자명했습니다. 최소한 일본인은 그렇게 믿고 있었습니다. 그렇지만 어느 땐가부터(21세기에 들어선 무렵부터) 중국은 아메리카에게 상당히 중요한 파트너가 되었습니다. 아메리카에게 중국은 아주 사이가 좋다고 할 수는 없지만, 적어도 거물로서 사귈 만한 중요한 파트너가 됐습니다. 일본인은 그것을 느끼고 있죠. 솔직하게 말하면, 일본인의 중국에 대한 혐오는 질투입니다. 라이벌인 다른 상대가 싫어진 것이 아니겠습니까. 중국에 대한 혐오는 이런 것입니다.

일본인은 70년 동안이나 아메리카라는 매개를 통해서 자신의 정체성을 확인하는 양식밖에 가질 수 없었습니다. 냉전기에는 아메리카 쪽도 아직 일본에 관심을 갖고 있었기 때문에 일단 서로 맞물려 있었다고 생각되었지만, 냉전이 끝나고 나서도 일본 쪽만 그것을 유지하고 있습니다. 아메리카 쪽은 벌써 일본에 극히 평범한 전략적 관심밖에 갖고 있지 않은데도, 일본 쪽은 정체성과 자존심의 핵이 되는 것을 아메리카의 관점을 통해서 조달하지 않으면 안 됩니다. 따라서 일본인은 플러스 알파의 관심을 아메리카에서 끌어내지 않으면 안 되기 때문에 여러 가지 과도한 일을 하지 않을 수 없습니다. 아메리카의 관심을 사려고 하는 것입니다.

하시즈메 중국에 대한 호감도는 중일 국교 회복(1972년) 직후에 지극히 높아져서 70, 80%였습니다.

오사와 그렇습니다.

하시즈메 그 뒤에 천안문 사태라든가 반일 데모가 있었고, 단계적으로 낮아졌습니다. 아메리카에 대한 호감도가 일관되게 높은 것과 대조적인데, 말씀하신 대로 흥미롭습니다.

자신감을 잃은 일본

오사와 이전에 『놀라운 중국』(講談社 現代新書, 2013년)에서도 그 얘기를 했다고 생각하지만, 1970년대 말에는 80% 정도였던 중국에 대한 호감도가 계속 낮아져서 어느샌가 10%를 깨트렸습니다. 확실히 말하면, 그 사이 일본인은 줄곧 중국에 비해서 자신들 쪽이 우등생이랄까 선진국이라는 것이 당연하다는 생각이 있었습니다. 그런데 21세기가 되자 그것이 자명하다고 생각하기가 불가능해지고 혼란이 생겨서, 우스울 정도까지 동아시아 인접국에 대한 혐오감을 노골적으로 표출하게 되었습니다. 그런 상태라고 생각합니다.

하시즈메 외부에서 어떻게 보는가, 특히 아메리카에서 어떻게 보는가에 의해 자신의 일을 납득합니다. 그런 것을 계속하는 한 그런 반응을 보일 수밖에 없습니다. 그것은 병이라고 생각합니다.

전장에 나가는 것은 시민의 의무

하시즈메 어떻게 해서 자신들의 역사와 과거에 관해서 좋은지 나쁜지 스스로 직접 판단하지 않는(판단할 수 없는) 걸까요?

카토 노리히로 선생과 천황의 전쟁 책임에 관해 논의할 때 깨달은 것이지만, 태평양 전쟁에서 아메리카와 싸웠던 장병의 일을 긍정하는가 부정하는가를 일본인 스스로 생각하기 어렵게 돼 있습니다(加藤典洋, 橋瓜大三郎, 竹田青嗣, 『천황의 전쟁 책임』, 徑書房, 2000년).

참고삼아 독일에서는 어떻게 되고 있는가를 살펴보겠습니다. 독일에서는 나치(국가 사회주의 독일 노동자당)가 나쁘고 국방군은 나쁘지 않은 것으로 돼 있습니다. 독일 국방군의 장병은 영국, 프랑스, 아메리카와 싸우고 소련과도 싸워서 패했습니다. 국방군의 장병은 의무를 다했기 때문에 죄가 없고 부끄러워할 일도 없습니다. 모든 죄는 나치와 그 당원, 친위대가 저지른 것이고, 전쟁 음모도 유대인 학살도 그들의 책임입니다. 이런 식으로 돼 있습니다. 따라서 국방군은 무고pure합니다. 지금도 군대가 있지만 군대는 무고합니다. 몇 가지 믿고 있는 것이 있습니다. 우세한 소련군을 앞에 두고서 국방군이 절망적인 상황에서 용감하게 싸웠습니다. 왜일까요? 배후에는 시민이 있어서 그들이 안전한 장소로 피신할 수 있도록 싸웠다는 것입니다. 따라서 옳바른 싸움이라는 것입니다. 이것과 비슷한 얘기는 일본에는 적습니다. 예컨대 만주에서 소련군이 공격해왔을 때 제일 먼저 도망간 것은 군인이고, 남겨진 민간인은 지독한 꼴을 당했다든가, 오키나와 전투에서는 군이 민간인을 지키기는커녕 도리어 민간인이 지독한 봉변을 당하게 만들었다든가 하는 얘기가 있습니다.

일본에서 전쟁을 꾀하거나 나쁜 짓을 저지른 것은 군이었고 군부에 죄가 있습니다. 전쟁의 결말을 이렇게 짓고 있습니다. 독일과 다릅니다.

자, 징집된 군인으로서 전쟁에 종사하고 전장에 간 할아버지와 아버지, 이 모든 사람의 일을 어떻게 생각하면 좋을까요? 이것은 2층 구조로 돼 있습니다. 우선 전쟁의 성격에 관한 논의가 있습니다. 예를 들면 침략 전쟁이라든가 무모한 전쟁이라든가 의미가 없는 전쟁이라든가 전쟁에 관한 비판이 가능합니다. 그렇지만 그 전제로서 정부의 명령을 받아 징집되어서 목숨을 걸고 싸운 사람들은 시민으로서의 의무를 다했다는 사실이 있습니다. 전쟁이 끝나고 나서 전쟁의 성격을 비판하는 것은 간단합니다. 그렇지만 그것과 공민으로서의 의무를 다한 사람들의 행위가 존경받아야 한다는 것은 독립된 사항입니다.

어떤 나라에도 경찰과 소방관의 일을 담당하는 사람이 있어서 시민을 지키기 위해 분투하고 있습니다. 어떤 나라에나 군인이 있어서 시민을 지키기 위해 분투하고 있습니다. 그것이 없으면 시민 사회는 성립할 수 없습니다. 개개의 병사가 전쟁의 성격을 비판하고 그것을 이유로 불복종하거나 한다면 역시 사회가 성립할 수 없습니다. 개개의 병사가 전쟁의 성격을 비판하고 불복종하거나 할 여지가 주어지지 않는 이상, 전쟁에 종사한 것을 윤리적, 도덕적, 법률적으로 비판하는 것은 불가능합니다. 오히려 경의를 표해야 합니다. 저는 카토 선생과의 토론에서 그렇게 말했습니다.

오사와 참으로 옳다고 생각하지만, 제 생각은 이렇습니다.

우선 독일 쪽도 물론 객관적으로 보면 여러 가지 문제가 있을지도 모르겠지만, 여하튼 누군가가 나빠서 이런 결과를 낳았지만, 그 책임 소재를 특정할 수 있습니다. 악의 책임은 나치에 귀속됩니다. 따라서 그들은 나치를 긍정할 수 없기 때문에 전후에 나치를 잘라버리고 엄격하게 대처했습니다. 신나치 같은 것이 나오기도 하지만, 그것을 긍정하는 것은 절대로 불가능합니다. 어느 부분을 버리고 어느 부분으로 살아갈 것인지가 확실하게 정해졌습니다. 나치는 어딘가에서 자연발생적으로 나온 것이 아니라 지지하는 사람들이 있어서 성공한 것이기 때문에, 사실은 누가 나치이고 누가 나치가 아닌가, 또는 어디까지가 나치이고 어디까지가 나치가 아닌 올바른 독일적인 것인가 엄밀하게 구별할 수 없습니다. 그러나 독일의 경우에는 법률적, 정치적으로는 어디가 나쁘고 어느 부분이 책임을 져야 하는지 확실하게 규정합니다.

책임의 소재가 불분명

오사와 일본의 경우에는 전쟁이 끝났을 때 역시 대부분의 일본인은 무언가 잘못된 일을 했다는 식으로는 생각했다고 봅니다. 지금까지도 침략 전쟁이 아니고 해방 전쟁이었다는 식으로 말하는 사람도 있지만, 역시 대부분은 잘못된 일을 했다는 식으로 생각했습니다. 그러나 일본에서는 누가 잘못했는가, 그 잘못의 주체는 누구인가를 특정할 수 없죠. 따라서 어느 부분을 잘라버리면 좋을까가 분명하지 않습니다. 자신들이 납득하는 형태로 결론이 나오지 않습니다. 그렇기 때문에 나쁜 부분을 막연하게 확산해서 군인은 모두 나쁘다는 식으로도 될 수 있습니다. 말씀하신 대로 개개의 군인이 그 책임을 진다는 것은 분명히 이상하죠. 그러나 뭔가를 잘못했다는 것에 관해 확실한 감각이 생기면서도 그 잘못을 귀책시켜야 할 주체를 특정할 수 없습니다.

그러자 이번에는 오셀로 게임Othello Game 같은 반전이 일어납니다. 대부분의 사람은 사실 잘못하지 않았던 것은 아닐까라는 식이 됩니다. 요컨대 잘못한 놈은 어딘가에 있는 것 같지만, 대부분의 사람은 잘못하지 않았다는 것이죠.

그리고 그 '잘못하지 않은 국민'을 아메리카가 불쌍하게 여겨 해방시켜주었다는 식의 도식이 되는 것이죠. 그리고 일본인에게는 역시 처음부터 전쟁을 증오하는 긍정적인 부분이 있었다는 식의 허구를 설정하는 것에서부터 시작하게 됩니다.

이 설정에서 시작하는 한 아무리 해도 아메리카의 사랑을 받아 해방되었다는 도식을 계속 유지하지 않으면 안 돼서 현재까지 와버린 것이죠. 따라서 전쟁이 끝났을 때 도대체 누가, 무엇이 어떤 식으로 잘못되었는가를 분명히 자각할 필요가 있었습니다. 그런데 막연하게 전부 부정하는 것이죠. 전부 부정하는 것이기 때문에 역으로 전부 긍정할 수 있게 됩니다. 이 전부 긍정하는 것에서부터 앞서 말한 "일본인은 아메리카에게 해방되었다"라는 도식이 나오는 구조가 됩니다.

독일의 경우는 확실히 나치를 특정할 수 있습니다. 따라서 우선 이것을 어떻게 극복하면 좋을까 하는 정신적인 시술 같은 것이 가능합니다. 환부는 어디이고 어디를 잘라내면 좋을까 하는. 일본의 경우 전부 좋은가 전부 나쁜가 같은 구조로 되어버린 것이 괴로운 점이 아닐까 합니다.

일본군은 왜 악마적인가?

하시즈메 아메리카는 이런 식으로 생각했다고 봅니다.

일본군은 좀 평범하지 않다. 우선 옥쇄. 자살이나 다름없는 만세 돌격을 한다. 그리고 카미카제. 편도의 연료만 넣고 폭탄을 실은 전투기가 돌격해온다. 종교적인 광신자의 행동으로 생각할 수밖에 없다. 그렇지만 정규군이 그런 행동을 한다. 이 두 가지 행동의 심저心底에 이상한 두려움과 공포를 품고 있었다고 생각한다. 장비와 보급이 열악해서 평시라면 작전 행동을 할 때가 아닌 부대가 완강한 저항을 계속한다. 그것 때문에 아메리카 장병이 목숨을 잃는다. 일본인은 군대가 된 순간에 악마가 되어버린 것이다. 인간으로서는 있을 수 없는 행위를 하는 것이라고 보았다고 생각합니다.

종교에 가까운 광기 같은 집념. 그것이 근대적인 병기와 결합하면 얼마나 무서운 것이 되는가. 그것을 무의식 속에서 직감했다고 생각합니다.

오사와 네.

하시즈메 아메리카는 더 발전된 장비로 싸우고 있습니다. 그리고 근대 군대로서 싸우고 있습니다. 생환을 기대할 수 없는 작전의 출격을 명령하는 일은 없습니다. 국제법도 지키고 있습니다.

만일 동일한 장비를 갖추고서도 전혀 다른 룰로 싸우는 패거리가 있었다면, 큰일이 납니다. 일본에 그 가능성이 있다면 우선 그 정신성을 해제하고 군대 자체도 없애고 잠시 상황을 지켜보자 그러겠죠. 그렇지 않으면 아메리카의 안전 보장에 대단히 위험하다고.

독일은 제1차 세계대전 뒤에 점령도 당하지 않았고 군대도 제약을 받았을 뿐 해체되지 않았습니다. 그랬더니 불과 10년인가 15년 사이에 부활하고 제2차 세계대전에 돌입하기 때문에, 일본에서는 상당히 신중하게 하지 않으면 안 됩니다. 나치의 예에서 배워서 일본의 점령에 관해 상당한 지혜를 짜낸 것은 아닐까요.

오사와 그렇군요.

패전 뒤

오사와 좀 더 부연하자면, 전쟁에 패했을 때 무엇이 나쁜 것인가를 다양한 수준에서 고찰하지 않으면 안 됩니다.

예컨대 유명한 나치의 책임론으로 말하면, 죄가 4가지 있죠. 형사상의 죄, 그리고 정치상의 죄, 그리고 도의적인 죄, 그리고 하나 더, 이것은 좀 어려운 것인데, 형이상학적인 죄라는 것이 있습니다. 예컨대 전쟁에 대해 살펴보았을 때 정치의 책임이라든지, 전쟁 범죄의 죄는 물을 수 없는 경우에도 그러면 도의적으로는 어떠한가라든지, 그런 식으로 수준을 나눠서 고찰해갑니다. 일본도 전쟁이 끝났을 때 그런 의미에서 철저하게 고찰할 필요가 있었다고 생각합니다. 누구에게는 어디까지 정치상의 죄가 있는가, 형사상의 죄가 있는가, 또는 도덕적으로는 어떠한가, 자신들은 어느 부분에서는 피해자라고 말할 수 있고 어느 수준에서는 죄가 있다고 말할 수 있는가? 그런 확실한 자각이 있다면 더 잘 되었을 텐데, 막연하게 아마 모두가 나빴을 것이라고 생각하고 있습니다. 그러나 반복합니다만, 모두가 나빴다는 것은 모두가 나쁘지 않았다로 되기 쉽습니다.

자주 화제가 되지만, 히로시마 원폭 기념비에 "잘못은

되풀이하지 않을 테니"라는 말이 씌어 있습니다. 누가 잘못을 되풀이하지 않겠다고 말하고 있는지 주어가 없다는 문제가 논쟁이 된 일도 있습니다. 상식적으로 생각하면 원폭의 희생자에 대해 위령을 하고 있기 때문에 잘못을 저지른 것은 원폭 투하에 관여한 사람들이죠. 그러나 그런 식으로 쓰지 못했죠. 뒤늦게 깨닫고서, 실은 코스모폴리탄적인 입장에 서서 인류적 관점에서 잘못을 인정하고 있다는 것으로 되어 있지만, 저는 그런 고상한 이유가 아니라고 생각합니다.

요컨대 아메리카가 나쁘다고 잘라 말할 수 없었던 일본인이 그때 있는 것이죠. 그러면 나쁜 것은 누구인가? 만일 나쁘다면 자신들밖에 없는데도, 우리가 나쁘다고도 말하지 않죠. 아메리카에게 나쁘다고 잘라 말할 수도 없고 자신이 나쁘다고 잘라 말할 수도 없기 때문에 주어가 사라져 버린 것입니다. 예를 들면 만일 아메리카가 해방군이라고 해도 원폭을 떨어뜨린 것에 관해서는 틀렸다고 말할 수 있기 위해서는 자신들에 관해서도 어느 부분과 관련해서 잘못했는지를 말하지 않으면 안 됩니다. 일본인은 그것에 완전히 실패했습니다. 아직까지도 스스로 뒷처리를 확실히 하지 못하고 있는 것이 현재 일본인의 괴로운 점입니다.

저도 젊었을 때는 자신이 일본인인지 별로 신경쓰지 않아도 좋다고 생각했습니다. 그렇지만 너무 심한 상황이 계속되는 것을 생각하고는 역시 일본인이라는 것에 관해 어떤 식으로 떠안아야 할까를, 제 자신에 관해서는 물론이고, 미래 세대에 대해서도 어떻게든 하지 않으면 안 된다는 느낌이 듭니다.

하시즈메 네.

역사를 말로 표현할 수 없다

오사와 덧붙여 말해두자면, 일본회의日本會議라는 것이 있지 않습니까. 좋은 사람도 참가하고 있지만, 확실히 말하면 너무나도 바보 같죠. 그런 것을 바보스럽다고 말하는 것은 간단하지만, 일본인이 일본을 긍정하려 하면 저런 방식밖에 없다는 점이 문제라고 생각합니다. 일본이 일본을 좀 평범하게 긍정할 수 있으면 좋겠다고 생각합니다. 좀 다른 방법으로. 그렇지만 일본을 긍정하려 하면 결국, 태평양 전쟁은 좋았다 같은 말을 하는 방법밖에 다른 수가 없죠. 전후戰後에, 분명히 잘못된 전쟁에서 과오를 많이 저질렀다는 것을 전제로 해왔습니다. 그것이 국제 사회 속에 일본을 받아들이는 조건이었습니다. 그렇다면 일본을 긍정한다고 해도 우선은 태평양 전쟁에서 일본이 커다란 잘못을 저질렀다는 것을 전제로 해두지 않으면 안 됩니다. 그 전제를 확보한 뒤에 일본을 긍정할 수 있게 되지 않으면 안 됩니다. 그렇지만 그것이 좀처럼 불가능합니다.

하시즈메 그 문제와 뿌리가 연결되어 있는 것이 시바 료타로司馬遼太郎라고 생각합니다.

시바 료타로가 말하고 있는 것은 다음과 같습니다. 일본은 근대를 잘 꾸려 왔다. 『언덕 위의 구름坂の上の雲』의 시대는 상당히 훌륭했다. 그렇지만 그는 그 뒤에 일본이 잘못되어가는 시대를 다루지 않습니다. 다루지 않죠. 무리해서 다루면 오늘날의 일본회의 같이 될지도 모릅니다. 그것을 알았기 때문에 다루지 않았는지도 모르겠습니다.

시바 료타로의 문제점은 많은 일본인의 문제점이기도 하지만, 근대 전체를 조감하기 어렵다는 점입니다. 이것은 약점입니다. 예컨대 1941년, 1937년, 1931년 등의 분기점에서 일본인(일본 사회, 일본 정부)이 문제있는 행동을 했다고 해도, 그 문제를 얘기하는 말을 갖고 있지 않습니다. 그것을 얘기하는 말을 갖고 있지 않은 것은 당시 사람들이지만, 그 이상으로 그 결말을 알고 있는 오늘날의 일본인의 문제일 것입니다.

그것을 얘기하는 말이 없다는 점에서는 지금도 동일한 상황 아닙니까.

오사와 맞습니다.

하시즈메 지금도 동일한 상황이기 때문에 1941년의 일을 생각할 수 없고 말할 수 없습니다. 1941년의 상황을 생각할 수 없고 말할 수 없다면, 2018년의 상황도 생각할 수 없고 말할 수 없는 것은 아닐까요. 말로 얘기할 수 없는 이러한 점을 보는 것이 대단히 중요하죠.

현실적인 인식이 없다

하시즈메 1941년이 잘못되었다면 잘못되지 않은 것은 무엇이었을까요?

1894년의 청일 전쟁, 1904년의 러일 전쟁에서는 곤란한 문제가 거의 일어나지 않습니다. 전쟁은 여하튼 안 된다는 입장에서는 전부 같은 전쟁으로 보일지도 모르겠지만, 분명한 차이가 있습니다. 분명한 차이는 무엇이냐면, 우선 통상적인 전쟁입니다. 전쟁 목적이 확실합니다. 그리고 전략적으로도, 전술적으로도 합리적이고 적절한 행동을 합니다. 당연히 우리편에도 희생이 있고 상대편에도 희생이 있지만 가능한 한 국제법을 지킵니다. 설명할 수 없는 민간인의 피해가 없습니다. 있어도 극소수입니다. 그리고 가장 중요한 것은 전쟁에 앞서 주요국의 양해를 얻는다는 것입니다. "이런 이유로 이런 전쟁을 하는데 괜찮죠?"라고 영국에 말하고, 아메리카에 말하고, 프랑스에 말하고, 독일에 말하고……. 그런 다음에 행동하는 것입니다. 이것이 통상적인 전쟁입니다. 청일 전쟁도 그렇고, 러일 전쟁도 그렇습니다. 러일 전쟁의 경우에는 일본이 영국과 동맹까지 맺어서 전쟁 비용도 조달하고 있기 때문에 이것은 대리 전쟁이라고 말해도 좋을 정도였고, 이 전쟁에서 승리하거나 패배해도 큰 분쟁이 생기는 일은 없습니다. 예를 들면 러일 전쟁에서 일본이 패배하는 시나리오를 가정해보면, 당연히 러시아 세력이 진출해서 일본을 압도하게 되겠지만, 영국도 난처하게 되었을 거라고 생각합니다. 그러면 더 이상 난처하게 되지 않도록 한 번 더 전쟁을 할 수 있는 기회와 장비와 자금을 일본에 제공할 것입니다.

그렇다면 일본국이 침몰해버리는 일은 없습니다. 그런 의미에서 승리해도 패배해도 어떻게든 되는 합리적인 전쟁이죠.

이것을 밑바탕으로 해서 1931년, 1937년, 1941년의 일을 생각해봅시다.

우선 제일 먼저, 1931년(만주 사변)과 1937년(지나 사변, 중일 전쟁)은 '사변'이고 전쟁조차 아닙니다. 전쟁이 아니라면 전시에 국제법을 따를 의무감이 극히 희박하게 됩니다. 따라서 민간인에 대해서 제멋대로 행동합니다. 정규 전쟁을 위한 절차도 밟지 않습니다. 그런 점들이 전부 다릅니다.

1941년에는 겨우 통상적인 전쟁의 절차는 밟았지만 전략이 없습니다. 전술밖에 없습니다. 전쟁 목적이 애매합니다. 이런 애매하고 국가 이익에 적합한지 어떤지도 잘 알 수 없는 중대한 일을 군과 정부 당국의 극히 일부에서 결정했습니다. 그리고 군인에게도, 민간인에게도 커다란 희생을 강요하고 말았습니다. 그것에 대한 책임감과 장래 예측이 거의 없습니다.

왜 청일 전쟁과 러일 전쟁 때에는 가능했던 것이 1941년에는 가능하지 않았을까요?

그것은 우선 제일 먼저, 우리 나라가 강대해졌다는 자신이 있었습니다. 교만이 있었습니다. 실패하지 않을 것이라는 전망의 달콤함이 있었습니다. 그리고 국제 사회(아메리카를 필두로 한 열강)가 어떻게 생각하고 어떻게 행동할 것인지에 대한 현실적인 인식이 결여되어 있었습니다. 결여되어 있어도 어떻게든 되겠지 하는 자기중심적인 환상이 있었습니다. 현실적인 인식은 하지 않더라도 어떻게든 되겠지 하는 자기중심적인 환상으로 마구 행동하는 것이 패전 뒤에도, 그리고 지금도 완전히 똑같습니다. 다른 점은 아메리카-일본 동맹이 있기 때문에 아메리카의 견제를 받는다는 것입니다. 그 덕분에 커다란 실패는 하지 않고서 넘어간다는 것뿐입니다. 요컨대 자립할 능력이 없습니다.

오사와 그렇습니다. 게다가 현대의 우리에게 어떤 식으로 의미를 갖는지 고찰해봅시다. 예컨대 현대 일본인이 1904년의 일본인의 직접적인 후예라는 식으로 생각해보면, 자신들은 올바른 부분도 있었다고 생각하죠. 그런데 1941년의 일본인의 후예이기도 하지만, 가능하면 현재의 자신과 그것을 단절시키고 싶어합니다. 그러나 그것은 어렵습니다. 러일 전쟁 시기의 일본인의 후예라고는 해도, 적어도 아메리카와 일본의 개전 시기의 일본인과는 무관하다고는 도저히 말할 수 없게 됩니다.

예컨대 1904년 무렵까지라면, 일본인은 잘했다는 느낌이 들고, 지금은 시바 료타로가 그렇게 쓰고 있습니다. 그러면 왜 시바 료타로가 그 뒤의 일을 쓰지 않을까요? 그것을 쓰면 물론 그 뒤의 나쁜 일을 쓰지 않으면 안 되기 때문이지만, 그것뿐만은 아니라는 생각이 듭니다. 뒤의 '잘못'을 어떤 의미에서 소급 환원하면 1904년까지도 좋았는가 하는 의문이 나올 수도 있기 때문입니다.

비유적으로 말하면 이런 느낌입니다. 1894년의 모의 고사에서 좋은 성적을 거둬 A를 받았죠. 1904년에 좀 어려운 학교로 바꿔서 지망해보았더니 역시 A가 나와서 갈 수 있다고 생각했습니다. 드디어 본 고사에ㅡ1931년에도 1941년에도 좋았지만ㅡ승부를 걸어서, 결국 1945년에 불합격 판정을 받고, 불합격도 불합격이지만 최하위 불합격이 되어버린 것입니다. 그렇게 되면 모의 고사는 좋았다고 아무리 말해도 소용 없죠.

일본인은 메이지 이래로 국가 목표의 연속성 속에 있기 때문에, 어떤 의미에서 순조롭게 국력을 신장해서 국제적인 승인도 받았다는 느낌을 가졌다고 생각합니다. 그 과정의 마무리로서 1931년 무렵부터 생각해오던 일을 실행에 옮기면 결국 대실패를 해버립니다. 그런 실패가 있으면 결국 그 이전이 좋았다는 것은 좀처럼 지탱할 수 없게 되죠.

물론 시바 료타로를 읽고서 일본인도 좋은 점이 있구나라고 생각하는 사람도 있지만, 그런데도 왠지 모르게 힘이 빠지는 것은 그 뒤에 본 고사에서 불합격이 되었는데도 모의 고사에서는 1등이었다고 말하고 있는 것처럼 들리기 때문입니다.

그렇게 되면 시바 료타로도 걷어차버리고 이번에는 불합격한 최종 시험도 합격한 것으로 해달라는 정신 상태가 됩니다. 그렇지 않으면 시바 료타로도 소용없기 때문입니다. 그러나 불합격한 것을 합격한 것으로 바꿀 수는 없습니다.

볼 수 없는 것을 보다

하시즈메 녹내장이라는 눈병이 있죠. 망막 세포가 죽어서 시야가 조금씩 이지러집니다. 그렇지만 처음에는, 혹은 상당히 진행되어도 자각 증상이 거의 없죠. 시야가 거의 훼손되어서 "헉, 이것이 눈앞에 있을 텐데 안 보여?" 같은 말을 들을 때는 이미 말기가 됩니다.

모순된 말이기는 하지만, 보이지 않는 것을 본다는 것은 어렵습니다. 따라서 자각 증상이 나타나지 않습니다.

오사와 단적으로, 볼 수 없기 때문에 볼 수 없는 것이죠.

하시즈메 이것을 역사적으로 응용해봅시다.

역사는 다양한 사항과 사건이 연속되어 전체를 구성합니다. 그 속에 있는 부분이 쏙 빠져 있었다고 해서, "나는 역사가 보이지 않습니다. 예를 들면 1931년부터 1945년까지, 그 뒤 1951년까지가 쏙 빠져 있습니다"처럼 본인이 자각하느냐 하면, 자각할 가능성이 전혀 없습니다. 뭔가를 보지 않는다는 것을 자각하지 못하게 되어버립니다. 저는 이게 일본인 모두가 저지르고 있는 일이라고 생각합니다.

녹내장에는 검사가 있어서 시야의 여기저기에 빛을 점멸시켜봅니다. 그래서 보이는지 보이지 않는지를 검사해보면, 보이지 않는 부분의 무늬가 생깁니다. "여기가 보이지 않네요" 하고 알게 됩니다.

따라서 역사도 "몇 년도의 이 사건에 관해 당신은 어떻게 생각하십니까?" 같은 질문 목록을 만들면 거의 동일한 것이 나오겠죠. 예를 들면, "1941년에 소집 영장이 나와서 출정한 병사는 옳은 일을 했습니까, 잘못된 일을 했습니까?"처럼. 만일 대답을 할 수 없다면, 그것이 맹점입니다. 그렇지만 "막부 말기의 유신 당시에 사카모토 료마를 따라서 함께 일어선 근왕勤王 지사는 좋은 일을 했습니까, 나쁜 일을 했습니까?"라는 질문을 들으면 "좋은 일을 한 게 틀림없지 않습니까"라고 바로 답을 하게 됩니다. 이런 질문 목록을 만들어보는 것도 좋지 않을까 합니다.

징병제와 지원제

하시즈메 그래서 생각하는 것은, 우선 볼 수 없는 것이 있다는 것에 정신을 차리는 것이 중요하다는 것입니다.

내 생각에, 만일 군대가 있고 징병제가 있다고 가정하면 상황을 고찰하는 실마리가 될 것입니다.

본의 아니게 자신이 목숨을 잃어버릴지도 모릅니다. 전장에 가서 상대를 죽이지 않으면 안 될지도 모릅니다. 커다란 위험을 안지 않으면 안 됩니다. 그런 가능성이 있다면, 동급생이 그런 상황에 처한다면, 또는 자신이 그런 상황에 처한다면, 어째서 이라크와 시리아 같은 곳에 가지 않으면 안 되는 걸까 하는 최소한의 생각을 하죠.

가족도 자신의 일처럼 걱정합니다. 그것은 공공의 사항에 대해 맹점을 없애는 일인지도 모릅니다.

누차 얘기되는 것이지만, 징병제와 지원제는 다릅니다. 징병제는 제비뽑기이기 때문에 공평합니다. (원래 징병제에도 불공평하게 운용되는 경우도 있습니다. 예를 들면 특례가 있는 경우에 많은 돈을 내면 징병되지 않아도 됩니다. 자산가와 고소득자의 자녀들은 돈을 낼 수 있기 때문에 군대에 가지 않겠죠. 그만한 여유가 없는 가정의 자녀들만 군대에 가게 됩니다. 실질적으로는 지원제와 동일하게 되어버립니다.) 그에 반해 지원제는 불공평합니다. 지원제는 실제로는 빈곤 가정과, 그 밖에 취직 기회가 없는 사람들만이 군대에 가는 시스템이 되어버립니다. 극히 일부분의 사람들에게 군 복무를 강요하고, 대부분의 사람은 자신이 희생되는 것을 생각하지 않아도 됩니다. 어차피 사람이 전쟁에 가는 것이라고 많은 사람이 생각하기 때문에 본인과 부모가 호전적으로 되기 쉽고, 징병제에 비해서 전쟁을 억제하는 힘도 약하게 됩니다.

일본에서 징병제는 마치 악의 대표처럼 얘기되지만, 지원제에 비해 합리적인 측면이 있습니다.

오사와 그렇습니다.

하시즈메 아메리카는 베트남 전쟁 때는 징병제였는데 격렬한 반전 운동이 일어나서, 그 뒤에 지원제로 바꿨습니다. 그렇게 되면 빈곤층과 하층 계급의 사람들이 군대에 집중돼서 불공평이 생깁니다.

일본은 어떠합니까? 애초에 군대가 없기 때문에 징병제도 없습니다. 자위대를 군대로 본다면, 실질적으로 지원제가 된 것과 동일합니다. 대학에 갈 기회가 없고, 취직할 기회도 없는 지방의 젊은이 같은 사람이 자위대원으로 지원합니다. 국민이 보기 어려운 존재가 되고 있습니다. 이만한 정보 사회에서 많은 사람이 군대에 관한 일을 제대로 생각하지 않는 배경의 하나가 되고 있다고 생각합니다.

누가 세계를 지키는가?

오사와 베트남 전쟁 얘기가 나왔습니다만, 아메리카에서 베트남 전쟁에 대한 반전 운동이 일어났습니다. 따라서 일본인은 아메리카인이 훌륭해 보인다고 생각하지만, 그것은 그때 징병제가 강화되었기 때문이죠. 그때까지는 징병제가 있어도, 예컨대 대학교에 다니고 있으면 거의 징병되지 않았기 때문에, 그렇게 되면 결국 유복한 사람은 어차피 징병되지 않는 상태가 됩니다. 그럴 때는 반전 운동도 없었습니다. 그런데 점점 징병제가 강화돼가면서 중류 계급 사람이 징병될 가능성이 있고 실제로 그렇게 되었습니다. 자신과 자신의 아들이 징병된다는 것을 생각했을 때, 그러면 이 베트남 전쟁은 치를 만한 가치가 있는지가 비로소 문제가 됩니다. 따라서 징병될 가능성이 없는 상태에서 전쟁에 찬성이다 반대다 같은 것을 얘기할 때는 무책임한 상태가 됩니다. 그런 의미에서 징병제가 대단히 중요하다고 생각합니다. 역으로 지원제는 아메리카에서 냉대받고 있는 사람들이 아메리카를 지키기 위해 세계의 경찰 역할을 하고 있는 상태라고 생각합니다.

맹점이 보이기 시작하다

오사와 그리고 저는 이렇게 생각하고 있어요. 역사의 맹점 같은 것이 있다고 해도, 지금이 맹점이 맹점이라는 것을 깨닫기 시작한 시기라고 생각합니다. 요컨대 일본이 호조를 보이는 시기에는 모두가 그런 눈속임을 잊고 있죠. '세계 최고의 일본Japan as number one'이라고 들떠 있을 때라든지 말입니다. 그러나 몇십 년에 걸쳐서 이를테면 이미 냉전이 끝났는데도 왜 아메리카 군대가 대량으로 주둔하는가에 대해서, 오키나와에는 몹시 곤란해 하는 사람들도 있다는 것이 확실해지면서 비로소 그 문제를 생각하지 않으면 안 되게 됩니다. 냉전 시기에는 보이지 않던 것이 지금은 보이게 되고, 그러면 지금은 그것이 옳았는지 틀렸는지를 생각할 시기에 도달했기 때문에, 패전에 관해 재고하는 논의도 활발하게 이루어지고 있다고 생각합니다.

물론 젊은이에게 좀 더 생각해달라고 하고 싶지만, 지금은 젊지 않은 우리 자신의 문제를 생각하는 것입니다. 최근 젊은이에게 불평을 늘어놓기보다는 정직하게 당신이 못하는 거잖아라고 생각하게 되죠. 우리는 확실하게 생각해왔는데도 젊은 너희들은 생각하지 않는 상황이 아니라, 연장자인 우리가 확실하게 생각하지 않았기 때문에 젊은이도 생각하지 않는 상황이죠.

일본인의 태반이 전후에 태어났고, 조만간에 전후에 태어난 사람이 100%가 됩니다. 그럼에도 불구하고 패전 때의 실패가 아직까지도 지나치게 효력을 발휘하고 있는 상태입니다.

저는 이런 논리로, 어떻게 해야 할지를 생각하고 있습니다.

그리 거창한 말은 아니지만, 로버트 팔러Robert Pfaller라는 미디어학자가 만든 상호수동성interpassivity이라는 개념이 있죠. 상호작용성interactivity이란 말과 대비해서 상호수동성이라고 부른 조어입니다. 감정의 영역에서는 간주관성間主觀性intersubjectivity[상호주관성]의 문제를 다루고 있지만, 알기 쉽게 말하면 이런 것입니다. 예를 들면 한반도 같은 곳에서는 장례식에 가면 곡하는 여자라는 것이 있지 않습니까. 프로 울음꾼이 대신 울어주는 것입니다. 이것이 상호수동성의 상황입니다. 중요한 것은 누군가가 나 대신에 슬퍼해줘서 나 자신은 슬픈 감정을 일으키지 않았을 때, 나는 슬프게 되는 것인가 되지 않는 것인가 하는 문제입니다. 이것은 슬프게 되는 것이라고 생각하지 않으면 안 된다고 생각합니다.

나 대신에 누군가가 했기 때문입니다. 요컨대 곡하는 여자를 전제로 한 공간을 자신이 받아들이고 있다면, 내 대신에 누군가가 슬퍼한 것이기 때문에 나는 어떤 의미에서 슬픈 일의 책임을 지지 않으면 안 됩니다.

아메리카에 대한 종속에서 영속적 패전으로

오사와 왜 이런 얘기를 하고 있냐면, 패전 문제의 계승 방법이 그런 느낌이 들기 때문입니다. 패전은 일종의 아메리카에 대한 종속의 멘탈리티이죠. 아메리카에 대한 종속의 멘탈리티는 물론 패배한 나라의 사람들이 고육책으로서 취하는 것입니다. 그 뒤의 세대는 그런 것을 의도적으로 만들 생각이 없습니다. 이때 패전한 최초의 세대, 아메리카에 대한 종속의 멘탈리티를 패전의 충격에 대한 방어 반응으로서 스스로 형성한 세대, 이것을 '곡하는 여자'에 비유해 보겠습니다.

앞에서, 곡하는 여자를 전제로 한 공간을 받아들이면 자신은 슬픔을 내면으로 느끼지 않아도 역시 슬퍼운 것이 된다고 말했습니다. 동일하게 아메리카에 대한 종속의 멘탈리티를 전제로 한 공간에 들어가서 그 공간을 받아들이면, 패전의 굴욕 등을 내면으로 느끼지 않아도 아메리카에 대한 종속을 계승한 것이 됩니다. 아메리카에 대한 종속의 멘탈리티는 늘 앞 세대를 '곡하는 여자'로 삼아가면서 다음 세대로 계승되고 있다고 생각합니다. 자신들은 곡하는 여자가 있는 장소에 들어가 있는 것조차 잊어버리지만, 곡하는 여자는 확실히 있죠. '영속적 패전'은 이렇게 해서 지속되고 있는 것이라고 생각합니다.

거의 내정 간섭이 아닌가 싶은 아메리카의 주문에 관해서도, 거의 특별히 신경을 쓰지 않는 모습으로 유유낙낙해버리는 멘탈리티. 그것은 일본인의 관점에서 보면 너무나도 당연한 것으로 생각해버리는 것인데, 불식간에 다음 세대로 계승되어온 것입니다. 역시 이 흐름을 탈출하는 것을 생각하지 않으면 안 됩니다.

덧붙여 말하자면, 아까 아메리카 사회주의 얘기를 하지 않았습니까. 아메리카인은 자신이 책임을 지지 않고서 누군가에게 시키는 태도를 극히 싫어하죠. 그렇지만 일본인이 아메리카에 대해 요구하고 있는 것은 바로 그런 것이죠. 일본이 아메리카의 마음에 들려고 취하고 있는 그런 태도야말로 아메리카가 가장 싫어하는 유형의 방식입니다. 아메리카의 가치관이 좋은지 나쁜지는 별도로 하고, 아메리카가 가장 싫어하는 태도로 아메리카에 종속되어 있는 상태입니다. 이것 역시 부끄러운 일입니다.

왜 아메리카에 대한 종속인가?

하시즈메 아메리카에 대한 종속이 있다고 하고, 과도한 아메리카 의존이 있다고 했을 때, 그 근원의 근원의 근원을 거슬러 올라가면 아메리카가 강대한 것이 원인이 아닌가 생각합니다.

오사와 맞습니다.

하시즈메 일본이 약체인 것이 원인인 것도 아니라고 생각합니다.

일본인의 사고방식이 틀렸다는 것, 그 문제일 뿐입니다.

오사와 맞습니다.

하시즈메 사고방식의 어떤 부분이 잘못되었냐면, 올바른 전쟁을 할 수 없었다는 것이라고 생각합니다.

전쟁을 해야 할 때는 해야 하고, 해서는 안 될 때는 안 해야 하는데도, 해서는 안 될 때 전쟁을 했습니다. 이것은 침략 전쟁인가 아닌가 하는 것보다 더 중요한 문제입니다.

침략 전쟁이 있다고 해도, 침략 전쟁을 해야 할 때에 침략을 해야 한다고 생각하고 전쟁을 한다면, 그나마 합리적입니다. 그러나 침략도 아니고, 전쟁을 해야 할 때도 아니었습니다.

분명히 아메리카와의 전쟁에 관해서는 해서는 안 될 때 전쟁을 시작했습니다. 게다가 국제법을 지키지 않습니다. 옥쇄는 대개 전투 행위로서 있을 수 없는 행위이고, 특공도 그렇습니다. 그리고 서일본의 산속인가 어디에서 아메리카 비행기가 추락해서 낙하산으로 승조원이 내려오자, 복수라고 외치면서 죽창으로 찌르기도 했기 때문에, 분명히 전시 국제법 위반이겠죠. 이런 것은 올바른 전쟁 방식이 아니죠.

아, 이 사람들은 올바른 전쟁 방식을 취할 수 없고, 광기에 휩싸인 것 같고, 어린애 같고, 제대로 된 성인이 아닌 패거리이기 때문에 그들에게는 전쟁을 할 능력을 주어서는 안 된다는 식으로 아메리카가 생각한 것이 모든 것의 출발점입니다.

패전, 패전이라고 말하지만, 패전보다도 오히려 전쟁을 시작한 개전 단계의 문제라고 저는 생각합니다. 따라서 개전 책임 쪽이 패전보다도 훨씬 더 큰 것입니다.

그렇다면 아메리카는 일본에 대해 어떻게 했습니까?

군대를 없앱니다.

군대 같은 것이 생긴다고 해도 군대로서 기능하게 하지 않습니다. 일본 국내에서 전투 행위를 해주시오. 일본 국내에서 전투 행위를 하는 한 외국에 영향이 없기 때문에.

그래서 지금 점점, 아메리카 군대와 함께라면 밖에서 전쟁을 해도 좋다는 식의 얘기를 하기도 하지만, 아메리카에 대한 종속의 근간은 아메리카인이 일본인을 신뢰하지 않는다는 겁니다. 일본인이 통상적인 전쟁을 할 이성과 판단력이 없다고 생각하고 있다는 것이 문제라고 생각합니다.

아메리카에 대한 종속을 벗어나려면

하시즈메 통상적인 전쟁을 할 이성과 판단력이 없다면, 통상적인 정치와 외교를 할 이성과 판단력이 없을 테고 통상적인 경제 활동을 할 이성과 판단력도 거의 없는 법입니다. 모든 것에 대해 신뢰받지 못하고 있으며, 신뢰받지 못하면 대화가 성립될 수 없습니다. 따라서 대등한 관계에 설 수 없습니다. 대등한 관계가 아니라면 최후에는 "내가 말하는 것을 듣고 있어라"라는 말을 듣게 되고, 이것이 아메리카에 대한 종속의 본질입니다.

"그래서 방법이 없다"라든가 "그래서 좋습니다"라든가 "이제 익숙해졌습니다"라는 것은 2차적, 3차적인 현상입니다. 일본인의 아메리카에 대한 종속의 심리와 태도가 아메리카에 대한 종속을 낳는 것은 아닙니다. 아메리카에 대한 종속의 심리와 태도를 버리고서 자립을 도모한다고 아메리카에 대한 종속이 사라지는 것도 아닙니다.

문제를 거슬러 올라가면, 스스로 전쟁을 할, 정치를 할, 외교를 할 발상과 능력을 손에 넣기만 하면 그걸로 충분합니다.

오사와 기꺼이 아메리카에 대한 종속을 당하고 있다는 것이 문제라고 생각합니다.

여러 형태로 아메리카에 의존하지 않을 수 없게 하는 것은 특별히 일본만은 아니죠.

그러나 다른 나라는 모두, 가령 어느 정도 아메리카에

의존했다고 해도, 그것은 말하자면 필요악이죠. 전략상 아무리 해도 방법이 없기 때문에 어느 정도의 종속은 감수합니다. 그런데 일본만은 희희락락하며 종속을 당하고 있습니다. 그렇다는 것은 일본이 아메리카에 종속되는 것이, 일본인이 일본인으로서의 최소한의 자존심을 갖기 위해 필요한 조건이라고 믿고 있기 때문입니다. 그러나 아메리카 쪽이 그렇게 일본에 관한 것을 좋아하는 것도 아닙니다. 특별히 싫은가 아닌가는 별도로 하고, 적어도 특별히 중시하고 있는 것도 아닙니다.

따라서 일본인은 아메리카가 일본에 대해 호의를 갖고 있다는 환상을 과대하게 지어내고, 그 환상에 따라서 행동하고 있습니다. 사실은 이 환상이 우스꽝스럽다는 것을 이미 일본인도 반쯤 알고 있다고 생각하지만, 우스꽝스럽다고 생각하면서도 그만둘 수 없는 익살극을 연기하고 있다는 느낌이 들죠.

어쩌면 전쟁이 끝났을 때 많은 일본인은 졌기 때문에 좋지 않았다는 것보다는 전쟁 자체에 뭔가 수치스러운 부분이 있었다는 감각을 가졌다고 생각합니다. 그러나 그렇다면 무엇이 좋지 않았는가까지는 캐물어 생각하지 않았습니다. 캐물어서 생각한다면 자신이 위험해질 것 같은 상태였다고 생각하겠지만. 그래서 앞서 말한 것과 같은, 사실은 일본인이 아메리카의 사랑을 받아서 해방되었다는 식의 도식에 의해, 그 위험에 직면하는 것을 회피했습니다.

326

일본인의 환상 속에는 아메리카가 대등한 파트너입니다. 사실은 그렇지 않다는 것을 누구라도 알고 있지만.

아메리카가 하려 하는 것에 일본인이 '의義'를 느낀다든가, '공감한다'든가 하는 것이 있어서 아메리카에 의한 평화를 일본도 응원하기로 한다면 좋겠지만 전혀 그런 것이 아닙니다. 일본이 어리석은 전쟁과 패전에도 불구하고 최소한 존재할 가치가 있다고 한다면, 아메리카가 일본을 긍정적으로 보고 있기 때문이라는 도식에 의한 것입니다. 이것은 좀 바람직하지 못하다고 생각하죠.

무사가 아메리카로 둔갑했다

하시즈메 대미 종속은 이렇게 역사적으로 형성된 것이라고 생각하지만, 백보 양보해서 일본인의 문화에, 만일 희희낙락해서 종속되고 대등한 관계가 되는 것을 바라지 않는 경향이 있다고 한다면, 그것은 300년 가까이 지속된 에도 시대의 신분제에 원인이 있다고 생각합니다.

도시 상공인[町人]이나 농민에게는 정치적 발언력이 없고 시키는 대로 이러저러한 일을 하고 있었습니다. 그런데 어떻게 사회 질서가 성립되었는가 하면, 무사가 있기 때문입니다. 무사는 전투원 자격이 있어서 여차하면 칼부림을 하고 경우에 따라서는 책임을 지고 할복을 하기도 합니다. 도시 상공인이나 농민은 그런 바보 같은 일은 하지 않습니다. 그렇게 두 종류의 사람들의 조합이었습니다.

메이지 시대가 되었을 때, 무사 출신자가 일본을 주도했습니다. 명예를 중시해서 할복을 하기도 하고, 평범하지 않게 변화된 사람들이었지만, 정치와 군사와 외교를 시키면 그 나름대로 그것을 이해하기 쉬운 사람들이었습니다. 그리고 해외의 사람들로부터 나름대로 존경을 받기도 했습니다. 유학儒學을 공부해서 원래 지식도 있었고, 대화가 통하는 패거리들은 그들을 인정해주었습니다. 전 세계에서 이런 식으로 생각해주어서, 독립을 인정해주는 조약을 맺고 근대화 뒤에 지원하기도 한 나라는 그리 많지 않습니다. 여기까지는 좋았습니다.

이 무사의 전통이 끊기고 나서 일본은 일탈을 시작한 것으로 보입니다.

패전 시기에 무엇이 일어났냐면, 무장 해제를 했기 때문에 아메리카가 무사가 되어버리고, 일본은 도시 상공인과 농민이 되었습니다. 도시 상공인과 농민의 문화가 확실히 일본에 있었는지도 모르겠습니다. 그렇지만 무사의 문화는 있었을 것입니다.

거기에 희망이 있다고 생각합니다. 무사가 되라고 말하는 것이 아니라, 정치와 군사와 외교를, 사람들의 생사에 입각해서 사람들이 행복하게 살아가는 것을 온 지혜를 다해서 생각하는 일을 줄곧 해왔을 것입니다. 그것이 갑자기 불가능하게 된 것은 단지 태만 때문입니다.

오사와 저도 기본적인 점에는 공감합니다.

역사로 되돌아가다

오사와 만약 우리가 되돌아가야 할 지점이 있다고 한다면 거기라고 생각합니다. 앞서 『언덕 위의 구름』 정도의 지점으로 되돌아가는 것일 뿐이라면, 모의 고사의 성적이 좋았다고 말하는 것에 불과하기 때문에 안 된다는 것을 얘기했습니다. 그렇다는 것은 시험을 목표로 하기 전으로 돌아가지 않으면 안 된다는 것입니다. 그렇게 하면, 메이지 유신의 지점이 됩니다. 금년은 그 메이지 유신으로부터 꼭 150년째입니다만. 다만 이 지점으로 되돌아간다고 해도 그 돌아가는 방식에 대한 공부가 필요하다고 생각합니다.

예컨대 프랑스 혁명을 고찰해봅시다. 프랑스 혁명은 일단 제3신분을 주인공으로 한 혁명이고, 혁명이 끝난 뒤에 실제로 제3신분이 사회의 주인공이 됐습니다. 프랑스 혁명은 제임스가 유명한 팜플렛에서 쓰고 있는 것처럼, 그때까지 무無의 존재였던 제3신분이 사회 전체가 되는 혁명입니다. 그 전환은 바로 제3신분 자신이 담당했습니다.

일본의 메이지 유신은 어떻습니까? 사정이 좀 다릅니다. 메이지 유신을 담당한 것은 명백히 무사였죠. 무사로서는 하급이지만 무사는 무사입니다. 그러나 무사가 승리해도 무사의 시대가 온 것이 아니라 무사는 없어진 셈입니다. 프랑스의 제3신분과 매우 비슷한 농민과 상인이 반란을 일으키고 사민四民(사농공상) 평등이 실현된 것이 아닙니다. 무사가 주도권을 쥐고 다분히 무사로서, 그리고 무사적 정신으로 했다고 생각하지만, 정신을 차려보니 이 무사의 상태를 자기 부정하지 않으면 안 되는 지점에 빠져들어 있었습니다. 무사가 일으킨 혁명인데도 가장 손해를 본것은 무사입니다. 무사는 단지 부정되는 존재로서만 혁명의 중심적 담당자였습니다.

확실히 우리가 되돌아가기로 한다면, 메이지 유신의 지점입니다. 그 시대에 있었던 에토스에 활로가 있는지도 모릅니다. 그러나 그 살리는 방법이 상당히 어렵습니다. 모두에게 칼을 차라는 것은 물론 아닙니다만, 저로서는 어떻게 그 정신의 긍정적인 부분을 취할 것인가에 관해서 어떤 비틀기가 있을까 하고 생각합니다.

메이지 유신은 무사를 넘어섰다

하시즈메 저는 너무 비틀 필요는 없다고 생각합니다.

무사가 머릿속에서 생각하고 있던 것은, 유학儒學이겠죠. 그리고 국학國學일 것이고, 난학蘭學(네덜란드학)이겠죠. 그런데 유학에는 무사라는 개념이 없습니다. 국학의 중요한 점은 에도 막번제幕藩制 이전의 사회에 사회의 원점을 두는 사고방식이지만, 국학에도 무사라는 사고방식이 없습니다. 물론 난학에도 무사라는 사고방식은 없습니다. 따라서 무사가 왜 메이지 유신의 발상에 매료되었는가하면, 무사를 넘어서는 원리였기 때문입니다. 처음부터 무사의 운동은 아닙니다. 이념적인 것입니다. 그런 식으로 메이지 유신을 생각하지 않으면, 그 메이지 유신의 혁신성을 추출할 수 없다고 생각합니다.

오사와 저는 이렇게 생각합니다. 결과적으로 보면 어떤 의미에서 무사라는 것이 극복되어가고 지양aufheben되는 것이지만, 이것은 '이성理性의 간지奸智List der Vernunft'라는 느낌이 들죠.

예를 들면 브루투스 무리가 카이사르를 암살합니다. 그것은 실제로 성공한 셈입니다. 카이사르를 해치워서 그가 독재자가 되는 것을 방지한 것입니다. 거기서부터 기동하기 시작한 역사의 과정은 로마에 황제라는 것을 낳습니다. 카이사르라는 개인이 독재자가 되는 것을 방지하기 위해서, 역으로 황제라는 영속적인 독재자 제도가 생겨버립니다. 실제로 '카이사르'라는 이름은 고유 명사로서는 부정되지만, 황제를 의미하는 일반 명사로서 부활합니다.

이 카이사르의 경우는, 바로 그것을 부정함으로써 보다 긍정적인 것으로 부활했습니다. 무사의 경우는 반대라고 생각합니다. 긍정한 것에 의해 부정된 셈입니다. 메이지 유신의 중심적인 담당자였던 하급 무사는 역시 자신들이 이해하는 무사적인 에토스에 따라 행동했다고 생각합니다. 그렇지만 그 역사 운동은 최종적으로는 무사를 부정하는 것으로 성취되고 있습니다. 따라서 의도하지 않은 결과라는 생각이 들죠.

이 경우에 의도했던 것과 결과가 다르기 때문에 받아들

이는 방법이 어렵습니다. 단지 진실은 의도보다 결과 쪽에 있다고 생각해야 합니다. 로마의 경우에도 사람들은 자각하지 못하지만, 당시의 로마 사회는 카이사르가 인기를 얻고 있던 단계에 이미 잠재적으로는 공화정을 방기하고 황제를 원하고 있었습니다. 일본의 메이지 유신도 동일합니다. 그 추진자들이 의식하고 있었던 것과는 다른 곳에 사회의 진정한 욕망이 자리잡고 있습니다. 그런 문제라고 생각합니다.

아메리카는 왜 아메리카인가?

하시즈메 지금까지 대담에서 아메리카가 아메리카인 까닭을 그 심층에서부터 추적해왔습니다. 그 보조선은 크게 말하자면 우선 기독교의 프로테스탄티즘(제1부). 그리고 그 신앙이 현실로 향하는 태도인 프래그머티즘이었습니다(제2부).

제3부에서는 그렇게 해서 강대하게 된 아메리카에 종속되지 않을 수 없는 일본의 어디가 잘못되었는가를 천착해왔습니다. 일본인은 아메리카에 대해 여러 가지 환상을 던집니다. 그에 반해 아메리카의 진실한 모습을 밝혀낼 용의가 생기고 있지 않습니다. 그래서 마지막으로, 마무리 작업으로서 아메리카의 진정한 모습을 대략적으로 그려두고 싶습니다.

오사와 꼭 부탁합니다.

하시즈메 아메리카는 신대륙의 나라입니다. 구대륙은 인간이 많아서 쓰레기 더미가 되고 있습니다. 신대륙은 빈 땅 상태입니다. 산업 문명이 시작될 시기에 그 신대륙에 신앙심이 깊고 근면한 사람들이 이주했습니다. 그리고 구대륙에 병행하는 산업 문명을 신대륙에 쌓아올렸습니다.

이것뿐이라면 신대륙의 아메리카는 단지 사은품 같은 것입니다. 그렇지만 신대륙은 충분히 넓고 자원이 풍부하며 구대륙의 이민을 불러모을 수 있었습니다. 여러 가지 조건이 겹쳐서 아메리카의 골격이 완성되어갑니다.

이 과정은 아메리카 사람들에게도 의외의 일이었습니다. 아메리카는 누구의 예상도 초월해서 확고하게 존재하게 되어갔고, 역사적, 사회적 실재입니다.

그런 것은 존재할리가 없는 것이었습니다.

오사와 듣고 보니 정말 그렇군요.

세계의 경찰이 되다

하시즈메 아메리카는 시기에 따라 구대륙에 대한 태도를 변화시켜왔습니다.

아메리카의 국력이 크지 않았을 때는 열강의 개입을 배제하고서 구대륙과 거리를 두는 것을 최우선으로 합니다. 아메리카는 면적이 넓고 자원도 풍부하기 때문에 국외에 식민지를 가져야 할 동기가 거의 없었습니다. 이 점이 구대륙의 열강과는 다릅니다. 대신에 국내의 국경 지방을 개발하고 국토를 확장해서 신대륙에서의 안전 보장을 도모하는 일에 집중했습니다. 바꾸어 말하자면, 여유가 있습니다. 열강을 상대로 각축을 벌이지 않아도 되기 때문에 외교에서는 근사한 원칙론을 얘기하면 되는 측면이 있습니다.

오사와 메이지 유신 당시에 아메리카가 외교를 지도하는 역할을 자청한 것도 그런 측면의 발로이군요.

하시즈메 네. 아메리카는 구대륙에 중대한 이해관심을 갖고 있지 않았기 때문에 구대륙에 대한 관여는 한정적이었습니다. 예컨대 19세기 전반에 포경捕鯨은 아메리카의 주요 산업 중 하나였습니다. 고래기름을 등불에 쓰는 기름으로 판매한 것입니다. 그래서 개항 뒤에 일본에 포경선을 보급할 것을 요구합니다.

그 뒤 유전이 발견되어서 포경은 눈 깜짝할 사이에 시들해집니다.

남부의 농산물(면화, 담배, 사탕수수)이 수출 산업으로서 중요했던 것은 남북 전쟁을 다룰 때 얘기한 대로입니다.

19세기 후반부터 아메리카는 영국에 버금가는 강국으로서 국제 사회에서의 지위를 향상시킵니다. 그리고 구대륙에 대해 명확한 이해관심을 갖게 됩니다.

예컨대 일본이 극동 아시아에서 세력을 확대해서 중국을 지배 아래 두는 것을 경계합니다.

러일 전쟁의 평화 협상을 중재하고 나선 것도 그런 태도의 발로였습니다. 일본과의 전쟁을 피할 수 없게 된 것도 일본의 중국 침략을 인정해서는 안 되었기 때문입니다. 만일 일본과 중국이 병합되면 미래에 아메리카에 필적하는 세력권이 될 가능성이 있는 것입니다.

유럽에서 독일의 세력이 너무 강해지는 것. 특히 나치가 유럽을 병탄하는 것은 간과할 수 없었습니다. 그렇지만 아메리카의 태도는 바로 가열되지 않았고 제2차 세계대전에도 늦게 참전했습니다.

아메리카는 구대륙이 단일한 세력으로 뭉치는 것도 용인할 수 없습니다. 소련에는 그런 가능성이 있었습니다. 유럽을 병탄하고, 중동을 제압하고, 인도와 중국을 세력 아래 거두고, 일본을 속국화한다……. 구대륙이 하나로 뭉친다면 아메리카의 독립도 위협을 받습니다. 냉전은 이데올로기 싸움 이상으로 지정학적인 다툼이었던 것입니다.

오사와 그렇게 생각하면 냉전은 신대륙(이라고 말해도 북아메리카, 아니 아메리카합중국이지만)과 구대륙의 대립의 독특한 반영이기도 하군요. 원래 서유럽의 어느 부분을 과장한 것 같은 인자因子가 북아메리카에 이식되었습니다. 그 단계에서 신대륙은 서유럽의 부속품일 뿐이었지만 머지않아 역으로 그 부속품 쪽이 중심이 돼서 신대륙(아메리카)과 서유럽의 주종 관계가 역전되어버립니다. 이것이 냉전에서의 서쪽 진영이죠. 그 이외의 구대륙 세력이 동쪽 진영이 되죠.

하시즈메 네. 그 아메리카가 자유 세계를 지키고 냉전을 극복한 것은, 두 차례의 세계대전에서 미적지근한 태도를 취하고 국제 사회의 주도권을 잡지 않았기 때문에 세계를 혼란시켰던 쓰라린 경험을 교훈으로 삼았기 때문이었습니다. 아메리카는 세계 최대의 대국으로서 신대륙과 구대륙을 포함한 세계에 대해서 책임을 자각하게 되었습니다. 구대륙의 옛 열강은 피폐해져서 아메리카에 대항할 바가 못 됩니다. 이것이 우리가 이미지화하는 아메리카입니다.

패권국 아메리카. 이것은 아메리카의 본질일까요? 생각건대 아메리카는 되고 싶어서 이렇게 된 것이 아닙니다. 어쩔 수 없어서 이렇게 된 것이라고도 말할 수 있습니다. 그렇다는 것은 머지않아 패권국을 내려놓을 가능성도 없다고는 말할 수 없습니다.

오사와 패권국이란 것은 반드시 되고 싶다고 되는 것도 아니죠. 20세기 전반에 아메리카는 객관적으로는 이미 패권국이었는데도 스스로 그 자각이 부족했습니다. 그래서 20세기 후반에는 아메리카가 자각해서 패권국으로서 행동했겠죠. 그러나 머지않아 20세기 전반과는 반대되는 것, 우선 객관적으로는 이미 패권국으로서의 자격을 잃어가고 있는데도, 과도하게 패권국이라는 정체성을 고집하는 단계가 올지도 모르겠고, 이미 오고 있다고도 말할 수 있습니다. 그 끝에 아메리카가 패권국을 그만둔다는 때가 올까요, 안 올까요?

아메리카는 언제까지 아메리카인가?

하시즈메 아메리카는 지금도 패권국입니다. 세계 최대의 경제 대국이고 군사 대국입니다. 과학 기술과 첨단 산업 등 많은 분야에서 계속 세계 제일을 달리고 있습니다.

그렇지만 그 상대적인 지위는 계속 저하 경향을 보이고 있습니다.

제2차 세계대전 뒤에 1950년대에 아메리카는 세계 GDP의 대략 절반을 점하고 있었습니다. 유럽이 철저하게 파괴되었기 때문에 당연했지만, 이것을 정점으로 일본과 독일의 대두, 중국의 대두, 인도와 신흥 공업국의 대두에 눌려서 점점 상황이 나빠지고 있습니다. 머지않은 장래에 중국에 세계 제일의 경제 대국 자리를 뺏길지도 모릅니다.

그럼에도 아메리카 경제가 건투하고 있는 것은, 먼저 우수한 대학교를 많이 보유하고 있는 연구 개발력. 두 번째는 국내 시장의 크기. 세 번째는 세계 각국으로부터 계속 이민이 상시적으로 유입되어 단순 노동력을 확보하고 인구도 계속 증가하고 있다는 것. 유럽 각국과 일본과 비교해서 이것이 유리한 점입니다.

그렇다면 아메리카는 미래에도 패권국의 자리에 머물러 있을까요? 다른 나라, 예컨대 중국이 아메리카에 도전해서 패권국의 자리를 빼앗는 걸까요?

오사와 패권국이란 것은 경제력, 군사력, 정치력 등 모든 분야에서 타국을 압도하는 것이 조건입니다. 그러한 점들에 관해서 하시즈메 선생이 지적했듯이 아메리카의 상대적인 지위는 저하해왔고 더 저하되겠죠. 그러나 그렇다고 해서 이번에는 중국이 패권국이 된다는 것은 간단하게 이루어질 수는 없다고 생각합니다.

게다가 패권국의 조건에 하나 더 중요한 것이 있습니다. 패권국이란 것은 세계의 규범적인 모델이라고 할까, 국제사회의 가치관과 규칙의 제공자이기도 합니다. 예를 들면 중국 등 아메리카 이외의 나라가 경제라든지 군사의 측면에서 아메리카를 능가할 수도 있겠지만, 그것은 중국 식의 가치관과 규칙을 세계가 받아들이게 했다는 것은 아닙니다. 오히려 '아메리카'로 대표되는 규칙에 중국이 적응하는 데 성공했다는 것에 지나지 않습니다.

하시즈메 그렇습니다. 패권국은 단지 경제력과 군사력이 클 뿐만 아니라 국제 사회를 조율하는 데 적합한 행동의 투명성과 예측 가능성을 갖추고 있지 않으면 안 됩니다. 아메리카는 기독교 문명의 일원으로서 주요 선진국과 가치관을 공유하고 있습니다. 세계도 아메리카의 패권에 익숙해져 있습니다. 어떻게 행동할지 예측 가능성이 낮은 중국에 그 패권이 이행되는 것에 대한 저항이 있을 겁니다.

오사와 그렇게 생각합니다. 중국에 의해 대표되는 가치관과 태도는 주요 선진국이 적극적으로 요구하고 있는 것과 상당히 괴리되어 있습니다.

21세기의 세계를 전망하다

하시즈메 그래서 생길 법한 시나리오는 아메리카의 패권이 아메리카를 중심으로 한 집단 지도 체제 같은 것으로 서서히 이행하는 것이 아닐까요. 유럽의 여러 나라와 일본이 내리막길에 있는 아메리카를 지탱하기 위해 협력합니다. 인도와 이슬람도 힘을 빌려줄지 모릅니다. 중국의 패권을 지지하는 나라는 그리 많지 않을 것입니다.

패권국은 국제 사회의 공동 이익과 자국의 국익 사이의 타협을 도모하는 나라입니다.

트럼프 정권은 '아메리카, 퍼스트'라고 말하는 자국의 국익을 우선하는 장면이 많았습니다. 패권을 유지하는 것이 부담이 된 아메리카의 여유 없음을 보여주는 것이지만, 이 경향이 계속되면 세계는 혼란이 깊어질 뿐입니다.

오사와 말씀하신 대로 글로벌 사회가 존속하기 위한 거의 유일한 해법은 아메리카를 주요 멤버로 하는 집단 지도 체제를 보다 포괄적으로 만드는 것이라고 생각합니다. 그러나 현재의 상황을 보면 그것은 앞길이 험난합니다.

예를 들면, 지금 지적한 '아메리카, 퍼스트'입니다. 어떤 의미에서 각각의 나라가 자국 퍼스트인 것은 당연합니다. 그러나 아메리카가 스스로 자진해서 '아메리카, 퍼스트'라고 말해버리면, 아메리카는 예컨대 북한이 '북한, 퍼스트'라고 말한다든지, 중국이 '중국, 퍼스트'라고 말한다든지 하는 것을 용인하지 않을 수 없게 됩니다. 트럼프는 '아메리카, 퍼스트'라고 말하면 아메리카가 다시 위대하게 된다고 생각하고 있지만 그 반대입니다. 위대한 패권국이 되기 위한 조건은 적어도 자신만은 노골적으로 '……퍼스트'라고 말하지 않는 것입니다. 여하튼 아메리카의 대통령이 '아메리카, 퍼스트'라고 말하는 단계는 집단 지도 체제적인 상호 협력과는 아주 거리가 멀다고 생각합니다.

또는 EU. 유럽 차원의 연대에서조차 좌절하고 있습니다. 하물며 유럽의 범위를 넘어선 인도와 이슬람과 일본을 포섭하는 협력 관계는 현 시점에서 상당히 곤란한 상태입니다.

하시즈메 확실히 그렇습니다.

아메리카는 신대륙의 나라였습니다. 구대륙과 분리되어서 이상과 꿈 속을 살아왔습니다. 그렇지만 21세기에 일어나는 일은 신대륙과 구대륙이 점차로 차이가 없어지는 것이라고 생각합니다. 그것은 아메리카의 아메리카다움이 두드러지지 않게 되는 것이기도 합니다.

오사와 그렇게 생각합니다. 어떤 의미에서 아메리카다움이 두드러지지 않게 된 것은 아메리카의 성공의 결과이기도 합니다. 구대륙과 유럽과의 관계에서 아메리카는 원래 예외적인 사회였습니다만, 그 예외가 세계의 기본 표준 standard of default이 되어가고 있기 때문입니다.

하시즈메 일본과 아메리카는 표면적으로는 큰 문제 없이 관계를 계속해왔습니다. 문제는 일본이 아메리카의 본질을 이해하지 못한다는 것입니다. 아메리카의 관점에 서서 세계와 일본을 보는 것이 사실 불가능하다는 것입니다.

이 대담에서는 아메리카를 근저에서 지탱하는 가치관과 행동 양식에 관해 구명究明해왔습니다. 아메리카의 사고방식과 행동 양식을 체득하는 것은, 아메리카식으로 되는 것이 아닙니다. 그 반대로 아메리카와 달랐던 가치관과 행동 양식을 갖춘 일본을 발견하는 것이기도 합니다. 일본과 아메리카의 관계가 성숙된 다음 단계로 나아가기 위해서 이것은 불가결한 작업이라고 생각합니다.

오사와 전적으로 찬성합니다. 일본은 아메리카에 대한 정신적인 의존도에 있어서 세계에서도 유별나지만 아메리카를 이해하지 못하는 정도에 있어서도 유별납니다. 아메리카를 안다는 것은, 아메리카에 대한 거의 도착적倒錯的인 수준의 의존으로부터 탈피하기 위한 첫걸음입니다. 그것을 통해서 일본은 자신이 누구인가를 알게 되고 자신이 아메리카에 대해 또는 세계에 대해 무엇을 할 수 있는가도 새삼스럽게 자각하게 되겠죠. 이 대담이 거기에 조금이라도 공헌할 수 있기를 바랍니다.

하시즈메 동감입니다.

후기

일본인은 아메리카가 존재하는 것이 당연하다고 생각하고 있다.

당연하다 못해 아메리카가 없는 세계를 생각할 수 없을 정도이다.

잘 생각해보면 이런 나라가 존재하는 것이 애당초 불가사의하다. 아니, 아메리카에 밀착된 그런 정책을 70년 이상이나 계속해 시행해온 일본은 더욱 불가사의한지도 모른다.

아메리카. 이 불가사의한 존재.

이 책은 이러한 아메리카의 급소를 찾아내기 위한 대담이다. 다만 신서新書라는 그릇은 작다. 그래서 오사와 선생과 분담해서 정밀하게 기독교와 프래그머티즘이라는 두 가지 공략 루트를 겨냥했다. 둘 다 아메리카의 본질이면서 지금까지 일본인이 잘 다루지 못한 화제다. 그것들을 바탕으로 21세기의 아메리카와 세계에 관해서도 고찰해보았다. 지금까지 아메리카를 논한 어떤 책보다도 깊이 있는 지점까지 논의가 닿아 있다면 다행이라고 생각한다.

오사와 마사치 선생과의 대담은 언제나 자극적이다. 그리고 즐겁다. 얘기를 나눌 때까지 생각하지도 못했던 여러 가지를 발견한다.

　이번에 출판사의 이 책 담당자인 후지사키 히로유키藤崎寬之 선생에게 신세를 많이 졌다. 구상 단계에서부터 주도면밀한 절차를 거듭해서 마지막에는 빡빡한 일정 속에서도 전력을 다해 작업을 진행해주었다. 또한 기념할 만한 신서 시리즈의 첫 번째로 이 책을 선정해준 것을 자랑스럽게 생각한다. 출판사에 감사하고 싶다.

　이번에 오사와 선생과 둘이서 모리모토 안리 선생의 『아메리카 기독교사』(新教出版社, 2006년)를 읽고 대담의 계기로 삼았다. 모리모토 선생에게 감사하고 싶다.

　대담 속에서도 반복된 화제가 되었지만, 아메리카를 아는 것은 일본을 아는 것이기도 하다. 그리고 '안다'는 것은 단순한 지식의 문제가 아니다. 무엇보다도 자신이 '변하는' 것이다. 학문은 세계를 알아서 자신이 변하는 것이다. 그리고 그 세계를 더욱 살 만한 것으로 변화시켜가는 것일 테다. 그렇게 세계를 '아는' 인간들이 늘어나기를 바란다.

2018년 10월
하시즈메 다이사부로

불가사의한 아메리카

초판 1쇄 인쇄 | 2024년 1월 15일
초판 1쇄 발행 | 2024년 1월 25일

지은이 | 하시즈메 다이사부로·오사와 마사치
옮긴이 | 김해식
펴낸이 | 신성모
펴낸곳 | 북&월드
디자인 | 긍지

신고번호 | 제2020-000197호
주소 | 경기도 고양시 덕양구 토당로 123 208동 206호
전화 | 010-8420-6411
팩스 | 0504-316-6411
이메일 | goch@naver.com

ISBN 979-11-982238-4-5 03300